80 8106897 3

TELE~~N

D1577580

CPC UCW
LLYFRGELL
LIBRARY
ABERYSTWYTH

42.-

CK

ABHANDLUNGEN ZUR KUNST-, MUSIK- UND
LITERATURWISSENSCHAFT, BAND 111

BRECHTS FRÜHE LYRIK
1914 - 1922

NIHILISMUS ALS WERKZUSAMMENHANG
DER FRÜHEN LYRIK BRECHTS

VON PETER PAUL SCHWARZ

2., verb. Auflage
1980

BOUVIER VERLAG HERBERT GRUNDMANN · BONN

COLEG PRIFYSGOL CYMRU
THE UNIVERSITY COLLEGE OF WALES

A.C. № 8081068973
CLASS № PT2603 R397Z86

CIP-Kurztitelaufnahme der Deutschen Bibliothek
SCHWARZ, PETER PAUL:
Brechts frühe Lyrik: 1914 - 1922; Nihilismus als Werkzusammenhang d. frühen Lyrik Brechts / von Peter Paul Schwarz. – 2. Aufl. – Bonn: Bouvier, 1980.
(Abhandlungen zur Kunst-, Musik- und Literaturwissenschaft; Bd. 111)

ISBN 3-416-01598-3

ISSN 0567-4999

Alle Rechte vorbehalten. Ohne ausdrückliche Genehmigung des Verlages ist es nicht gestattet, das Buch oder Teile daraus zu vervielfältigen. © Bouvier Verlag Herbert Grundmann, Bonn 1971. Printed in Germany.

INHALT

EINLEITUNG

Die Lyrik Brechts ist längst kein unbeachtetes Kapitel der literarhistorischen Forschung mehr geblieben, aber an der Tatsache, „daß eine sachlich umfassende Deutung des Lyrikers Brecht immer noch ausstehe"[1], hat sich seit diesem Hinweis von Walter Jens kaum Wesentliches geändert. Das gilt nicht nur für eine von Jens avisierte Gesamtdeutung des lyrischen Werks, die sachlich erst seit dem gleichzeitigen Erscheinen der gesammelten Gedichte Brechts[2] im Suhrkamp- und Aufbau-Verlag zwischen 1960 und 1965 möglich geworden ist, sondern auch für die Deutung seines lyrischen Frühwerks, das in der von Brecht vorgesehenen Auswahl der „Hauspostille"[3] seit 1927 vorlag. Sicher stand einer systematischen Analyse auch hier die Lücke der bis 1960 unveröffentlichten oder nur in Zeitschriften zugänglichen Gedichte aus dem Zeitraum von 1914 bis 1922 entgegen, so wie die fehlende, bis heute unvollständige Chronologie der „Hauspostillen"-Gedichte über die Entwicklung ihres Dichters im unklaren lassen mußte. Die eigentliche Schwierigkeit liegt aber im Verständnis der „Hauspostille" selbst begründet, deren kunstvolle Komposition über die Heterogenität ihrer Texte hinweggetäuscht hat und die Frage nach einer einheitlichen Perzeption gar nicht aufkommen ließ. So sind die faszinierendsten Stücke dieser Gedichtsammlung wie der „Choral vom Manne Baal" und das Selbstporträt „Vom armen B. B.", die lyrischen Gedichte „Vom ertrunkenen Mädchen" und die „Erinnerung an die Marie A." immer wieder zum Gegenstand glänzender Einzelinterpretationen gemacht worden, wobei aber die Frage nach dem thematischen oder stilistischen Zusammenhang der frühen Lyrik Brechts entweder ausgeklammert oder einseitig, zumeist vom „Baal" her, beantwortet wurde. Auch die bisher einzige, systematische Arbeit von Klaus Schuhmann über den „Lyriker Bertolt Brecht 1913—1933"[4], die

[1] Walter Jens, Der Lyriker Brecht, in: Jens, Zueignungen, München 1962, S. 19.
[2] Bertolt Brecht, Gedichte, 9 Bd., Frankf. M.: Suhrkamp-Verlag, 1960—1965 und Berlin: Aufbau-Verlag, 1961—1965.
[3] Bertolt Brechts Hauspostille. Mit Anleitungen, Gesangsnoten und einem Anhange, Berlin: Propyläen-Verlag, 1927.
[4] Klaus Schuhmann, Der Lyriker Bertolt Brecht 1913—1933, Berlin (Ost) 1964 (Neue Beiträge zur Literaturwissenschaft, Bd. 20).

1

erstmals die Gedichte aus dem Nachlaß mit berücksichtigt und große Verdienste um die historische Einordnung der frühen Lyrik Brechts hat, stellt sich das Problem ihrer stilistischen Einheit nicht, da sie die inhaltliche und formale Analyse getrennt durchführt.

Die Heterogenität der *„Hauspostillen"*-Gedichte läßt sich aber auch nicht mit dem Hinweis erklären, daß es Brecht erst 1927 gelang, den vornehmlich zwischen 1916 und 1922 entstandenen, lyrischen Fundus seiner Augsburger Jahre zu veröffentlichen, so daß spätere Stücke den ursprünglichen Werkcharakter verdunkelten. Denn man kann die nach 1922 entstandenen Gedichte wie die *„Liturgie vom Hauch"* oder die *„Mahagonnygesänge"* ausscheiden, und das Problem bleibt: Wie verträgt sich die schneidende Satire der *„Legende vom toten Soldadten"* (1918) mit dem gesellschaftlichen Außenseitertum der *„Ballade von den Seeräubern"* (1918)? Wie verhält sich der existentielle Anspruch in dem lyrischen Gedicht *„Vom ertrunkenen Mädchen"* (1920) zu seinem ironischen Pendant *„Von den verführten Mädchen* (1920)? Und in welchem Verhältnis steht der zynische Gleichmut in dem Selbstporträt *„Vom armen B. B."* (1922) zum sozialkritischen Engagement des Dichters der *„Marie Farrar"* (1922)? — Handelt es sich dabei, wie Hans MAYER annimmt, um „Gelegenheitsdichtungen", die jedem Versuch einer thematischen oder strukturellen Systematisierung widerstehen und ihre „Struktur jeweils nach Quantität und Qualität des vorgestellten Adressaten"[5] ändern? Oder steht der von GOETHE geprägte Begriff der „Gelegenheitsdichtung"[6] nicht notwendig im Widerspruch zu dem der entwicklungsgeschichtlichen

---

[5] „Bertolt Brechts Gedichte sind von Anfang an als Gelegenheitsdichtungen angelegt. Diesem Manne war es offenbar von früh auf Bedürfnis, alle wesentlichen Vorgänge des Tages ... als Gedicht zu fassen. ... Man kann daher den Eigentümlichkeiten Brechtscher Lyrik nicht mit einer Aufzählung der am häufigsten vorkommenden Strukturtypen gerecht werden. ... Die Struktur des Gedichts ändert sich jeweils nach Quantität und Qualität der vorgestellten Adressaten." Hans Mayer, *Gelegenheitsdichtung des jungen Brecht*, in: Mayer, *Anmerkungen zu Brecht*, Frankf. M. 1965, S. 28 f.

[6] „Was von meinen Arbeiten durchaus und so auch von den kleineren Gedichten gilt, ist, daß sie alle, durch mehr oder minder bedeutende Gelegenheit aufgeregt, in unmittelbarem Anschauen irgendeines Gegenstands verfaßt worden, weshalb sie sich nicht gleichen, darin jedoch übereinkommen, daß bei besondern äußern, oft gewöhnlichen Umständen ein Allgemeines, Inneres, Höheres dem Dichter vorschwebte." — Goethes Erläuterungen eigener Gedichte, in: *Goethes Werke*, Hamburger Ausgabe, hrsg. v. Erich Trunz, Bd. I, S. 393.

Folge (was mit einem Blick auf die Phasen der Goetheschen Lyrik sehr rasch evident wird), so daß sich auch für das lyrische Frühwerk Brechts durchaus thematische und strukturelle Zusammenhänge verdeutlichen ließen, nach deren Gesamtzusammenhang letztlich zu fragen wäre?

Bevor dieser Nachweis erbracht werden soll, gilt es jedoch, den methodischen Ansatz der Arbeit sicherzustellen. Textgrundlage sind die Gedichte der „Hauspostille" [7] von 1927 sowie die von Elisabeth Hauptmann aus dem Nachlaß herausgegebenen „Gedichte 1913—1926" im IV. Band der zweiten Brecht-Ausgabe des Suhrkamp-Verlages von 1967 [8]. Die Benutzung dieser Ausgabe ist nicht nur deshalb unerläßlich, weil sie die vorläufig gesichertsten Texte enthält, sondern auch wegen ihres Registers im Anhang, das erstmals die Entstehungsdaten für viele Gedichte Brechts mitteilt [9].

Denn um willkürliche Deutungen auszuschließen, die notwendig dann eintreten müssen, wenn die Gedichte außerhalb ihres chronologischen Zusammenhangs interpretiert werden, verfährt die Analyse des Werkzusammenhangs nach dem Prinzip, thematische und formalthematische Zusammenhänge in ihrer chronologischen Folge darzustellen, um die Gesetzmäßigkeit einer Problemstellung oder eines Strukturtypus in der Entwicklung herauszuarbeiten. Dieses methodische Verfahren macht es erforderlich, daß nach der Darstellung der politischen Lyrik von 1914 bis 1918 der Zeitraum von 1916 bis 1922, in dem sich die frühe Lyrik Brechts vornehmlich entwickelt, anhand verschiedener Themenfolgen und Strukturen mehrfach durchmessen wird, um so ein möglichst breites und differenziertes Bild seines lyrischen Werks zu erhalten.

Im Erstellen solcher chronologischer Folgen ist zu unterscheiden, ob es sich um thematische oder formal-thematische Zusammenhänge handelt, die hier als „Strukturen" bezeichnet werden. Unter dem Begriff „Struktur" verstehen wir also nicht nur den im Wortsinn formalen Aufbau (structura) eines Werks, sondern dessen formal-thematische bzw. stilistische Einheit, die sich in der Wiederholung der chronologischen Folge als

---

[7] Bertolt Brechts Hauspostille. Mit Anleitungen, Gesangsnoten und einem Anhange, Berlin/Frankfurt M. 1963.

[8] Bertolt Brecht, Ges. Werke, Bd. IV, Gedichte, Frankf. M. 1967. — Soweit nicht anders vermerkt, wird nach dieser Ausgabe zitiert.

[9] Darüberhinaus wurden die Entstehungsdaten der in dieser Arbeit behandelten Texte am Bestandsverzeichnis des literarischen Nachlasses, hrsg. v. Bertolt-Brecht-Archiv, Bd. 2, Gedichte, Berlin/ Weimar 1970 überprüft.

konstanter Strukturtypus ausweist. Es ergibt sich aus der Sache, daß die zum Teil sehr frühen Texte aus dem Nachlaß, wie die politischen und religiösen Gedichte, in der Regel durch thematische Zusammenhänge bestimmt sind, die bis auf eine Ausnahme noch keine kontinuierliche, strukturelle Zuordnung von Thema und Form erkennen lassen, während die Texte der „Hauspostille" sehr deutlich ausgeprägte Stukturtypen aufweisen.

Wo mehrere Strukturtypen einen übergreifenden Darstellungszusammenhang erkennen lassen, sprechen wir von einem Stilzusammenhang. Es hätte nahegelegen, auch hier den analogen Begriff „Strukturzusammenhang" zu verwenden, wenn dieser Terminus nicht letzlich zu formalistisch wäre. Denn „den Stil eines Werks (oder eines Autors) erfassen", heißt ja mit KAYSER nicht nur „die Formungskräfte dieser Welt und ihre einheitliche Struktur erfassen", sondern auch „die einheitliche Perzeption (bzw. Haltung), unter der eine dichterische Welt steht" [10]. Gerade wenn der Versuch unternommen werden soll, den ironischen und den existentiellen Stil der frühen Lyrik Brechts herauszustellen, erscheint hier der Stilbegriff aufgrund seiner objektiv-subjektiven Ambiguität als angemessen.

Aber indem wir vorwegnehmend eine Pluralität der Stilzusammenhänge für die frühe Lyrik Brechts ansetzen, die im Widerspruch steht zu der „einheitlichen Stuktur" und der „einheitlichen Perzeption" des Stilbegriffs, geraten wir erneut vor die eingangs aufgeworfene Frage nach der übergreifenden Konzeption für das lyrische Frühwerk Brechts. Denn die Heterogenität seiner Stilebenen läßt sich nicht entwicklungsgeschichtlich interpretieren, da der ironische und der existentielle Stilzusammenhang zeitlich parallel verlaufen. Wollte man es andererseits bei rein formalen Gesichtspunkten bewenden lassen, so müßte man einen „Bruch" in der Stilhaltung des jungen Brecht konstatieren. Die ironische und die existentielle Stilhaltung scheinen aber in einem dialektischen Verhältnis zueinander zu stehen, das erst aus dem übergeordneten Aspekt verständlich wird, den die Erfahrung des Nihilismus im lyrischen Frühwerk Brechts einnimmt. Damit ist der einheitliche Werkzusammenhang vorläufig angedeutet: Daß sich sämtliche thematische und stilistische Zusammenhänge

---

[10] Wolfgang Kayser, *Das sprachliche Kunstwerk. Eine Einführung in die Literaturwissenschaft*, Bern/München [11]1965, S. 290. „Stil ist von außen gesehen, die Einheit und Individualität der Gestaltung, von innen her gesehen, die Einheit und Individualität der Perzeption, das heißt eine bestimmte Haltung." ebd. S. 292.

der frühen Lyrik Brechts auf die Erfahrung des Nihilismus beziehen lassen, in ihr ihre übergeordnete thematische Einheit haben, sei die These dieser Arbeit.

Bevor diese These im weiteren Verlauf der Arbeit verifiziert werden soll, ist jedoch die Vorfrage zu klären, wie denn die weltanschauliche Position des jungen Brecht bisher von der Forschung eingeschätzt worden ist. Dabei lassen sich drei Richtungen erkennen, die summarisch die Standpunkte des Expressionismus, des Vitalismus oder des Nihilismus für die frühe Lyrik Brechts geltend machen. — Die Arbeiten von SCHUHMACHER [11], JENS [12], MUSCHG [13] bis hin zu HULTBERG [14] und STEFFENSEN [15] rechnen die frühe Lyrik Brechts bzw. den „Baal" ohne weiteres dem Expressionismus zu, wobei lediglich hinsichtlich Brechts Zuordnung zu den frühen Expressionisten bzw. deren Vorläufern differenziert wird. „Man kann Brecht nur ganz verstehen, wenn man seine Herkunft aus dem Expressionismus kennt, und man versteht den Expressionismus nur richtig, wenn man sieht, daß er in Brecht noch lebendig ist" [16], meint Walter Muschg. Entsprechend deutet er den „Baal" als „expressionstische Naturpoesie, ein Werk der mythisch-erotischen Weltvision, die Döblin, Loerke und Jahnn neu begründeten" [17] und sieht in der „Hauspostille" ein „Brevier der expressionistischen Strömungen" [18]. Für Schumacher dagegen „knüpft Brecht (mit der Lyrik des „Baal") an die romantisch-sachliche Art der Heym, Lotz, Lichtenstein, Benn, Hasenclever an" [19], und ähnlich meint auch Steffensen, „diese Lyrik der sogenannten expressionistischen Dichtung ... hinzurechnen" zu können. „Jedenfalls ist sie mit derjenigen neuen Lyrik eng verwandt, die mit Dichtern wie Heym,

---

[11] Ernst Schuhmacher, *Die dramatischen Versuche Bertolt Brechts 1918—1933*, Berlin 1955, S. 40.

[12] Walter Jens, *Poesie und Doktrin. Bertolt Brecht*, in: Jens, *Statt einer Literaturgeschichte*, Pfullingen ³1962, S. 325 f.

[13] Walter Muschg, *Der Lyriker Bertolt Brecht*, in: Muschg, *Von Trakl zu Brecht. Dichter des Expressionismus*, München 1961 S. 335 f; 340 f.

[14] Helge Hultberg, *Die ästhetischen Anschauungen Bertolt Brechts*, Kopenhagen 1962.

[15] Steffen Steffensen, *Brecht und Rimbaud*, Zeitschrift f. dt. Philologie 84, 1965, S. 83.

[16] Muschg, *Der Lyriker Bertolt Brecht*, S. 335.

[17] ebd. S. 339.

[18] ebd. S. 340 f.

[19] Schuhmacher, *Die dramatischen Versuche Bertolt Brechts 1918—1933*, S. 40.

Stadler, Trakl um 1910 einsetzte ..." [20]. Über die Richtigkeit oder Unstimmigkeit dieser These kann hier noch nicht abschließend befunden werden. Sie enthält aber eine spezifische Problematik, betreffend die Frage, wie denn der vornehmlich idealistisch konzipierte Expressionismus mit der materialistischen Ebene des Brechtschen Weltbildes in Einklang zu bringen sei? Schuhmacher hatte hier noch zu differenzieren gewußt, in dem er den in der frühen „Lyrik Brechts zum Ausdruck kommenden Romantizismus und Illusionismus nur (als) die andere Seite des mechanischen Materialismus" [21] im Drama „Baal" interpretierte. In der Folgezeit aber wurden die unterschiedlichen weltanschaulichen Implikationen des Expressionismus und des Materialismus auf sehr fragwürdige Weise verbunden, wenn Muschg den „Baal" als „expressionistische Naturpoesie" [22] bestimmt oder Helge Hultberg das Drama unter dem Aspekt eines „materialistischen biologischen Expressionismus" [23] einordnet.

Die kritische Auflösung dieser fragwürdigen Synthese und die Erkenntnis, daß der Vitalismus Brechts dem Expressionismus diametral entgegengesetzt sei, beginnt sich in der Forschung seit den Arbeiten SCHUHMACHERS [24], SCHUHMANNS [25] und SCHMIDTS [26] abzuzeichnen. Die These Schuhmachers vom Vitalismus „Baals", der mit dem Idealismus des expressionistischen Dramas unvereinbar sei, wird dabei wegweisend auch für die Einschätzung der frühen Lyrik Brechts: „Der fundamentale Unterschied zwischen „Baal" und dem expressionistischen Drama gewöhnlicher Observanz besteht im weltanschaulichen Ausgangspunkt. Der junge Brecht zeigte sich als mechanischer Materalist, Naturalist, in der ethischen Konsequenz Vitalist und Vulgärmateralist". [27] Der Begriff des „Vitalismus" [28] wird dabei von Schuhmacher und anderen nicht im streng philosophischen Sinne verwandt, da er sonst eine Gegenposition zum mechanischen Materialismus bezeichnen würde, sondern ist gleichbedeutend mit „ethi-

---

[20] Steffensen, *Brecht und Rimbaud*, S. 83.

[21] Schuhmacher, *Die dramatischen Versuche Bertolt Brechts 1918—1933*, S. 40.

[22] Muschg, *Der Lyriker Bertolt Brecht*, S. 339.

[23] Hultberg, *Die ästhetischen Anschauungen Bertolt Brechts*. Vergl. dazu die Kritik von Schuhmann, *Der Lyriker Bertolt Brecht*, S. 312, Anm. 33.

[24] Schuhmacher, *Die dramatischen Versuche Bertolt Brechts 1918—1933*, S. 33.

[25] Schuhmann, *Der Lyriker Bertolt Brecht*, S. 39, 44, 58.

[26] Dieter Schmidt, *„Baal" und der junge Brecht. Eine textkritische Untersuchung zur Entwicklung des Frühwerks*, Stuttgart 1966, S. 23.

[27] Schuhmacher, *Die dramatischen Versuche Bertolt Brechts, 1918—1933*, S. 33.

[28] Vergl. Philosophisches Wörterbuch, hrsg. v. Georgi Schischkoff, [16]Stuttgart 1965, S. 628 f.

schem Materialismus"²⁹, der nur die genießbaren Güter für erstrebenswert hält und die Anerkennung autonomer, nicht materieller Werte ablehnt.

Schuhmann überträgt dann die These Schuhmachers vom Vitalismus „Baals" konsequent auf die frühe Lyrik Brechts. Er geht dabei aus von der Abneigung Baals gegen die beiden, in der ersten Szene des Dramas zitierten Gedichte „Vorbereitung" und „Der Baum" der expressionistischen Lyriker Johannes R. BECHER und Georg HEYM: „1918 ist es nicht mehr möglich, die beiden expressionistischen Gedichte in die Gedankenwelt des Lyrikers einzuordnen. Die Standpunkte sind unvereinbar, obwohl Brecht und die expressionistische Generation eine Gemeinsamkeit verbindet: ihre Antibürgerlichkeit. Der Haß auf die Bürgerwelt läßt die Bürgersöhne jedoch grundverschiedene Wege einschlagen. Die Mehrzahl der expressionistischen Programmatiker suchte einen Ausweg in der geistigen Erneuerung des Menschen und rief zur Verbrüderung und Versöhnung der Menschheit auf. Ihre gedichteten Manifeste zielten darauf ab, den „neuen Menschen" zu bilden ... Brecht reagiert ganz anders auf die Sinnentleerung der Bürgerwelt. Bei ihm schlägt die Negation der bürgerlichen Lebensweise in den Vitalitätskult um."³⁰ Entsprechend sieht Schuhmann die Brechtschen Balladenhelden ab 1918 vornehmlich unter dem Gesichtspunkt ihres gesellschaftlichen Außenseitertums und ihres „vitalanarchischen Protests gegen das Leben der bürgerlichen Gesellschaftsordnung."³¹ Wenn Schuhmann diese Protesthaltung aber auf den „ereignislosen Verlauf der revolutionären Kämpfe in Deutschland nach 1918"³² zurückführt, so übersieht er den früher anzusetzenden Einfluß der literarischen Außenseiter KIPLING, VILLON und RIMBAUD auf die frühe Lyrik Brechts.

Der entscheidendste Vorbehalt gegenüber der hier exemplifizierten These vom Vitalismus des jungen Brecht betrifft aber deren Übertragung vom Drama „Baal" auf die frühe Lyrik des Dichters. Selbst wenn sich ihre Gültigkeit für das Drama bestätigt, hätte ihre Projektion auf die gleichzeitige Lyrik erneut kritisch in Frage gestellt werden müssen. Denn eine Relativierung des angenommenen Vitalitäts-Prinzips läßt sich bereits bei genauerer Überprüfung des für diese These konstituierenden Begriffs „Leben" feststellen. Hier ist die Beobachtung BLUMES zutreffend,

²⁹ ebd. S. 378 f.
³⁰ Schuhmann, Der Lyriker Bertolt Brecht, S. 58.
³¹ ebd.
³² ebd.

daß das Leben in der Lyrik Brechts analog zu BÜCHNER als Prozeß der Verwesung gesehen wird: „Bei Büchner heißt es: ‚(Der Tod) ist nur eine einfachere, das Leben eine verwickeltere, organisiertere Fäulnis.' Es ist eine Formulierung, die dem Weltgefühl der frühen Dichtungen Brechts entspricht. Für dieses Weltgefühl hat Brecht zwei große Metaphern, eine physiologische: die Verwesung, und eine räumliche: die Bewegung nach abwärts."[33] — Ein so verstandener Lebensbegriff aber weist eher in die Richtung des Nihilismus als des Vitalismus.

Die These vom vitalistischen Charakter der frühen Lyrik Brechts ist in jüngster Zeit am nachdrücklichsten von Hannah ARENDT[34] vertreten worden. Doch enthält sie bei ihr eine beachtenswerte neue Dimension, da sie den Vitalismus Brechts aus der zeitgeschichtlichen Situation nach dem Ersten Weltkrieg zu erklären versucht. Zur Verdeutlichung führt sie ein auf das Ende des Zweiten Weltkriegs bezogenes Zitat SARTRES an: „Wenn die Werkzeuge zerbrochen und unbrauchbar, Pläne vereitelt und Anstrengungen sinnlos geworden sind, zeigt sich die Welt in einer furchtbaren, kindlichen Frische, als schwebe sie zusammenhanglos im Nichts."[35] Die nämliche „furchtbare Frische" „spricht aus allen Helden der „Hauspostille"[36], findet Hannah Arendt, und wie zu erwarten wird als Inbegriff dieses Lebensgefühls wiederum „Baal" angeführt: „In seiner (Brechts) jubelnden Ablehnung aller Jenseitsspekulationen und seinen Preisgesängen auf Baal, den Gott der Erde, schwingt eine wahrhaft enthusiastische Dankbarkeit. Nichts, sagt er, kann größer sein als das Leben, das uns, so wie es ist, gegeben wurde — und solcher Dankbarkeit wird man kaum in dem, was man gemeinhin Nihilismus nennt, oder in der Reaktion gegen diesen, begegnen."[37] Damit wird hier zum erstenmal in der Forschung die Antithese Expressionsimus-Vitalismus abgelöst durch den Gegensatz zwischen Vitalismus und Nihilismus Brechts, auch wenn das Sartre-Zitat eine Synthese der Gegensätze implizierte, und Hannah Arendt selbst nicht umhin kann, „nihilistische Elemente"[38] in

[33] Bernhard Blume, *Motive der frühen Lyrik Brechts: I Der Tod im Wasser,* Monatshefte für deutschen Unterricht, deutsche Sprache und Literatur, Vol. LVII, March 1965, No. 3, S. 102.
[34] Hannah Arendt, *Quod licet Jovi ... (II). Reflexionen über den Dichter Brecht und sein Verhältnis zur Politik,* Merkur 23, Nr. 255, 1969.
[35] Zit. nach Hannah Arendt, *Quod licet Jovi ...,* S. 623.
[36] ebd. S. 626.
[37] ebd. S. 629.
[38] ebd.

Brechts früher Lyrik zuzugeben. — Wie aber, wenn man das Verhältnis umkehrte, nicht in der vitalen, sondern in der nihilistischen Haltung die Reaktion des jungen Brecht auf die Ereignisse der Zeitgeschichte nachweisen könnte, und im Nihilismus die Grundproblematik der frühen Lyrik Brechts aufzeigte, dergegenüber der „Choral vom großen Baal" und andere Gedichte nur den Versuch einer vitalen Überwindung darstellten?

Ein erster Hinweis in dieser Richtung findet sich bereits bei H. O. Münsterer, dem Biographen der Augsburger Jahre, der die „von Brecht selbst damals als wesentlich empfundenen Arbeiten ... in die nächste Nähe des Nihilismus oder Existentialismus" [39] rückt, und einer solchen Sicht nähern sich auch die Aufsätze von Geissler [40], Kraft [41], Blume [42] und Killy [43], die die nihilistische Haltung des jungen Brecht punktuell an einzelnen Gedichten nachweisen. Der Nachweis wurde aber zunächst nicht direkt aus dem lyrischen Frühwerk Brechts erbracht, sondern aus seinem 1945 entstandenen Gedicht „Einst" [44], in dem der Dichter selber im Rückblick seine Augsburger Lyrik im Zeichen des „Nichts" deutete:

Einst schien dies in Kälte leben wunderbar mir
Und belebend rührte mich die Frische
Und das Bittre schmeckte, und es war mir
Als verbliebe ich der Wählerische
Lud die Finsternis mich selbst zu Tische.

Frohsinn schöpfte ich aus kalter Quelle
Und das Nichts gab diesen weiten Raum.
Köstlich sonderte sich seltne Helle
Aus natürlich Dunklem. Lange? Kaum.
Aber ich, Gevatter, war der Schnelle.

---

[39] Hans Otto Münsterer, Bert Brecht. — Erinnerungen aus den Jahren 1917—1922, Zürich 1963, S. 82.

[40] Rolf Geißler, Zur Struktur der Lyrik Bertolt Brechts, Wirkendes Wort 8, 1957/58, S. 347—352.

[41] Werner Kraft, Krisen Brechts im Gedicht, in: Kraft, Augenblicke der Dichtung, München 1964, S. 176—183.

[42] Bernhard Blume, Motive der frühen Lyrik Brechts: II. Der Himmel der Enttäuschten, Monatshefte f. den dt. Unterricht, dt. Sprache und Literatur, Vol. LVII, 1965, No. 6.

[43] Walther Killy, Das Nichts gegenüber. Der junge Brecht, in: Killy, Wandlungen des lyrischen Bildes, Göttingen ⁵1967.

[44] Brecht, Ges. Werke, Bd. IV, S. 933 f.

Von diesem Gedicht her kam Geißler sehr rasch zu der verallgemeinernden Schlußfolgerung des Nihilismus für die gesamte Lyrik Brechts: „Die Grunderkenntnisse, die hinter allen frühen Gedichten (Brechts) sichtbar werden, sind: Die Welt ist finster, dunkel und kalt. Der Raum des Daseins ist das Nichts", hob aber differenzierend die „Eigenart Brechts" hervor, „daß er nicht an dieser Erkenntnis verzweifele." [45] Zu einer analogen Deutung gelangte auch Kraft in seiner Interpretation des Gedichts: „Denn das Nichts ist hier kein Leiden und kein Denken, sondern ein starkes Leben in der Kälte." [46]

Würde es sich demnach hier im Sinne NIETZSCHES um einen „Nihilismus der Stärke" [47] handeln, so ist doch zu fragen, ob die Beschränkung auf diese späte Selbstdeutung Brechts das Phänomen des Nihilismus in seinem lyrischen Frühwerk nicht zu einseitig versteht. Blume, der in seiner weitergespannten Analyse des Himmelsmotivs in den frühen Gedichten Brechts den „radikalen Atheismus" [48] des Dichters konstatiert, verweist dagegen auf die Paradoxie, daß Brecht zwar die Existenz Gottes leugne, aber sich dennoch „aufs erbittertste mit ihm beschäftigt": „Denn wenn Voltaire die einzige Entschuldigung Gottes darin sieht, daß er nicht existiert, so ist gerade dies die einzige Anklage, die Brecht gegen Gott erhebt: daß er nicht existiert." [49] Wenn Blume daraus schließt, „daß die Ablösung von der christlichen Lehre, in der Brecht aufgewachsen war, nicht ohne Konflikte vor sich ging ..." [50], so wird man hier eher von einem „Nihilismus der Schwäche" sprechen können und folglich beide Aspekte dieses Phänomens mit berücksichtigen müssen.

Walther KILLY hat schließlich in seinem subtilen Aufsatz „Das Nichts gegenüber. Der junge Brecht" Symptome des Nihilismus am „Lied der Schwestern" und dem „Großen Dankchoral" aufgezeigt und sie erstmals in Beziehung gesetzt zu dem von NIETZSCHE postulierten „Zustand des

---

[45] Geißler, Zur Struktur der Lyrik Bertolt Brechts, S. 347 f.
[46] Kraft, Krisen Brechts im Gedicht, S. 176.
[47] „Der Nihilismus als normales Phänomen kann ein Symptom wachsender Stärke sein oder wachsender Schwäche: teils, daß die Kraft, zu schaffen, zu wollen so gewachsen ist, daß sie diese Gesamtausdeutungen und Sinn-Einlegungen nicht mehr braucht ...; teils, daß selbst die schöpferische Kraft, Sinn zu schaffen, nachläßt und die Enttäuschung der herrschende Zustand wird." Nietzsche, Werke, hrsg. v. Karl Schlechta, München 1966, Bd. III, S. 550.
[48] Blume, Motive der frühen Lyrik Brechts: II, S. 274.
[49] ebd.
[50] ebd. S. 275.

Zeitalters": „Es ist ... ein vom Dichter ausgesprochener Zustand des Zeitalters, den Friedrich Nietzsche als der schärfste Diagnostiker der Moderne gemeint hat, wenn er davon sprach, es entstehe ‚die letzte Form des Europäischen Nihilismus, — welche sich den Glauben an eine wahre Welt verbietet ...' ". [51] —

Diese Ausführungen geben Veranlassung zu der Frage, in welcher Weise der von Killy nicht näher verifizierte Bezug zwischen Nietzsches Nihilismus-Theorie und der frühen Lyrik Brechts gedacht werden kann. Daß der junge Brecht eine zumindest allgemeine Kenntnis NIETZSCHES besaß, wird zwar in den „Flüchtlingsgesprächen" [52] indirekt bezeugt, und seine frühen Gedichte verraten darüberhinaus eine Vertrautheit mit Nietzsches philosophischer Formel vom „Tod Gottes" [53]. Daraus indessen auf eine genauere Kenntnis der Fragmente „Aus dem Nachlaß der Achtziger Jahre" [54] zu schließen, in denen Nietzsche seine Überlegungen zum Europäischen Nihilismus entwickelte, schiene unangemessen.

Dennoch verläuft auch Brechts individuelle Entwicklung zum Nihilismus deutlich in den von Nietzsche vorausgesehenen, allgemeinen Bahnen des Europäischen Nihilismus. Seine frühe Lyrik bestätigt gerade durch ihren persönlichen Erfahrungscharakter und ihre theoretische Unabsichtlichkeit die von Nietzsche diagnostizierten Symptome dieser kulturellen Krisenerscheinung, die für den jungen Brecht durch die Erfahrung des Ersten Weltkriegs noch verschärft wird. Es erscheint deshalb angebracht, Nietzsches fragmentarische Beobachtungen zum Phänomen des Nihilismus als Orientierungsmarken in die Analyse der frühen Lyrik Brechts einzubeziehen, ohne daß damit ein systematischer Zusammenhang postuliert werden soll.

Aus dem Stand der Forschung erhellt die Notwendigkeit einer umfassenden Analyse der Nihilismusproblematik für die frühe Lyrik Brechts, die über die punktuellen Forschungsergebnisse hinaus das Phänomen des

---

[51] Walther Killy, Das Nichts gegenüber. Der junge Brecht, S. 140.
[52] In den „Flüchtlingsgesprächen" merkt Ziffel über seine Jugendlektüre an: „Zola. Schweinereien. Casanova wegen der Bayroszeichnungen. Maupassant. Nietzsche. Bleibtreu Schlachtenschilderungen. ... In der Leihbibliothek. Und in der Städtischen." Brecht, Ges. Werke, Bd. VI, S. 1412.
[53] Nietzsche, Die fröhliche Wissenschaft, Also sprach Zarathustra, in: Nietzsche, Werke, Bd. II, S. 205; 279; 280; 340.
[54] Nietzsche, Werke, Bd. III, S. 415—926.

Nihilismus in seiner entwicklungsgeschichtlichen Kontinuität aufzeigt und seine Prävalenz über die von der Forschung behaupteten Positionen des Expressionismus und des Vitalismus nachweist. Doch erschien dem Verf. ein solches Unternehmen ohne poetologische Relevanz, wenn es lediglich darum ginge, den oft strapazierten, geistesgeschichtlichen Zusammenhang des Nihilismus in der Moderne erneut zu bestätigen. — Wichtiger erscheint die Frage nach dem Werkzusammenhang der frühen Lyrik Brechts, aus der sich erst nach genauer Analyse sämtlicher thematischer und stilistischer Zusammenhänge ergibt, daß sie mit der Frage nach dem Nihilismus Brechts identisch ist.

A· THEMATISCHE UND STRUKTURELLE ZUSAMMENHÄNGE DER GEDICHTE AUS DEM NACHLASS 1914—1921

I. Lyrik und Zeitgeschichte 1914—1918

Die Anfänge der lyrischen Entwicklung Brechts ·fallen zusammen mit dem Beginn des Ersten Weltkriegs, so daß die frühesten Gedichte [55], die Brecht zwischen 1914 und 1915 unter dem Pseudonym BERTOLT EUGEN in den *„Augsburger Neuesten Nachrichten"* veröffentlichte, durch einen sehr engen Bezug zur Zeitgeschichte geprägt sind. Dennoch sollte man den Begriff der „politischen Lyrik" nur mit Vorbehalt auf sie anwenden und aus der Tatsache, daß Brechts Lyrik von Anbeginn auf ein reales historisches Thema trifft, das zur Stellungnahme herausfordert, noch keine Gesinnungsfrage machen. Denn Brechts Haltung gegenüber dem Kriegsgeschehen ist die des indirekt Betroffenen, der den Krieg vornehmlich in seinen Auswirkungen auf die Daheimgebliebenen kennt und zur Darstellung bringt, und die thematische Einheit von der *„Modernen Legende"* bis zur *„Legende vom toten Soldadten"* manifestiert sich weniger durch ihre pazifistische oder patriotische Tendenz als durch ihre Reaktion auf den Tod des Soldadten.

Deshalb muß sich die Analyse der politischen Lyrik des Dichters — ider Begriff sei im Folgenden in der oben genannten Differenzierung gebraucht — an Brechts Auseinandersetzung mit der Problematik des Soldatentodes ausrichten, in deren Entwicklung sich nationale Befangenheit, Krise und Neuorientierung seines politischen Bewußtseins deutlicher aufzeigen lassen als es die von vornherein wertende Darstellung vermöchte. Da politisches und religiöses Bewußtsein beim jungen Brecht aber zunächst eine weltanschauliche Einheit bilden, die Krise des nationalen Weltbildes auch die Krise der religiösen Weltanschauung mitbetrifft, läßt diese Ent-

---

[55] Wir können die wenig bedeutenden Gedichte, die Brecht bereits 1913 in der Schülerzeitschrift *„Die Ernte"* veröffentlichte, hier außer acht lassen. Grimm, der neuerdings auf sie aufmerksam gemacht hat, hält ebenfalls die prosaischen und dramatischen Versuche aus diesem Zeitabschnitt für wichtiger. — Reinhold Grimm, *Brechts Anfänge*, in: *Aspekte des Expressionismus*, hrsg. v. Wolfgang Paulsen, Heidelberg 1968, S. 143 f.

wicklung wichtige Rückschlüsse auf den historischen Zusammenhang zwischen Zeitgeschichte und Nihilismus in seinem lyrischen Frühwerk erkennen.

1) Totenklage, Totengedächtnis und Auseinandersetzung mit dem Problem des Heldentodes in Brechts politischer Lyrik 1914—1915

Das erste Gedicht zum Thema des Weltkriegs, mit dem Brecht am 2. Dezember 1914 in den „Augsburger Neuesten Nachrichten" an die Öffentlichkeit trat, die „Moderne Legende" [56], zählt zu den gelungensten seiner frühen politischen Lyrik. Es handelt sich thematisch um eine Totenklage, deren inhaltliches und formales Gelingen nicht zuletzt darauf zurückzuführen ist, daß Brecht hier im Rahmen auch für ihn nachvollziehbarer Kriegsereignisse blieb. Die Rückwirkungen des Krieges auf die Daheimgebliebenen entsprachen zweifellos seinem Erfahrungshorizont eher als Siege, an denen er nicht teilnehmen oder Todeserlebnisse, die er nur antizipieren konnte. Entsprechend ist auch der Stil der „Modernen Legende" erstaunlich frei von nationalen Klischees und expressiven Übersteigerungen, die seine spätere Kriegslyrik teilweise bestimmen. In der legendenhaften Simplizität dieses Gedichts ist der Lyriker Brecht bereits „ganz da", aber man sollte es ihm auch nicht zum Vorwurf machen, wenn er im weiteren Verlauf seiner Entwicklung wiederholt hinter die in der „Legende" erreichte Leistung zurückfiel:

> Als der Abend übers Schlachtfeld wehte
> Waren die Feinde geschlagen.
> Klingend die Telegrafendrähte
> Haben die Kunde hinausgetragen.
>
> Da schwoll am einen Ende der Welt
> Ein Heulen, das am Himmelsgewölbe zerschellt'
> Ein Schrei, der aus rasenden Mündern quoll
> Und wahnsinnstrunken zum Himmel schwoll.
> Tausend Lippen wurden vom Fluchen blaß
> Tausend Hände ballten sich wild im Haß.

---

[56] Brecht, *Ges. Werke*, Bd. IV, S. 4. Erstveröffentlichung in: *Der Erzähler*, ANN, Nr. 142, 2. Dezember 1914.

Und am andern Ende der Welt
Ein Jauchzen am Himmelsgewölbe zerschellt'
Ein Jubeln, ein Toben, ein Rasen der Lust
Ein freies Aufatmen und Recken der Brust.
Tausend Lippen wühlten im alten Gebet
Tausend Hände falteten fromm sich und stet.

In der Nacht noch spät
Sangen die Telegrafendräht'
Von den Toten, die auf dem Schlachtfeld geblieben — —
Siehe, da ward es still bei Freunden und Feinden.

Nur die Mütter weinten
Hüben — und drüben.

Simplizität des Stils meint indessen keineswegs spannungslose Einförmigkeit. Gerade in bezug auf die *Moderne Legende* ist der komplexe, antithetische Aufbau des Gedichts wiederholt hervorgehoben worden. [57] Er basiert auf einem außerordentlich tragfähigen, poetischen Motiv. Nicht nur daß durch die Einführung der „Telegrafendrähte" die Legende von den Kriegsereignissen in einem spezifisch modernen Sinne aktualisiert wird; es lassen sich von hier aus nun auch die Rückwirkungen des Kriegsgeschehens auf die Daheimgebliebenen beider Lager — bei Freunden und Feinden — simultan vergegenwärtigen. Daraus ergibt sich der antithetische Parallelismus der beiden Mittelstrophen, in denen die Verzweiflung der Besiegten und der Jubel der Sieger über die eingangs übermittelte Siegesmeldung miteinander konfrontiert werden. Aber auch die beiden Rahmenstrophen (Str. 1 u. 4) sind bei paralleler Fügung antithetisch gegeneinandergstellt. Übermitteln die „Telegrafendrähte" in der ersten Strophe eine Siegesmeldung, so übertragen sie in der vierten die Nachricht „von den Toten, die auf dem Schlachtfeld geblieben". Damit aber tritt nun die gemeinsame Reaktion der Daheimgebliebenen in beiden Lagern auf die Todesnachricht in den vom Dichter intendierten, zentralen Kontrast zu ihren divergierenden Reaktionen auf die Siegesmeldung. Gingen in Hinblick auf Sieg und Niederlage die politischen Leidenschaf-

[57] Schuhmann, *Der Lyriker Bertolt Brecht*, S. 14; Reinhold Grimm, *Brechts Anfänge*, in: *Aspekte des Expressionismus. Periodisierung. Stil. Gedankenwelt*, Heidelberg 1968, S. 140 f.

ten beider weit auseinander, so sind die „Mütter" „hüben und drüben"
sich einig in ihrer Trauer über die Toten:

> Nur die Mütter weinten
> Hüben — und drüben.

Die Bedeutsamkeit dieses thematischen Gegensatzes zwischen den enga-
gierten Reaktionen der politischen Gegner und der verhaltenen Trauer
der Mütter erhellt auch aus den metrischen und stilistischen Kontrast-
spannungen im Verhältnis von Rahmen- und Mittelstrophen des Gedichts.
Gegenüber dem iambisch-daktylischen Rhythmus im Mittelteil, der die
Bewegtheit der Leidenschaften — Verzweiflung und Siegesjubel — sehr
eindringlich zum Ausdruck bringt, erscheint der aus Trochäen und
Anapästen gebildete Rhythmus der Rahmenstrophen von einer nach-
drücklich-verhaltenen Musikalität. Ihr entspricht eine deutliche Zurücknahme auch des Strophenumfangs: statt den paarweis gereimten, sechs-
zeiligen Strophen im Mittelteil in den Rahmenstrophen die Vierzeiler
mit verschränkten Reimbildungen und gleitenden Versübergängen. Bei-
des, Rhythmus und Strophik, ist schließlich im Zusammenhang zu sehen
mit dem stilistischen Kontrast, der den ekstatischen Wortprägungen und
hyperbolischen Bildern der Leidenschaft in den Mittelstrophen die Nüchternheit der Mitteilung in den Rahmenstrophen gegenüberstellt, unüber-
troffen vor allem im Lakonismus des Abgesangs.
   Die Antithetik des Aufbaus und die Differenzierung der Aussage-
ebenen in der „Modernen Legende" vermögen genauere Auskunft über
die Stellung des jungen Brecht zum Ereignis des Ersten Weltkriegs zu
geben als es die inhaltliche Analyse in diesem Fall vermöchte. Daß Brecht
nicht einseitig Partei nimmt, sondern beide Seiten der verfeindeten Nationen zur Darstellung bringt, wird aus den Antithesen der Mittelstrophen
ohne weiteres ersichtlich. Darüberhinaus aber dürfte es ihm gelungen
sein, das scheinbar objektive historische Gegeneinander der politischen
Kontrahenten durch stilistische Mittel als subjektiven Streit der Nationen
zu entlarven und ihm gegenüber mit deutlicher Distanzierung die übergreifende, humane Objektivität der Leidtragenden dieses Krieges hervor-
zuheben. Der spätere Pazifismus Brechts läßt sich dieser Einstellung gewiß
ansatzweise entnehmen mit der Einschränkung, daß die pazifistische
Tendenz hier noch nicht explizit, sondern nur immanent durch Aufbau
und Stil des Gedichts zur Darstellung gelangt, während die ausge-

sprochene Intention der „*Modernen Legende*", die der Totenklage, unüberhörbar ist.

Es scheint hiernach notwendig, die Frage nach dem pazifistischen Gehalt über die „*Moderne Legende*" hinaus für den Gesamtzusammenhang der zwischen 1914 und 1915 veröffentlichten, politischen Lyrik Brechts aufzuwerfen, denn die Forschung hat bisher einseitig entweder deren pazifistischen [58] oder patriotischen [59] Charakter hervorgehoben, mit Ausnahme von Reinhold GRIMM, der in seinem bedeutenden Aufsatz über „*Brechts Anfänge*" [60] das Nebeneinander von „Chauvinismus" und pazifistischer Gesinnung mit angemessener Objektivität darlegt. Es läßt sich in der Tat kein größerer Gegensatz zur „*Modernen Legende*" denken als das ein Jahr später in den „*Augsburger Neuesten Nachrichten*" veröffentlichte Gedicht „*Der belgische Acker*" (1915) [61], über dessen historischen Anlaß Brecht in einer Fußnote anmerkte: „Ganz Belgien, soweit in deutschem Besitz, wurde im Frühling 1915 von Deutschen durchpflügt und besät — alle Felder, alle irgendwie entbehrlichen Straßen und Gärten" [62]:

An den Grenzen Mord, Schlachten und Dörfer in Brand.
Aber nachts flackert der Feuerschein
Rot und lodernd ins belgische Land hinein
Spiegelt in blanken Äckern sich, im endlos blühenden Land.
Geschützdonner brüllt
Dumpf überrollt von Sturmglockenklang
Tage und Nächte den wirkenden Frühling lang
Über Altflanderns sprossendes Friedhofsgefild.
Als der Frühling aus dem Meere quillt
Schreiten über die Äcker und Straßen in wimmelnden Zügen
Deutsche Soldaten über die Höfe und Wiesen und Flächen
Mit flatternden Eggen und wühlenden Pflügen

[58] Ernst Schuhmacher, *Die dramatischen Versuche Bertolt Brechts 1918—1933*, Berlin 1955, S. 26 f. Martin Esslin, *Brecht. Das Paradox des politischen Dichters*, Frankfurt/Bonn 1962, S. 19. Klaus Schuhmann, *Der Lyriker Bertolt Brecht*, S. 12—22.
[59] Dieter Schmidt, „*Baal*" *und der junge Brecht*, Stuttgart 1966, (Germanistische Abhandlungen 12), S. 32. Reinhold Grimm, *Bertolt Brecht*, Stuttgart, 1963, S. 2. Helge Hultberg, *Die ästhetischen Anschauungen Bertolt Brechts*, Kopenhagen 1962, S. 24 ff.
[60] Reinhold Grimm, *Brechts Anfänge*, in: *Aspekte des Expressionismus*, S. 137—142.
[61] Brecht, *Ges. Werke*, Bd. IV, S. 9—11. Erstveröffentlichung in: *Der Erzähler*, *ANN*, Nr. 85, 21. Juli 1915.
[62] Vgl. die Anmerkung von E. Hauptmann in: Brecht, *Ges. Werke*, Bd. IV, S. 3.

Malmen und brechen
Die springenden Schollen
Werfen aus vollen
Fäusten, die heiß vom Gewehrlauf noch und geschwollen
Klingendes Fruchtkorn über die bräutliche Erde.
. . .

Zwar besteht kein Zweifel darüber, daß Brecht auf dem Hintergrund des Schlachtengemäldes ein Bild des Friedens entwerfen wollte. Aber das Kriegsfeuerwerk und der Theaterdonner über „Altflanderns sprossendem Friedhofsgefield" vermögen in ihrer klischeehaften Bildlichkeit und ihrer pathetischen Lautmalerei ebensowenig zu überzeugen wie die Umkostümierung des deutschen Soldatten zum deutschen Pflüger. Da Brecht die direkte Anschauung des Krieges fehlte, verfiel er den glänzenden Lügen „von Deutschlands siegender Größe", die er darüber gehört hatte:

Und in den Äckern sproßte das Korn.
Fern noch brüllte, brannte und stampfte
Die Schlacht.
Schon aus dem Schacht
Begrabenen Zorns
Wuchs, als der Sommer aus Schollen und Halmen dampfte
Kraftvoll die Frucht. Aus den Leibern der Toten sog
Sie Kraft. Aus verwesender Jugend, aus der Erde blutvollem Trog.

Ja, es heben
Opfernd geeinte
Hände gefallener Freunde und Feinde
Still an die Sonne empor das blühende Leben
Und aus dem Gottesacker der Erde, aus Moder und Tod
Wuchs übers atmende Land
Breit in die Sonne gespannt
Siegreichen Lebenden auf das göttliche Brot.

Rauschende Nächte spiegelt das Feuergeflacker
Des Kriegs sich in Belgiens blühendem Acker
Und am Tage klingen aus wogenden Ährenmeeren
Widerschallend von der französischen Schlachten Getöse
Auf zum Himmel, sonnendurchbebt
Die ehern schweren

Gesänge von Deutschlands siegender Größe
Die aus Friedhöfen sich Brotacker gräbt.

Der pazifistische Impetus gerät Brecht im weiteren Verlauf des Gedichts vollends zur peinlichsten Blut-und-Boden-Mystik, wenn er das Korn des Friedens „aus verwesender Jugend" bzw. den „opfernd geeinten/ Händen gefallener Freunde und Feinde" aufwachsen läßt, und dabei die treffende Metapher von der „Erde blutvollem Trog" in die verfälschende vom „Gottesacker der Erde" umstilisiert. Aber dieser Widersinn schließt den anderen keineswegs aus, daß das „göttliche Brot" dennoch nur für die „siegreichen Lebenden" aufgewachsen ist, so wie Brecht letztlich das ganze „Friedensbild" auf das Konto von „Deutschlands siegender Größe" buchen möchte, „die aus Friedhöfen sich Brotäcker gräbt".

Trotz der offensichtlich zwischen Kriegsbegeisterung und Distanzierung vom Kriege schwankenden Einstellung Brechts ist zu fragen, ob die von der Kritik allzu rasch bereitgestellten Alternativen Pazifismus und Patriotismus tatsächlich schon seiner ersten politischen Lyrik zwischen 1914 und 1915 gerecht werden. Wenn sich nachweisen läßt, daß sieben von den neun in den ersten Jahren des Weltkriegs entstandenen Gedichten ihrer Intention nach Totenklage und Totengedächtnis sind oder die Auseinandersetzung mit dem Problem des Heldentodes beinhalten [63], so ist damit Brechts „politisches Engagement" in beträchtlichem Maße eingeschränkt. Und wo die Forschung aufgrund der oben genannten Prämissen entweder leichtfertig eine Entwicklung Brechts vom naiven Patriotismus zum Pazifismus [64] annehmen mußte oder zwischen beiden Haltungen einen Abgrund konstatierte [65], der selbst Grimm zu der Frage verleitete, ob Brechts Kriegsbegeisterung nicht aus opportunistischen Gründen simuliert sei [66], —, da vermag die Entwicklung der zentralen Thematik des Heldentodes in seinen Gedichten zwischen 1914 und 1915 eine Be-

[63] Es handelt sich um die Gedichte: „Moderne Legende", „Der Fähnrich", „Hans Lody", „Karfreitag", „Karsamstagslegende", „Mütter Vermißter", „Der Tsingtausoldadt", in: Brecht, Ges. Werke, Bd. IV, S. 4—12, S. 15 f.
[64] Diese Entwicklung wird besonders durch Schuhmanns Darstellung nahegelegt (Der Lyriker Bertolt Brecht, S. 12—22), obwohl hier schon gelegentlich auf den Zusammenhang von Todesthematik und politischer Dichtung verwiesen ist. Sie wurde aufgenommen von Reinhold Grimm (Bertolt Brecht, S. 2), aber in seinem späteren Aufsatz über „Brechts Anfänge" ausdrücklich revidiert (Aspekte des Expressionismus, S. 143).
[65] ebd.
[66] ebd. S. 151 f.

wußtseinswandlung ihres Dichters nachzuweisen, die zwar nicht mit seiner Entwicklung zum Pazifismus identisch ist, aber pazifistische Gedichte in der Folgezeit ab 1917 allerst ermöglicht. Daß diese Bewußtseinswandlung zugleich das religiöse Weltbild Brechts mitbetrifft, macht sie für den Zusammenhang von Zeitgeschichte und Nihilismus in seinem lyrischen Frühwerk besonders bedeutsam.

Der konventionellen Vorstellung vom Heldentod entspricht unter den Gedichten mit dieser Thematik einzig Brechts am 9. Dezember 1914 veröffentlichter Nachruf auf „Hans Lody" [67], der als deutscher Spion in England erschossen wurde:

> Du starbst verlassen
> An einem grauen Tag den einsamen Tod.
> Die dich hassen
> Gaben dir letztes Geleite und letztes Brot.
> Liedlos, ehrlos war deine Not.
> Aber du hast dein Leben dafür gelassen
> Daß eines Tages in hellem Sonnenschein
> Deutsche Lieder brausend über dein Grab hinziehen
> Deutsche Fahnen darüber im Sonnengold wehen
> Und deutsche Hände darüber Blumen ausstreu'n.

Zwar haftet dem Sterben Lodys an sich noch nichts Heroisches an, und Brechts Nachruf wäre an lakonischer Nüchternheit seinen späteren Epigrammen der „Kriegsfibel" [68] vergleichbar, hätte er es bei dem ersten Vierzeiler belassen. Erst mit dem Vers „Liedlos, ehrlos war deine Not" dokumentiert Brecht, daß er mit diesem nüchternen Ende Lodys nicht einverstanden ist und setzt ihm nun gleichsam aus beleidigter Nationalehre, wie Schuhmann [69] richtig gesehen hat, ein zweites Epitaph für den Tag, daß

> Deutsche Lieder brausend über dein Grab hinziehen
> Deutsche Fahnen darüber im Sonnengold wehen
> Und deutsche Hände darüber Blumen ausstreu'n.

---

[67] Brecht, *Ges. Werke*, Bd. IV, S. 4 f. Erstveröffentlichung in: *Der Erzähler*, ANN, Nr. 145, 9. Dezember 1914.
[68] Brecht, *Ges. Werke*, Bd. IV, S. 1035—1048.
[69] Schuhmann, *Der Lyriker Bertolt Brecht*, S. 18.

und mit dem chauvinistisch vorweggenommenen Sieg über England die nationale Apotheose Hans Lodys sich vollzieht, der Brecht mit diesem Gedicht Vorschub leistet.

Nicht weniger fragwürdig erscheint die Apotheose des Soldadtentodes in den ein Jahr später enstandenen Gedichten „Karfreitag", „Karsamstagslegende" und „Mütter Vermißter", aber sie zielt hier nicht in erster Linie auf die nationale, sondern auf die religiöse Überhöhung der im Weltkrieg Gefallenen ab. Im „Prolog" des Gedichts „Karfreitag" [70], das 1915 anläßlich einer Totenfeier in Augsburg gesprochen wurde [71], versetzt sich Brecht in die Situation der Hinterbliebenen, die auf dem Gang zu „ihren Gräbern" von einer überirdischen „Stimme wie Erz" überfallen werden:

> Als sie aber hinuntergingen in diesen Tagen
> Zu ihren Gräbern, jeder zum Seinen, ganz aufrecht n i c h t
> durch den Schmerz—
> Denn sie hatten allzuviel schon ertragen —
> Da sahen einige von ihnen himmelwärts.
> Und der Himmel war trüb und grau und bedrückt.
> Sieh, da geschah es, daß eine Stimme wie Erz
> Wild auf sie fiel, von obern herabfiel, und einige hörten die
> Stimme fragen:
> Wo sind eure Helden? Ihr geht sehr gebückt! —
> Da bog sich einer zurück und faßte sich mühsam und hatte das
> Herz
> Und hörte sich sagen:
> Unsere Sieger liegen erschlagen.

Der kurze Dialog zwischen dem Schlachtengott und den Leidtragenden:

> Wo sind eure Helden? Ihr geht sehr gebückt! —
> ...
> Unsere Sieger liegen erschlagen.

enthält trotz seiner theatralischen Aufmachung inhaltliche Paradoxien, die erste Zweifel des jungen Brecht an der Gültigkeit des Heldenbildes

---

[70] Brecht, *Ges. Werke*, Bd. IV, S. 7 f.
[71] Vergl. die Anmerkung von E. Hauptmann, in: Brecht, *Ges. Werke*, Bd. IV, S. 3 *.

deutlich werden lassen: Geht man gebückt um „Helden"? Können „Sieger" erschlagen liegen? — Hier kann vorerst nur ein *deus ex machina* helfen, der diese Zweifel mit „göttlichem Licht" verjagt, und die erschlagenen Helden stehenden Fußes ins Wilhelminische Walhalla „entrückt":

> Und siehe, da war es, als wäre allen
> Göttlich aufstrahlend, von oben gezückt
> Licht aus dem Himmel auf ihre trüben Stirnen gefallen.
> Gingen nun aufrecht und mühlos wie trotzige Krieger
> Als wären sie alle wie jene Sieger —
> Und stolz und befreit ihrer Trauer entrückt.

Die Ironie erscheint dann nicht weniger am Platze, wenn man sich mit dem Titel — „*Karfreitag*" — des Gedichts vergegenwärtigt, daß die „Entrückung" der „erschlagenen Sieger" so germanisierend natürlich nicht gemeint war, sondern im christlichen Sinne auf ihre Auferstehung zielte. Dieser Widerspruch zwischen christlicher Apotheose und Heldenverklärung läßt sich aber nicht nur aus dem Unvermögen des jugendlichen Autors erklären, sondern hat seinen historischen Grund in der fragwürdigen Verbindung von Gott und Vaterland innerhalb der Wilhelminischen Ideologie, der sich Brecht in seiner Rezension „*Notizen über unsere Zeit*" [72] von 1914 eindeutig verpflichtet wußte.

---

[72] In den „Notizen über unsere Zeit" (Augsburger Neueste Nachrichten, Nr. 96, 17. 8. 1914) reflektierte der junge Brecht über die Wilhelminische Kriegspolitik zu Beginn des Ersten Weltkrieges folgendermaßen: „... Nie war Deutschland auf jedem Gebiet — finanziell, politisch (innen wie außen), wirtschaftlich besser imstande, Krieg zu führen. Treu steht das ganze Volk zusammen. Jede Parteibildung ist verschwunden. Unter den Gegnern ist Uneinigkeit, Ungerüstetheit vorhanden. Wir sind gerüstet, moralisch gerüstet. Der feste deutsche Charakter, an dem die deutschen Dichter und Denker seit zwei Jahrhunderten schafften, bewährt sich nun. ... Jetzt in diesen Tagen liegen alle Augen auf unserem Kaiser. Man sieht beinahe staunend, welche geistige Macht dieser Mann darstellt. ... Und die anderen, die zurückbleiben, sie werden zeigen, daß sie ihrer Brüder und Söhne würdig sind. ... Wir alle, alle Deutschen fürchten Gott und sonst nichts auf der Welt." — Die chauvinistischen Implikationen dieser „Notizen", welche die pseudoreligiöse Verbrämung politischer Ziele und Grundsätze evident werden lassen, wurden von Reinhold Grimm treffend herausgestellt: „Denn alle chauvinistischen Gemeinplätze der wilhelminischen Ära sind in diesen Sätzen ... einträchtig beisammen. Da ist der moralische Überhebung, sind die Expansionsgelüste ...; und da sind die „deutschen Dichter und Denker", mit dem Korporalstock gleichsam, die nichts Besseres zu tun haben, als ihr Volk zwei Jahrhunderte lang auf die Erstürmung Antwerpens vorzu-

Dieser ideologische Hintergrund ist auch dort noch mitzudenken, wo Brecht sich scheinbar ganz von der Heldenvorstellung löst und sich in quasi religiösen Gedichten um eine Parallelisierung des Soldadtentodes mit dem Opfertod Christi bemüht. So transponiert der *„Epilog"* des *„Karfreitag"*-Gedichts den Gang der Jünger nach Emmaus [73] in die Gegenwart und reflektiert den Tod fürs Vaterland am Opfertod Christi:

> Und sprach: Daß es Menschen gibt, die für Menschen
>> sterben können!
> Und fühlte Staunen in sich (als er weiterspann):
> Und daß es Dinge gibt, für die man sterben kann. [74]

Auch die im gleichen Jahr veröffentlichte *„Karsamstagslegende"* [75] (1915), die auf den ersten Blick hin lediglich als poetische Umschreibung der Grablegung und Auferstehung Christi erscheint, verweist mit ihrem Untertitel „Den Verwaisten gewidmet" auf den intendierten Bezug von christlicher Passion und zeitgeschichtlich bedingtem Sterben:

> Seine Dornenkrone
> Nahmen sie ab
> Legten ihn ohne
> Die Würde ins Grab.
>
> Als sie gehetzt und müde
> Andern Abends wieder zum Grabe kamen
> Siehe, da blühte
> Aus dem Hügel jenes Dornes Samen.
>
> Und in den Blüten, abendgrau verhüllt
> Sang wunderleise
> Eine Drossel süß und mild
> Eine helle Weise.

bereiten. Auch die religiöse Weihe wird einem nicht erspart. Der Kaiser ist ein wahrer Herrgott: „aller Augen", frei nach dem Psalmisten, liegen auf ihm — und er strahlt seine „geistige Macht" aus und verkündet, er kenne keine Parteien mehr." — Reinhold Grimm, Brechts Anfänge, in: Aspekte des Expressionismus, S. 139.

[73] Lukas 24. 13—53.
[74] Brecht, *Ges. Werke*, Bd. IV, S. 8, Epilog, V, 14—16.
[75] Brecht, *Ges. Werke*, Bd. IV, S. 9. Erstveröffentlichung in: Der Erzähler, ANN, Nr. 85, 21. Juni 1915. Vergl. dazu Max Högel, *Brechts religiöses Jugendgedicht. Ein Beitrag zu seinen dichterischen Anfängen in Augsburg*, Blätter der Gesellschaft für christliche Kultur 3, 1960, Nr. 3—4, S. 18—21.

Da fühlten sie kaum
Mehr den Tod am Ort
Sahen über Zeit und Raum
Lächelten im hellen Traum
Gingen träumend fort.

Man wird nicht umhinkönnen, die legendenhafte Schlichtheit der Darstellung und die schwebende Musikalität der trochäischen Rythmen in den ersten beiden Strophen des Gedichts zu bewundern, in denen Grablegung und Auferstehung Christi auf den Tod des Soldadten hin transparent gemacht werden. Brecht hat später im „Horenlied" [76] aus der „Mutter Courage" eine ähnliche Parallelisierung des Soldadtentodes mit dem Kreuzestod Christi unternommen und dieses Verfahren durch den Mund des Feldpredigers folgendermaßen kommentiert: „Solche Fäll, wos einen erwischt, sind in der Religionsgeschicht nicht unbekannt. Ich erinner an die Passion von unserm Herrn und Heiland. Da gibts ein altes Lied darüber." [77] — Wo aber über die historische „Erinnerung" hinaus mit der christlichen Passionsgeschichte eine religiöse Sinngebung des Soldadtentodes intendiert ist, wie in der „Karsamstagslegende" durch das Auferstehungsmotiv, dort enthüllt sich die Fragwürdigkeit dieser religiös-ästhetischen Sublimierung des Heldentodes, die nicht nur inhaltlich unverbindlich bleibt, sondern auch sprachlich in der Gefahr ist, ins Kitschige zu entgleiten. Die letzten beiden Strophen der „Legende" sind dafür ein sprechender Beweis.

Dieser Gefahr ist aus den gleichen Gründen auch das Gedicht „Mütter Vermißter" [78] nicht überall entgangen, um das sich die Legende zu ranken beginnt, daß es ‚das weitaus ergreifendste aller frühen Gedichte Brechts" [79] sei. Ergreifend ist zweifellos das dichterische Motiv der „Mütter Vermißter", die an den wahrscheinlichen Tod ihrer verschollenen Söhne nicht zu glauben vermögen und bis zum Tode die unsägliche Hoffnung aufrechterhalten, sie möchten dennoch zurückkehren. Und ergreifend ist auch der Grad der gelungenen Einfühlung Brechts in die sich selbst erstorbene, nur aus der Erinnerung und Hoffnung lebende Vor-

[76] Brecht, Ges. Werke, Bd. II, S. 1384 f.
[77] ebd. S. 1384.
[78] Brecht, Ges. Werke, Bd. IV, S. 15 f.
[79] Diese Wertschätzung des Gedichts wurde zuerst von H. O. Münsterer (Bertolt Brecht, S. 72) ausgesprochen. Sie wird neuerdings bestätigt von Reinhold Grimm, Brechts Anfänge, in: Aspekte des Expressionismus, S. 141 f.

stellungswelt dieser Mütter, deren zugleich wahnhafte und luzide Hoffnung er im Mittelteil und Schluß des Gedichts mit erstaunlicher, mimetischer Kunst vergegenwärtigt hat:

> Seit der Tod ihm Leib, Namen und Trauer abnahm
> Hören sie auf, ihr Leben zu lenken
> Hören sie auf, zu planen, zu denken
> Danken für Trödel, den Armut und Mitleid verschenken
> Staunen wie Blinde, denen's gar zu plötzlich kam
> Mitten im Sonnenschein, der sie liebend umfing
> Daß die Sonne so seltsam schnell unterging.
>
> Leben ist Sünde. Liebe ist Leid.
> Süß ist Vergessen. Schön ist Erinnerung.
> Und werden sie alt und stürben gern heut
> So ist heut und ist morgen noch lange nicht Zeit
> Denn sein Platz muß frei sein. Sein Platz ist bereit.
> Und werden sie alt: er ist immer jung
> Viele Jahre geht er immer im Soldadtenkleid.
>
> Und die Jahre gehen. Noch ist er nicht tot.
> Nie ist er tot. Nur kommt er nie wieder mehr.
> Eine Kanne bleibt voll und ein Stuhl bleibt leer.
> Und sie sparen ihm Bett und sie sparen ihm Brot
> Und sie beten für ihn, und leiden sie Not
> Sie bitten ihn immer wieder flehend her.
> . . .
> Oh, einmal wird Licht; sonst kann Gott nicht sein —
> Und sei's, wenn sie stürben in letzter Zeit:
> Die dunklen Zimmer werden weit.
> Und hell im Licht steht einer breit.
> Sein Stuhl ist frei. Sein Mahl bereit.
> Und er bricht ihnen Brot, und er reicht ihnen Wein.
> Und sie lächeln im Sterben verklärt und befreit
> Und gehen sehr leicht in den Himmel ein.

Auffällig ist vor allem die durch ihren regelmäßigen iambischen Bau und den gehäuften Gleichklang der Endreime hervorgehobene Schlußstrophe des Gedichts, in der die zu Lebzeiten aufrechterhaltene, wahnhafte Hoffnung der Mütter auf eine Rückkehr ihrer Söhne in der Sterbestunde sich zur religiösen Gewißheit verdichtet. Aber: in der transzendenten Vision der sterbenden Mütter verklärt sich die Erscheinung des heimgekehrten Sohns zur Epiphanie Christi; nicht sie reichen ihm das lang vorbereitete Mahl, sondern „er bricht ihnen Brot, und er reicht ihnen Wein", die Sakramente der Eucharistie.

Damit aber steht auch dieses Gedicht deutlich in dem bereits mehrfach beobachteten Motivzusammenhang, der den Soldadtentod auf fragwürdige Weise mit dem Opfertod Christi ineinssetzt. Wir hatten diese Fragwürdigkeit damit begründet, daß hier der Soldadtentod eine ihm nicht zukommende, religiös-ästhetische Sublimierung erfahre, die historisch auf die zweifelhafte Kontamination der nationalen und der religiösen Sinnebene in der Wilhelminischen Ideologie zurückweise. Die Brüchigkeit dieser Konzeption, in der ein Zweifel am nationalen Weltbild notwendig auch das religiöse Weltbild in Frage stellen muß, deutete sich im „Karfreitags-Prolog" bereits an und ist auch im Gedicht „Mütter Vermißter" latent vorhanden. Denn die Mütter machen hier bezeichnenderweise die Existenz Gottes abhängig von der Wiederkehr ihrer verschollenen Söhne, die realiter nicht möglich ist, sondern nur in der religiös-sublimierten Form ihrer Auferstehung geschehen kann:

Oh, einmal wird Licht; sonst kann Gott nicht sein —

In dem Augenblick aber, wo sie die faktische Realität des Todes ihrer Söhne zugeben müßten, wo sich die Unversehrtheit des Heldenbildes („Viele Jahre geht er immer im Soldatenkleid") nicht länger halten ließe, entfiele aufgrund dieser wechselseitigen Abhängigkeit von Gott und Vaterland auch der Glaube an die Existenz Gottes. — Dieser Problematik hat sich Brecht in den Gedichten „Der Fähnrich" und der „Tsingtausoldadt" gestellt.

Das Gedicht „Der Fähnrich" [80], das Brecht am 28. April 1915 in den „Augsburger Neuesten Nachrichten" veröffentlichte, ist sein erster Versuch, sich vom Klischee des Heldentodes bzw. dessen religiös-ästhetischer Sublimierung zu befreien. Zur Voraussetzung dafür wird die Umkehrung der Perspektive: Während Brecht in den besprochenen Gedichten dieser Thematik den Soldadtentod vornehmlich in seinen Auswirkungen auf die Daheimgebliebenen zur Darstellung gebracht hatte,

---

[80] Brecht, Ges. Werke, Bd. IV, S. 6 f. Erstveröffentlichung in: Der Erzähler, ANN, Nr. 49, 28. April 1915.

nimmt er hier erstmals die Perspektive des unmittelbar vom Tode betroffenen Frontsoldadten ein:

> In jenen Tagen der großen Frühjahrsstürme schrieb er's nach
>   Haus:
> — Mutter . . . Mutter, ich halt's nicht mehr länger aus . . . —
> Schrieb es mit steilen, zittrigen Lettern neben der flatternden
>   Stalllaterne.
> Sah, bevor er es schrieb, in das Dunkel, seltsam geschüttelt, hinaus
> Wo ein Gespenst herschattete, grauenhaft, fremd und fern.
> Lauschte dem harten
> Klirren der Schaufeln, die seine toten Freunde einscharrten.
> Und schrieb es besinnungslos nieder, das „Mutter, ich halt's
>   nicht mehr aus".
>
> Und drei Tage drauf, als seine Mutter über dem Brief schon weinte
> Riß er hinweg über Blut und Leibergekrampf
> Den zierlichen Degen gezückt, die Kompagnie zum Kampf
> Schmal und blaß, doch mit Augen wie Opferflammen.
> Stürmte und focht und erschlug, umnebelt von Blut und Dampf
> In trunkenem Rasen — fünf Feinde . . .
> Dann brach er im Tod, mit irren, erschrockenen Augen,
>   aufschreiend zusammen.

Dieser Perspektive entspricht stilistisch eine betont subjektive Sprachhaltung, die sich besonders in der Dynamik der Adjektive („steil", „zittrig", „flatternd", „trunken", „irr", „erschrocken") und der Verben („herschattete", „riss . . . hinweg", „stürmte, focht und erschlug") zu expressiven Sprachbewegungen steigert. Nicht umsonst läßt auch die Form der frei reimenden Langzeilen an die Verstechnik STADLERS denken, die dieser im „Aufbruch"[81] verwandte. Aber gleich nun, ob Brecht hier den expressiven Sprachstil literarischer Vorbilder nachahmt oder ihn selbst spontan für sich findet — er entspricht genau seiner Problemstellung, die das konventionelle Klischee vom Heldentod durch die existentielle Erfahrung der Todesfurcht vehement durchbricht. Das zweimal wiederholte Eingeständnis der Furcht vor dem als „Gespenst her-

---

[81] Ernst Stadler, *Dichtungen*, hrsg. v. Karl Ludwig Schneider, Hamburg, Bd. I, S. 128 f.

schattenden" Tod: „Mutter ... Mutter, ich halt's nicht mehr länger aus ... —" bildet von Anbeginn den expressiven Gestus des Gedichts. Das in seinem zweiten Teil aufbrechende, heldische Pathos steht hierzu nur in einem scheinbaren Widerspruch, da auch dem „trunkenen Rasen" des Fähnrichs die Furcht zugrunde liegt. Der abschließende Vers:

Dann brach er im Tod mit irren, erschrockenen Augen,
aufschreiend zusammen.

verdeutlicht mit dem Zusammenbruch des Heldenbildes die sinnlos gewordene Vorstellung vom heldischen Sterben.

Das Gedicht-Fragment „Der Tsingtausoldadt" [82], das am 18. 8. 1915 als letztes Kriegsgedicht dieser Phase in den „Augsburger Neuesten Nachrichten" erschien, läßt trotz seiner von Brecht später angezweifelten, textlichen Grundlage [83] deutliche Parallelen zum „Fähnrich" erkennen. Die hier wie dort zu beobachtende Perspektive des Frontsoldadten, der expressive Stil, die existentielle Problematik des Heldentodes und der zweiteilige Aufbau des Gedichts, der diese Thematik zunächst als Todesahnung bzw. „Vision" und dann als definitives Ende des Soldadten zur Darstellung bringt, könnten das Gedicht als bloße Reproduktion des „Fähnrichs" erscheinen lassen, wenn hier nicht zugleich mit der Erschütterung des Heldentodes die Erschütterung der religiösen Weltanschauung vergegenwärtigt würde:

In jener blauen Nacht vor dem Sturm auf der Felsenbastei
Springt den Wachtposten stier
Das Entsetzen an wie ein dunkel kralliges Tier:
Daß er von Gott und dem Teufel verraten sei
Das wirft ihn hinaus aus Zeit und Raum.
Und seine Qual wächst ihm übers Land in Vision und Traum.

Aus Gefels und Schlund
Raucht Giftdampf
Schwarz wimmelnd drunten zum letzten Krampf

[82] Brecht, Ges. Werke, Bd. IV, S. 11 f. Erstveröffentlichung: Der Erzähler ANN, Nr. 97, 18. August 1915. Die im deutschen Besitz befindliche Hafenstadt Tsingtau wurde im November 1914 von den Japanern zurückerobert.
[83] „Den Text des Zeitungsausschnitts, der die Unterlagen für den Abdruck des Gedichts „Der Tsingtausoldadt" bildete, hielt Brecht für teilweise verstümmelt". E. Hauptmann, in: Brecht, Ges. Werke, Bd. IV, S. 3 *.

Schirrt der Feind sich klirrend im dämmernden Grund
An dem gewölbigen Bau des Nachthimmels blutrot
Flackert Brand
Grau und geduckt wie ein gespenstiger Hund
Schleicht aus dem brennenden Land
Gegen die Felsenbastei Tsingtaus der Tod.
Über dem Strom blaut schimmernd die Nacht
Da starrt der Posten hinab in den Schacht
Irr und geschüttelt vor Angst:
Eine Stimme tief unten lacht:
Und wenn du vor Gier nach den Sternen langst
Dir hilft kein Mensch und kein Gott — und
Morgen liegst du zerfetzt und verstampft
Im Tod die blühenden Glieder verkrampft.
Im Grund.
. . .

Diese Ausweitung der existentiellen Problematik des Heldentodes in den religiösen Bereich wird schon im abrupten, thematischen Einsatz des Gedichts überaus deutlich, da hier das den Wachtposten in der Nacht vor dem Kampf „anspringende" kosmische „Entsetzen" zunächst nicht durch seine Todesfurcht motiviert wird, sondern gleich in einem weitaus umfassenderen Sinne durch die eschatologische Angst „daß er von Gott und dem Teufel verraten sei". Daß damit über das Faktische des Todes hinaus eine universelle weltanschauliche Problematik angesprochen ist, an der das religiöse Weltbild des Soldadten zerbricht, verdeutlich der Vers: „Das wirft ihn hinaus aus Zeit und Raum", sowie die zur kosmischen „Vision" sich ausweitende Antizipation seiner Todesqual im folgenden Absatz.

Erst in dieser Vision wird nun der konkrete Anlaß für die Furcht des Soldadten nachgeholt, die sich wie im „Fähnrich" als Furcht vor dem „Tode" enthüllt, der mit den feindlichen Heerscharen „wie ein gespenstiger Hund" „gegen die Felsenbastei Tsingtaus" schleicht. Und wie im „Fähnrich" wird auch der „Tsingtausoldadt" angesichts des Todes von existentieller „Angst geschüttelt", an der das heldische Ethos zerbricht. Die „Stimme", die ihm zuruft:

Dir hilft kein Mensch und kein Gott und
Morgen liegst zu zerfetzt und verstampft

Im Tod die blühenden Glieder verkrampft
Im Grund.

dürfte als übersteigertes Echo dieser Angst anzusehen sein, in dem sich, analog zum Einsatz des Gedichts, die Todesfurcht ausweitet zum „Entsetzen" vor der transzendenten Verlassenheit des Soldadten in seiner Todesstunde. Die Worte des sterbenden Christus: „Eli, Eli, lama asabthani? ... Mein Gott, Mein Gott, warum hast du mich verlassen?" [84] klingen in dieser Verlassenheit wohl noch nach, werden aber durch keine eschatologische Hoffnung mehr aufgewogen.

Wir können den zweiten, fragmentarischen Teil des Gedichts hier außer acht lassen, da er der besprochenen Problematik des Heldentodes nichts Neues hinzufügt, sondern wie im „Fähnrich" das verzweifelte heldische Aufbäumen im Opfertod fürs Vaterland zeigt, der in seiner Sinnlosigkeit bereits durchschaut wird. Sicher ist es kein Zufall, daß dieser Teil Fragment geblieben ist, denn die dargestellte, zentrale Auseinandersetzung Brechts mit dem Problem des Soldadtentodes hat im ersten Teil des „Tsingtausoldadten" mit der gleichzeitigen Erschütterung des nationalen und des religiösen Weltbildes ihren Endpunkt erreicht; die erste Phase der politischen Lyrik Brechts bricht hier ab. [85]

Die Bedeutung dieses Abbrechens für die Ermöglichung von neuen, vielfältigen Ansätzen der Brechtschen Lyrik in der Folgezeit kann nicht hoch genug eingeschätzt werden. Sie betrifft vor allem die ab 1917 einsetzende Entwicklung Brechts zum Nihilismus, zu welcher der dargelegte Zusammenbruch des nationalen und religiösen Weltbildes Wilhelminischer Provenienz den historischen Anlaß gegeben haben dürfte, sowie die Spiegelung der nihilistischen Entwicklung in der existentiellen Struktur seines Balladenwerks, mit dem um 1916 ein weiterer Neuansatz gegeben ist. [86]

---

[84] Mathäus 27. 46; Markus 15. 34.

[85] Zu einem ähnlichen Ergebnis kommt Schuhmann aufgrund anderer Kriterien: „Mit dem letzten Kriegsgedicht ist Brecht bereits an die Peripherie des Schlachtengeschehens gelangt. Durch eklektische Anleihen und Übernehmen ganzer Vorgänge aus anderen Gedichten verrät der Lyriker, daß dieser Themenbereich für ihn pauperisiert ist und poetisch nicht mehr fruchtbar gemacht werden kann." Schuhmann, Der Lyriker Bertolt Brecht, S. 22.

[86] Diese Auffassung wird auch von Schuhmann vertreten, der im 1916 einsetzenden Balladenschaffen Brechts einen „programmatischen" Neuansatz sieht. Schuhmann, Der Lyriker Bertolt Brecht, S. 26.

Aber auch die von der Forschung kaum beachtete, politische Lyrik, die Brecht ab 1917 gelegentlich wieder zu schreiben begann [87], unterscheidet sich von der ersten Phase merklich durch eine kritisch-ironische bzw. satirische Distanz gegenüber ihren nationalen Gegenständen, die sehr bezeichnend schon in dem 1915/16 entstandenen Schulaufsatz des Siebzehnjährigen über den Horazischen Ausspruch „Dulce et decorum est pro patria mori" ausgeprägt ist:

> Der Ausspruch, daß es süß und ehrenvoll sei, für das Vaterland zu sterben, kann nur als Zweckpropaganda gewertet werden. Der Abschied vom Leben fällt immer schwer, im Bett wie auf dem Schlachtfeld, am meisten gewiß jungen Leuten in der Blüte ihrer Jahre. Nur Hohlköpfe können ihre Eitelkeit soweit treiben, von einem leichten Sprung durch das dunkle Tor zu reden und auch dies nur, so lange sie sich weitab von der letzten Stunde glauben. Tritt aber der Knochenmann an sie selbst heran, dann nehmen sie den Schild auf den Rücken und entwetzen wie des Imperators feister Hofnarr bei Philippi, der diesen Spruch ersann. [88]

Es sollte nicht übersehen werden, daß hier bereits der ironisch-satirische Ton und die nunmehr ausgesprochene, pazifistische Tendenz vorweggenommen sind, welche Brechts Gedichte an den Jugendfreund Caspar Neher und die „Legende vom toten Soldaten" bestimmen.

2) IRONIE, SATIRE UND PAZIFISTISCHE TENDENZ IN BRECHTS POLITISCHER LYRIK 1917—1918

Die Einberufung des Jugendfreundes Caspar NEHER [89] gab Brecht erneut Anlaß sich mit der zunehmenden Fragwürdigkeit des soldadtischen Daseins und des Weltkrieges auseinanderzusetzen. Davon zeu-

---

[87] Die Ansicht Schuhmanns, daß Brecht „das Kriegsthema in seinen Gedichten bis 1918 mied" (ebd. S. 19) wird durch das Gedicht „Caspars Lied mit der einen Strophe" aus dem Jahre 1917 und das gleichzeitige „Von einem Maler" widerlegt.

[88] Der Schulaufsatz Brechts wurde von Otto Müller-Eisert unter dem Titel „Horaz entlarvt" wiedergegeben, in: Schwäbische Landeszeitung, Nr. 11, 26. 1. 1949.

[89] Vergl. dazu H. O. Münsterer: „Der zweite Freund fürs Leben, Rudolf Caspar Neher, ... stand zur Zeit unserer ersten Bekanntschaft (1917) im Feld, und so erfuhr ich von ihm anfangs nur aus einem Brechtschen Gedicht, das ihn beim abendlichen Hemdenwaschen und Läusesuchen hinter der Front in recht menschlicher Stimmung abkonterfeite und im Kehrreim jeder Strophe behauptete, er sänge dazu:

gen die beiden Gedichte „Caspars Lied mit der einen Strophe" [90] aus dem Jahre 1917 und das aus dem gleichen Zeitraum stammende „Von einem Maler" [91], deren Gelegenheitscharakter nicht über den inzwischen gewonnenen, pazifistischen Standort Brechts hinwegtäuschen kann:

> Cas ist tapfer. Cas schießt mit Kanonen
> Auf seine Feinde, die sonst Freunde wären.
> Seine Fäuste, wo sonst Seelen wohnen
> Sind gefährlich dick durch ihre Schwären.
> Aber nachts singt Cas wie eine Zofe
> Caspars Lied mit der einen Strophe:
> Wenn nur der Krieg aus wär und ich daheim!
>
> Cas ist zornig, denn der Krieg geht weiter.
> Solang Cas zornig ist, ist Krieg der Brauch.
> Cas schmeißt die Waffen weg, doch schmeißt er leider
> Das Bajonett in seiner Feinde Bauch.
> Aber nachts singt Cas wie eine Zofe
> Caspars Lied mit der einen Strophe:
> Wenn nur der Krieg aus wär und ich daheim!
> . . .

Denn dem spielerischen Ton des Gedichts, das auf einer scheinbar naiven Sprach- und Vorstellungsebene „Strophe" auf „Zofe" reimt und den klobigen Krieger Cas mit dem heimwehkranken Kammermädchen identifiziert, liegt eine sehr bewußte, ironische Dialektik zugrunde, die offenbar durch den Widerstreit zwischen Brechts Zuneigung für den Freund Cas und seiner Verachtung des Kriegshandwerks in Bewegung gesetzt wurde. Diese ironische Dialektik betrifft einerseits das Verhältnis von Strophe und Refrain, in denen jeweils das grotesk übertriebene Heldentum Caspars durch den defätistischen Kehrreim der Kammerzofe: „Wenn nur der Krieg aus wär und ich daheim!" persifliert wird. Sie stellt aber auch mit sarkastischen Antithesen die Attribute des Heldenhaften bloß, die Caspar vordergründig auszeichnen, da seine „Tapfer-

---

„ . . . leise wie eine Zofe
Cassens Lied mit der einen Strophe
Wenn doch bald Frieden wär und ich daheim."
H. O. Münsterer, Bertolt Brecht, S. 28.
[90] Brecht, Ges. Werke, Bd. IV, S. 29, Str. 1—2.
[91] ebd. S. 30 f.

keit", sein „Fäuste" und sein „Zorn" immer nur das Gegenteil dessen bewirken, was sie zu beenden bemüht sind: die Verlängerung des Krieges.

Die Widersprüche des Krieges versuchte Brecht auch in seinem Gedicht „Von einem Maler" aufzuzeigen, und wiederum gab der Jugendfreund Caspar NEHER hierzu die Veranlassung, denn es ist das vertraute Bild des „malenden" Cas, das für Brecht mit der ungewohnten Vorstellung vom Soldadten Neher in Widerspruch geriet. Entsprechend wird der Krieg hier nicht mit ironisch-dialektischen Argumentationen seiner Sinn-losigkeit · überführt, sondern durch simultane Überschneidung wider-sprüchlicher Vorstellungsbereiche in seiner Absurdität aufgezeigt, ein Verfahren, das bereits die modernen Techniken surrealistischer und absurder Poesie vorwegzunehmen scheint [92], so wie Brechts eigener ironischer „Psalmen"—Stil mit seiner Nähe zum Prosaduktus hier schon vorweggenommen ist: [93]

> Neher Cas reitet auf einem Dromedar durch die Sandwüste
> und malt mit Wasserfarben eine grüne Dattelpalme
> (unter schwerem Maschinengewehrfeuer).
>
> Es ist Krieg. Der furchtbare Himmel ist blauer als sonst.
> Mancher fällt tot in das Sumpfgras.
> Man kann braune Männer totschießen. Abends kann man sie
> malen. Sie haben oft merkwürdige Hände.
> . . .

Die irrealen Kriegsschauplätze, auf denen Neher im weiteren Verlauf des Gedichts, von der „Sandwüste" Afrikas über den „Ganges" nach „Petschawar" fortschreitend, seine irrealen Bilder malt, dürften ironisch auf die ausgedehnten Schauplätze des realen Krieges verweisen, dessen katastrophales Ende um 1917 für Brecht bereits absehbar war, wenn er den Freund Caspar auf der Seereise „von Ceylon nach Port Said" zu guter Letzt Schiffbruch erleiden läßt:

---

[92] Nicht umsonst dürfte Enzensberger gerade dieses Gedicht in sein „Museum der modernen Poesie"(Frankfurt M. 1960, S. 232) aufgenommen haben.
[93] Vergl. den Untertitel „Psalm an einen Maler" des um 1917 entstandenen Gedichts. Bestandsverzeichnis des literarischen Nachlasses, S. 182, Nr. 6583.

Auf der See von Ceylon nach Port Said malt er auf die Innenwand des alten Segelschiffes
sein bestes Bild mit drei Farben, beim Licht zweier Luken.
Dann ging das Schiff unter, er rettet sich. Auf das Bild ist Cas
stolz. Es war unverkäuflich.

Denn während Cas „auf die Innenwand des alten Segelschiffes sein
bestes Bild mit drei Farben" malt, die sich unschwer als schwarz-weiß-
rote Farben identifizieren lassen, „geht das Schiff unter". Die Absurdität
dieser Situation deutet nicht nur auf die Sinnlosigkeit eines vorauszu-
sehenden, heroisch verbrämten Untergangs, wie ihn die *„Legende vom
toten Soldadten"* ein Jahr später satirisieren wird, sondern bestätigt
rückblickend auch den dargelegten Zusammenbruch von Brechts eigenem,
idealistischen Deutschlandbild.

Im letzten Jahre des Krieges wurde auch Brecht noch eingezogen und
war als Mediziner an einem Augsburger Lazarett dienstverpflichtet. [94]
Die Erfahrungen dort, von denen er später nur im Ton des schwarzen
Humors zu erzählen pflegte [95], haben seine Kriegsgegnerschaft verstärkt und bilden den biographischen Hintergrund für die 1918 entstandene *„Legende vom toten Soldadten"*.

Hinzu kam noch ein weiterer biographischer Anlaß. Wie Brecht in
seiner *„Anleitung"* zur *„Hauspostille"* ausführt, ist die *„Legende vom
toten Soldadten"* dem „Gedächtnis des Infanteristen Christian Grumbeis"
gewidmet, der „in der Karwoche 1918 in Karasin (Südrußland)" gefallen war. [96] Die persönliche Betroffenheit über den Tod eines nahezu
Gleichaltrigen, in dem Brecht das zeitgeschichtliche Verhängnis einer
ganzen Generation sehen mußte, schließt von vornherein den später von
der nationalsozialistischen Presse gegen ihn erhobenen Vorwurf aus, er
habe mit seiner *„Legende"* den „Soldadten des Weltkriegs verhöhnen"
wollen. [97] Die Satire Brechts zielt eindeutig in eine andere Richtung. In
einer späteren Anmerkung des Verfassers werden sowohl der Gegen-

[94] Grimm, *Bertolt Brecht*, S. 2.
[95] Vergl. H. O. Münsterer, *Bertolt Brecht*, S. 94 f.
[96] „Das fünfte Kapitel („Vom toten Soldadten") ist zum Gedächtnis des Infanteristen Christian Grumbeis, geboren den 11. April 1897 in Aichach, gestorben in
der Karwoche 1918 in Karasin (Südrußland)." Brecht, *Hauspostille*, S. 12.
[97] „Als ich ins Exil gejagt wurde/ Stand in den Zeitungen des Anstreichers/
Das sei, weil ich in einem Gedicht/ Den Soldadten des Weltkriegs verhöhnt hätte."
Brecht, *Ges. Werke*, Bd. IV, S. 416, V. 1—4.

stand der satirischen Stoßrichtung als auch ihr zeitgeschichtlicher Hintergrund unmißverständlich dargelegt:

> Die „Legende vom toten Soldadten" wurde während des Krieges geschrieben. Im Frühjahr 1918 durchkämmte der kaiserliche General Ludendorff zum letztenmal ganz Deutschland von der Maas bis an die Memel von der Etsch bis an den Belt nach Menschenmaterial für seine große Offensive. Die Siebzehnjährigen und die Fünfzehnjährigen wurden eingekleidet und an die Fronten getrieben. Das Wort k. v., welches bedeutet kriegsverwendungsfähig, schreckte noch einmal Millionen von Familien. Das Volk sagte: Man gräbt schon die Toten aus für den Kriegsdienst. [98]

Dieser Ausspruch — „man gräbt schon die Toten aus für den Kriegsdienst"[99] —, in dem sich die historisch legitime Anklage gegen die Wilhelminische Kriegsführung und das Entsetzen über die von ihr geforderten Menschenopfer satirisch durchdringen, wurde zum Konzeptionspunkt der *„Legende vom toten Soldadten"*[100]:

> Und als der Krieg im fünften Lenz
> Keinen Ausblick auf Frieden bot
> Da zog der Soldadt seine Konsequenz
> Und starb den Heldentod.
>
> Der Krieg war aber noch nicht gar
> Drum tat es dem Kaiser leid
> Daß sein Soldadt gestorben war:
> Es schien ihm noch vor der Zeit.
>
> Der Sommer zog über die Gräber her
> Und der Soldadt schlief schon
> Da kam eines Nachts eine militär-
> ische ärztliche Kommission.
>
> Es zog die ärztliche Kommission
> Zum Gottesacker hinaus

---

[98] Brecht, *Ges. Werke*, Bd. VIII, S. 422.
[99] Dieser Ausspruch enthält vermutlich auch eine Reminiszenz an den Beginn von Wedekinds satirischem Gedicht *„Diplomaten"*: „Heut verschonen/ Die Kanonen/ Die Leichen in der Gruft nicht mehr." Frank Wedekind, *Gesammelte Werke*, München 1920, Bd. VIII, S. 169, Str. 1, V. 1—3.
[100] Brecht, *Hauspostille*, S. 133—138.

Und grub mit geweihtem Spaten den
Gefallnen Soldadten aus.

Der Doktor besah den Soldadten genau
Oder was von ihm noch da war
Und der Doktor fand, der Soldadt war k. v.
Und er drücke sich vor der Gefahr.

Brecht bedient sich zur Durchführung seines Themas der Balladenform, wohl wissend, daß die Evokation der Toten seit BÜRGERS „Leonore"
eine spezifische Affinität zur Tradition der Gespensterballade hatte.
Einen ebenso sicheren Griff beweist die Wahl der Strophenform. Der
Dichter verwendet die volkstümliche „Chevy-Chase-Strophe" mit Wechsel
von vier- und dreihebigen Versen, Kreuzreim und männlich-stumpfen
Versausgängen. Sie ist die „typische Form der ‚heldischen Ballade' eines
Strachwitz, Fontane und Münchhausen" gewesen [101], so daß bereits
aus der Diskrepanz zwischen „heldischer Form" und anti-heldischem Inhalt die satirische Absicht des Autors deutlich wird.

Die satirische Tendenz der Ballade richtet sich, wie der Kommentar
Brechts verdeutlichte, keineswegs gegen den „toten Soldadten", obwohl
auch dieser aufgrund seines Kadavergehorsams und seiner Anfälligkeit
für vaterländische Parolen nicht gerade glänzend abschneidet, sondern
primär gegen die Wilhelminische Kriegsführung und des weiteren gegen
alle diejenigen Kräfte und Prinzipien des Wilhelminischen Deutschlands,
welche diese Kriegsführung materiell oder ideell unterstützt hatten. Entsprechend ist der Aufbau der Ballade geradezu durch die Repräsentation
der für den Tod des Soldadten verantwortlichen Kreise bestimmt und
weniger durch eine straff durchgeführte Balladenhandlung. Das Bauprinzip der späteren, politischen Balladen Brechts ist hier bereits vorge-
prägt.

Gleich zu Beginn der „Legende" macht Brecht den „Kaiser" als obersten
Kriegsherrn für die Verlängerung des Weltkriegs verantwortlich, da
durch den unzeitigen Entschluß Ludendorffs, noch im Jahr 1918 die
Niederwerfung Frankreichs zu erzwingen, tatsächlich jeder „Ausblick
auf Frieden" verloren schien. Wenn LUDENDORFF selbst später in seinen
Kriegserinnerungen bekannte: „Das Kriegführen nahm ... den Charak-

---

[101] Wolfgang Kayser, *Kleine deutsche Versschule*, Bern 1960, S. 42.

ter eines unverantwortlichen Hazardspiels an"[102], daraus aber, wie ERDMANN ausführt, „weder politische noch moralische Konsequenzen zog"[103], so blieb mit satirischer Folgerichtigkeit dem „Soldadten" nur die Möglichkeit, seinerseits die „Konsequenz" zu ziehen und den Heldentod zu sterben.

Da indessen die Aufrechterhaltung der Westfront immer neue Menschenopfer erforderlich machte, die auch durch die Einziehung der ‚Minderjährigen" nicht ausgeglichen werden konnten, so mußten wiederum mit satirischer Konsequenz „schon die Toten für den Kriegsdienst ausgegraben" werden. Die Verantwortung trifft demnach auch die auf kaiserlichen Befehl handelnden, kriegsärztlichen „Kommissionen", die mit dem Wort k. v. noch „die Fünfzehnjährigen und Siebzehnjährigen an die Fronten trieben", so daß die von Brecht geschilderte Exhumierung des „toten Soldadten" lediglich die satirische Übertreibung des realen historischen Sachverhalts darstellt.

Der im weiteren Verlauf der „Legende" sich formierende Leichenzug nimmt ein zentrales Motiv und Aufbauprinzip der späteren, politischen Balladen Brechts vorweg. Denn im aufreihenden Nacheinander des Zuges läßt sich die differenzierte Einheit aller derjenigen gesellschaftlichen Kräfte satirisch repräsentieren, die durch ihre Grundsätze, Parolen und Suggestionen den Soldadten für den Krieg gefügig gemacht hatten:

> Und sie nahmen sogleich den Soldadten mit
> Die Nacht war blau und schön.
> Man konnte, wenn man keinen Helm aufhatte
> Die Sterne der Heimat sehn.
>
> Sie schütteten ihm einen feurigen Schnaps
> In den verwesten Leib
> Und hängten zwei Schwestern in seinen Arm
> Und ein halb entblößtes Weib.
>
> Und weil der Soldat nach Verwesung stinkt
> Drum hinkt ein Pfaffe voran
> Der über ihm ein Weihrauchfaß schwingt
> Daß er nicht stinken kann.

---

[102] Zitiert nach Karl Dietrich Erdmann, in: Bruno Gebhardt, *Handbuch der deutschen Geschichte*, Bd. IV, 1961, S. 72.
[103] ebd.

Voran die Musik mit Tschindrara
Spielt einen flotten Marsch.
Und der Soldadt, so wie er's gelernt
Schmeißt seine Beine vom Arsch.

Und brüderlich den Arm um ihn
Zwei Sanitäter gehn
Sonst flög er noch in den Dreck ihnen hin
Und das darf nicht geschehn.

Sie malten auf sein Leichenhemd
Die Farben schwarz-weiß-rot
Und trugen's vor ihm her; man sah
Vor Farben nicht mehr den Kot.

Ein Herr im Frack schritt auch voran
Mit einer gestärkten Brust
Der war sich als ein deutscher Mann
Seiner Pflicht genau bewußt.

So verweisen die „Sterne der Heimat", die man allerdings nur sehen kann, „wenn man keinen Helm aufhatte", auf ein von der Schlagerindustrie erfolgreich produziertes Klischee der Heimatliebe, und sollte das seinen Zweck verfehlen, so bietet sich die Marschmusik als erprobtes Erziehungsmittel zur soldadtischen Disziplin an. Auch Rausch und Erotik tragen zur moralischen Aufrüstung des Soldadten bei, so wie die geistliche Befürwortung des „gottgefälligen Krieges" nicht fehlen darf. Als sichtbares Zeichen der nationalen Idee ist die schwarz-weiß-rote Fahne ein unentbehrliches Requisit; daß die vaterländischen Farben auf das „Leichenhemd" des „toten Soldadten" gemalt sind, entspricht in seiner absurden Wahrheit Caspar Nehers Bild mit „den drei Farben", die den Untergang des Wilhelminischen Staatsschiffs verbrämten. Der Appell an das „Pflicht"bewußtsein des „deutschen Mannes" schließt die Reihe dieses makabren Leichenzuges ab.

Wenn im Schlußteil der Ballade dann der Leichenzug unter dem trunkenen Beifall der Bevölkerung durch die Dörfer zieht, so wird damit „die Aufbruchstimmung der Augusttage von 1914 noch einmal beschworen" [104], wie SCHUHMANN richtig erkannt hat:

---

[104] Schuhmann, *Der Lyriker Bertolt Brecht*, S. 50.

So zogen sie mit Tschindrara
Hinab die dunkle Chaussee
Und der Soldadt zog taumelnd mit
Wie im Sturm die Flocke Schnee.

Die Katzen und die Hunde schrein
Die Ratzen im Feld pfeifen wüst:
Sie wollen nicht französisch sein
Weil das eine Schande ist.

Und wenn sie durch die Dörfer ziehn
Waren alle Weiber da.
Die Bäume verneigten sich. Vollmond schien
Und alles schrie hurra!

Mit Tschindrara und Wiedersehn!
Und Weib und Hund und Pfaff!
Und mitten drin der tote Soldadt
Wie ein besoffner Aff.

Und wenn sie durch die Dörfer ziehn
Kommt's daß ihn keiner sah
So viele waren herum um ihn
Mit Tschindra und Hurra.

So viele tanzten und johlten um ihn
Daß ihn keiner sah.
Man konnte ihn einzig von oben noch sehn
Und da sind nur Sterne da.

Die Sterne sind nicht immer da
Es kommt ein Morgenrot.
Doch der Soldadt, so wie er's gelernt
Zieht in den Heldentod.

Der Sturm der Begeisterung, der den Soldadten zu Beginn des Krieges
mitgerissen hatte „wie im Sturm die Flocke Schnee", der ihn mit chauvinistischen und vaterländischen Parolen angefeuert und berauscht hatte,
so daß er in der Menge „wie ein besoffner Aff" schien, wird durch die
Zusammenblendung der zeitlichen Perspektiven von Kriegsbeginn und
Kriegsende satirisch seiner Absurdität überführt: Denn es ist jetzt der
Totentanz des v e r l o r e n e n Krieges, dem die Bevölkerung frenetisch

applaudiert. Die Satire zielt damit letztlich auf die Mitschuld der gesamten Bevölkerung, die dem Auszug des Soldadten derart begeistert zugejubelt hatte, „daß ihn keiner sah." — Zweimal wiederholt Brecht diesen Satz und läßt damit *ex negativo* hinter dem Zerrbild des Soldadten das Bild des Menschen erscheinen, dessen Deformation der Satiriker an der Gesellschaft gerächt hatte. Der „tote Soldadt" erscheint so am Schluß der *Legende* als ein von der Wilhelminischen Gesellschaft um sein Menschsein Gebrachter, dem auch Gott zu keiner Auferstehung mehr verhelfen kann, da der Glaube an den Gott dieser Gesellschaft dem jungen Brecht gleichzeitig mit dem Tod des Soldaten erstorben ist:

> Man konnte ihn einzig von oben noch sehn
> Und da sind nur Sterne da.

II. Brechts Entwicklung zum Nihilismus 1917—1920

Ließ sich die Auseinandersetzung mit dem Problem des Heldentodes von der „Modernen Legende" (1914) bis zur „Legende vom toten Soldaten" (1918) verfolgen, so setzt ab 1917 die Entwicklung einer gegenläufigen Themenfolge ein, die um Brechts allmähliche Loslösung von der Transzendenz bzw. seine Entwicklung zum Nihilismus zentriert ist. Es kann kein Zweifel darüber bestehen, daß der nihilistischen Thematik weiterreichende Bedeutung für das lyrische Frühwerk Brechts zukommt als seiner politischen Lyrik. Wenn man aber den Gegensatz zur Zeitgeschichte konstatiert, daß mit dem Ende des Ersten Weltkrieges das politische Engagement des jungen Brecht gegenüber der religiös-existentiellen Thematik in den Hintergrund tritt, so darf nicht übersehen werden, daß der radikalen Desillusionierung Brechts hinsichtlich des Krieges die Auseinandersetzung mit dem Nihilismus auf dem Fuße folgt, so daß hier ein ursächlicher Zusammenhang gegeben scheint.

Es liegt nahe, die historische Ursache für Brechts Entwicklung zum Nihilismus genauer in dem dargelegten Zusammenbruch seines nationalen und religiösen Weltbildes Wilhelminischer Provenienz zu sehen, das bereits gegen Ende des Jahres 1915 in einer irreparable Krise geraten war, wie die Analyse des „Tsingtausoldadten" im letzten Kapitel zu verdeutlichen suchte. Daß das religiöse Weltbild des jungen Brecht indessen tiefere Dimensionen gehabt haben muß als die Wilhelminische Oberflächenschicht, erhellt aus der Tatsache, daß deren Zerfall nicht bereits mit dem weltanschaulichen Nihilismus identisch ist, sondern lediglich den Anstoß zu einer langwierigen Lösung Brechts von der christlichen Transzendenz gegeben hat, an deren Endpunkt das Nichts steht.

1) „TOD GOTTES"

In einem handgeschriebenen Notenbüchlein „Lieder zur Klampfe von Bert Brecht und seinen Freunden 1918" befindet sich unter anderem das „Lied der müden Empörer" [105], das H. O. Münsterer, der es bereits

---

[105] Brecht, Ges. Werke, Bd. IV, S. 34. — Zur Überlieferung vergl. die Anmerkung v. E. Hauptmann, ebd. S. 4 *.

1917 gehört haben will, auch als „Philosophisches Tanzlied" [106] bezeichnet. Dieser von Münsterer mitgeteilte Titel des Gedichts weist offenbar auf NIETZSCHES „Also sprach Zarathustra" zurück, auf dessen „Tanzlied" [107] und „Das andere Tanzlied" [108] Brecht anzuspielen scheint:

Wer immer seinen Schuh gespart
Dem ward er nie zerfranst.
Und wer nie müd noch traurig ward
Der hat auch nie getanzt.

Und wenn aus Altersschwäche gar
In Staub zerfällt dein Schuh
Der ganz wie du nur für Fußtritte war
War glücklicher doch noch als du.

Wir tanzten nie mit mehr Grazie
Als über Gräber noch.
Gott pfeift die schönste Melodie
Stets auf dem letzten Loch.

Das Tanzmotiv, in Nietzsches „Zarathustra" Zeichen einer Lebenshaltung, welche die christliche Gottesvorstellung und Moralität als den „Geist der Schwere" zu überwinden sucht und das Leben selbst als dionysisches Phänomen feiert („Ich würde nur an einen Gott glauben, der zu tanzen verstünde") [109] wird auch in Brechts „Philosophischem Tanzlied" zum Ausdruck einer vitalen Bejahung sinnlicher Lebensfreude. Dabei spielt Brecht mit dem Einsatz der ersten Strophe und ihrer metrisch-rhythmischen Formgebung zugleich auf Goethes Harfnerlied [110] an und parodiert dessen Dialektik von menschlicher Leiderfahrung und Erfahrung der Transzendenz durch die gegenläufige Substitution diesseitiger Lebenslust mit ihren Gefühlsschwankungen von Ausgelassenheit und Ermattung:

Goethe:
Wer nie sein Brot mit Tränen aß,
Wer nie die kummervollen Nächte

---

[106] Münsterer, Brecht, S. 77 f.
[107] Nietzsche, Werke, Bd. II, S. 364—366
[108] ebd. S. 470—473.
[109] ebd. S. 307.
[110] Goethes Werke, Hamburger Ausgabe, Bd. VII, S. 136, Str. 1.

Auf seinem Bette weinend saß,
Der kennt euch nicht, ihr himmlischen Mächte.

Brecht:

Wer immer seinen Schuh gespart
Dem ward er nie zerfranst.
Und wer nie müd noch traurig ward
Der hat auch nie getanzt.

Es bleibt indessen nicht bei dieser Goethe-Parodie, mit der nur die vitalistische Gegenposition zur transzendenten Aussage des Harfnerlieds bezeichnet ist. Das Tanzmotiv steigert sich in der letzten Strophe des Gedichts ganz im Sinne NIETZSCHES zur provokativen Geste eines Sich-Hinwegsetzens über die konventionelle Gottesvorstellung. Dabei umschreibt der graziöse Tanz der „Empörer" „über (die) Gräber" des christlichen Gottes hinweg [111] ebenso wie die Metapher des „auf dem letzten Loch pfeifenden Gottes" deutlich Nietzsches philosophische Formel vom „Tod Gottes" [112], um den die Vorrede und der erste Teil des „Zarathustra" zentriert sind. — Man wird zwar bei Brecht zu diesem Zeitpunkt (1917/1918) noch keine profunde Kenntnis der Philosophie Nietzsches vorraussetzen dürfen [113], aber Nietzsches einprägsame Formel vom „Tod Gottes" hat er in der Tat aufgenommen und sie wiederholt in Gedichten aus dem gleichen Zeitraum variiert. So kommentiert er den Erlösungstod Christi schon in seiner 1917 entstandenen „Legende von der Dirne Evlyn Roe" mit den desillusionierenden Versen:

Denn der Herr, den du liebst, kann das nimmermehr zahln
Weil er gestorben ist. [114]

[111] Das „Grab Gottes" als Variation der Formel vom „Tod Gottes" begegnet bei Nietzsche im „Zarathustra": „Nicht auch zürnt Zarathustra dem Genesenden, wenn er zärtlich nach seinem Wahne blickt und mitternachts um das Grab seines Gottes schleicht." — Nietzsche, Werke, Bd. II, S. 299.

[112] Die Erkenntnis vom „Tod Gottes" wurde von Nietzsche programmatisch zu Beginn des fünften Buchs der „Fröhlichen Wissenschaft" formuliert: „Das größte neuere Ereignis — ‚daß Gott tot ist' — daß der Glaube an den christlichen Gott unglaubwürdig geworden ist — beginnt bereits seine ersten Schatten über Europa zu werfen." — Nietzsche, Werke, Bd. II, S. 205. Sie wird wiederum aufgenommen im „Zarathustra": „Sollte es denn möglich sein! Dieser alte Heilige hat in seinem Walde noch nichts davon gehört, daß G o t t   t o t   i s t !" — Nietzsche, Werke, Bd. II, S. 279.

[113] Vergl. S. 11 dieser Arbeit.

[114] Brecht, Ges. Werke, Bd. IV, S. 18, Str. 4, V. 4/5.

und parodiert im „Lied der Galgenvögel" von 1918 den bürgerlichen Gottesglauben durch folgende Verkehrung des Vaterunsers:

> Und hängen wir einst zwischen Himmel und Boden
> Wie Obst und Glocke, Storch und Jesus Christ
> Dann, bitte, faltet die geleerten Pfoten
> Zu einem Vater Euer, der nicht ist. [115]

Aber nicht nur auf die Kenntnis der philosophischen Formel Nietzsches, „daß Gott tot sei" kommt es im „Philosophischen Tanzlied" Brechts an, sondern ebenso auf die durch das Tanzmotiv suggerierte, ironische Leichtigkeit dieser Aussage im Kontext des Gedichts. Der graziöse Tanz der „Empörer" „über Gräber" hinweg hat ebenso wie die Vorstellung, daß „Gott die schönste Melodie stets auf dem letzten Loch pfeife", grotesk-ironischen Charakter. Brecht begegnet hier der Voraussage vom „Tod Gottes", deren psychologische Konsequenzen von NIETZSCHE als „durchaus nicht traurig und verdüsternd, vielmehr wie eine neue schwer zu beschreibende Art von Licht, Glück, Erleichterung, Erheiterung, Ermutigung, Morgenröte" [116] registriert worden waren, mit der ambivalenteren Haltung des Galgenhumors, der uns bereits in den politischen Gedichten aus diesem Zeitraum begegnet war, jenem „risus mortis" angesichts eines sinnentleerten Daseins, in dem nach den Erfahrungen der Zeitgeschichte nun auch der Verlust der Transzendenz mitschwingt. Brecht selbst hat diese Haltung des Galgenhumors in einer späteren Notiz zur „Hauspostille" folgendermaßen kommentiert: „Das Erhabene wälzt sich im Staub, die Sinnlosigkeit wird als Befreierin begrüßt. Der Dichter solidarisiert nicht einmal mehr mit sich selbst. Risus mortis . . . [117].

2) Paradoxer Atheismus und Fiktion der Transzendenz

Es hieße aber die spezifische Dialektik in Brechts Verhältnis zur Transzendenz übersehen, wollte man ihn aufgrund seiner frühen Aussagen zum „Tod Gottes" bereits auf die Position des Nihilismus festlegen. Das „Lied der müden Empörer" enthielt, wie gezeigt wurde, zuviel

---

[115] ebd. S. 35, Str. 4.
[116] Nietzsche, Werke, Bd. II, S. 206.
[117] Brecht, Über Lyrik, Frankfurt M. 1964 (edition suhrkamp 70), S. 74.

von Nietzsche Übernommenes, als daß man den ironisch konstatierten „Tod Gottes" als letztes Wort des jungen Brecht zu diesem Problem verstehen dürfte. Vor allem aber zeigt die Weiterentwicklung der religiösen Auseinandersetzung in der „Hymne an Gott" aus dem Jahre 1917 ein derart uniromisches Pathos der Auflehnung, daß es scheint, Brecht nähme hier die atheistische Geste der Empörung aus der „Prometheus"-Hymne des jungen GOETHE wieder auf. Diese Abhängigkeit bekundet sich auch formal durch den direkten Anredestil der „Hymne" und den dieser Form angenäherten Duktus der reimlosen, trochäischen Verse:

> Tief in den dunklen Tälern sterben die Hungernden.
> Du aber zeigst ihnen Brot und lässest sie sterben.
> Du aber thronst ewig und unsichtbar
> Strahlend und grausam über dem ewigen Plan.
>
> Ließest die Jungen sterben und die Genießenden
> Aber die sterben wollten, ließest du nicht . . .
> Viele von denen, die jetzt vermodert sind
> Glaubten an dich und starben mit Zuversicht.
>
> Ließest die Armen arm sein manches Jahr
> Weil ihre Sehnsucht schöner als dein Himmel war
> Starben sie leider, bevor mit dem Lichte du kamst
> Starben sie selig doch — und verfaulten sofort.
>
> Viele sagen, du bist nicht und das sei besser so.
> Aber wie kann das nicht sein, das so betrügen kann?
> Wo so viele leben von dir und anders nicht sterben konnten —
> Sag mir, was heißt das dagegen — daß du nicht bist? [118]

Vor allem aber weist die eigenartige Ambivalenz von Existenz und Nichtexistenz Gottes, die Brechts Gedicht thematisch bestimmt, auf Goethes „Prometheus"-Hymne zurück, in der die Ohnmacht der Götter, das Elend der Menschen abzuwenden, bereits bis zu einem Grade durchschaut ist, daß sich die Gottesvorstellung als Fiktion der Gläubigen aufzulösen droht:

---

[118] Brecht, Ges. Werke, Bd. IV, S. 55.

Goethe:

Ich kenne nichts Ärmer's
Unter der Sonn' als euch Götter.
Ihr nähret kümmerlich
Von Opfersteuern und Gebetshauch
Eure Majestät,
Und darbtet, wären
Nicht Kinder und Bettler
Hoffnungsvolle Toren. [119]

Brecht:

Ließest die Armen arm sein manches Jahr
Weil ihre Sehnsucht schöner als dein Himmel war
Starben sie leider, bevor mit dem Lichte du kamst
Starben sie selig doch — und verfaulten sofort.

Aber bei Brecht radikalisiert sich diese Problematik, die bei Goethe im Wechselspiel zwischen der Ohnmacht der Götter und der Eigenmacht des Prometheus noch latent blieb, zur durchgeführten Dialektik zwischen Sein und Nichtsein Gottes. Das im *„Lied der müden Empörer"* mit ironischer Grazie vollzogene „Hinwegsetzen" über den „Tod Gottes" schlägt hier um in den paradoxen Atheismus, daß Gott angesichts der Mächtigkeit seiner Fiktion — „Du aber thronst ewig und unsichtbar/ Strahlend und grausam über dem ewigen Plan" — und der Abhängigkeit der Gläubigen von ihm seine Nichtexistenz zum Vorwurf gemacht wird: [120]

Viele sagen, du bist nicht und das sei besser so.
Aber wie kann das nicht sein, das so betrügen kann?
Wo so viele leben von dir und anders nicht sterben konnten —
Sag mir, was heißt das dagegen — daß du nicht bist?

Diese aufbegehrende Haltung Brechts, die sich nicht eindeutig als „radikaler Atheismus" bezeichnen läßt, wie BLUME [121] meint, weil die Empörung nicht gegen die Realität Gottes, sondern eine leere Transzendenz gerichtet ist, die sich aber auch nicht schlechthin als Nihilismus fixieren

[119] *Goethes Werke*, Hamburger Ausgabe, Bd. I, S. 45, V. 14—21.
[120] Vergl. Blume, *Motive der frühen Lyrik Brechts: II*, S. 274.
[121] ebd.

läßt, weil dem „Tod Gottes" die Wirklichkeit der geglaubten Fiktion widerstreitet, läßt sich wohl nur so erklären, daß für Brecht die von NIETZSCHE übernommene Negation Gottes in Widerspruch geriet zur sozialen Wirklichkeit seiner Umwelt, die noch vorwiegend in den überlieferten Glaubensformen lebte.

Von der Mächtigkeit der fiktionalen Transzendenz zeugt auch das im gleichen Jahr entstandene Gedicht „Der Himmel der Enttäuschten" (1917), in dem jedoch die prometheische Empörung dem Ausdruck der Resignation gewichen ist, und das rhetorische Pathos ganz hinter die sublime Bildlichkeit der Aussage zurücktritt. Die dargestellte Himmelslandschaft fixiert einen Zustand der Abhängigkeit der „Enttäuschten" von einer als illusionär erfahrenen Transzendenz und mutet so fast wie eine poetische Paraphrase zu dem in der „Hymne" geäußerten Gedanken an:

> Ließest die Armen arm sein manches Jahr
> Weil ihre Sehnsucht schöner als dein Himmel war.

Auf jeden Fall wird man dieser Himmelslandschaft keine abbildliche Realität zusprechen wollen; sie fungiert als durchgeführte Metapher für eine Welt ohne Gott:

> Halben Weges zwischen Nacht und Morgen
> Nackt und frierend zwischen dem Gestein
> Unter kaltem Himmel wie verborgen
> Wird der Himmel der Enttäuschten sein.
>
> Alle tausend Jahre weiße Wolken
> Hoch am Himmel. Tausend Jahre nie.
> Aber alle tausend Jahre immer
> Hoch am Himmel. Weiß und lachend. Sie.
>
> Immer Stille über großen Steinen
> Wenig Helle, aber immer Schein
> Trübe Seelen, satt sogar vom Greinen
> Sitzen traumlos, stumm und sehr allein.
>
> Aber aus dem untern Himmel singen
> Manchmal Stimmen feierlich und rein:

Aus dem Himmel der Bewundrer dringen
Zarte Hymnen manchmal oben ein. [122]

Die Himmelslandschaft des Gedichts ist in sich vielfach abgestuft, so daß auch der Begriff des „Himmels" zwischen vielfältigen Bedeutungen oszilliert. Der „Himmel der Enttäuschten" ist lokalisiert zwischen dem „kalten Himmel" als Ausdruck einer umfassenden Weltkälte, die BLUME richtig als Chiffre für das „Nichts" [123] interpretiert hat, und dem „untern" „Himmel der Bewunderer", deren „feierliche und reine Stimmen" noch von keinem Gedanken an die Nichtigkeit der Transzendenz getrübt sind. — Zwischen diesen beiden Extremen sind im Mittelteil des Gedichts die „trüben Seelen" der „Enttäuschten" in einer Zwischenzone angesiedelt, die vom „Schein" einer „alle tausend Jahre" aufleuchtenden, in ihrer strahlenden Entrücktheit gleichsam hohnlachenden Wolkenlandschaft illuminiert wird. Der Vergleich mit NIETZSCHES „perspektivischem Schein" der jenseitigen Welt, „dessen Herkunft in uns liegt" [124], bietet sich an, so daß die Wolkenlandschaft Brechts als permanente Fiktion dieser scheinhaften Transzendenz zu interpretieren wäre. Die „Enttäuschten" des Gedichts sind dem illusionären Schauspiel der Transzendenz ausgeliefert, das sie gleichwohl mit einem Wort Nietzsches als „himmlisches Nichts" [125] durchschauen. — Daß diese Himmelslandschaft als Metapher der fiktionalen Transzendenz gemeint ist, verrät auch die Anregung dieses Bildes durch das Transparent eines Augsburger Orchestrions, über dessen Eindruck auf Brecht MÜNSTERER berichtet hat: „Unterhalb des Walls, nahe der Jakobervorstadt gab es ein unscheinbares altes Wirtshaus mit einem Orchestrion; beim Einwurf eines Zehnpfennigstücks leuchtete zu den Klängen rührseliger Musik oben das Transparent mit einer Landschaft auf, ein Wasserfall schäumte, und über alles hinweg zogen Wolken langsam hin und her. Es machte auf Brecht großen Eindruck. Nicht nur das Gedicht vom „Himmel der Enttäuschten" wurde, wie Brecht selbst zugab, dadurch angeregt . . ." [126].

[122] Brecht, *Ges. Werke*, Bd. IV, S. 55. Sowohl die „*Hymne an Gott*" als auch „*Der Himmel der Enttäuschten*" sind nach dem *Bestandsverzeichnis des literarischen Nachlasses* auf das Jahr 1917 zu datieren (S. 50, Nr. 5368) und nicht auf das Jahr 1919, wie E. Hauptmann meint.
[123] „Man wird kaum fehlgehen, wenn man den letzten, äußersten ‚kalten Himmel' mit dem ‚Nichts' identifiziert." — Blume, *Motive der frühen Lyrik Brechts: II*, S. 278.
[124] Nietzsche, *Werke*, Bd. III, S. 555.
[125] ebd. Bd. II, S. 298.
[126] Münsterer, *Brecht*, S. 111.

Brecht hat in der Tat das Motiv des Himmels in seiner Bedeutung als Fiktion der Transzendenz noch verschiedentlich aufgenommen [127], vor allem mit dem „Opal des Himmels" im Gedicht *Vom ertrunkenen Mädchen"*, an dessen „wundersames Scheinen" sich die Illusion knüpft, „als ob er die Leiche begütigen müsse" [128], und gelegentlich hat er den Bedeutungsgehalt dieses Bildes auch ausgesprochen wie in der zweiten Strophe des Gedichts *„Und immer wieder gab es Abendröte"* (1920):

> Die Himmel, strahlend wie die großen Lügen
> Sie narrten sie: das alles hielt sie auf.
> Er wollte wissen, wielang sie's ertrügen
> Sie aber, hilflos, kamen nicht darauf. [129]

Damit ist freilich auch die Zweideutigkeit, die den Metaphern des Himmels in den Gedichten *„Der Himmel der Enttäuschten"* und *„Vom ertrunkenen Mädchen"* immer noch eignete, aufgelöst und *expressis verbis* ihrer Fiktionalität überführt.

3) STOISCHE BEJAHUNG DES NICHTS

Erst mit der Auflösung der fiktionalen Transzendenz rückt nun für Brecht definitiv die Möglichkeit einer positiven Einschätzung des Nihilismus ins Blickfeld. Läßt sich die Fixierung an die Fiktion der Transzendenz im *„Himmel der Enttäuschten"* mit NIETZSCHES Worten als „Nihilismus der Schwäche" deuten, der dadurch definiert ist, daß in ihm „die Enttäuschung der herrschende Zustand wird. Die Unfähigkeit zum Glauben an einen ‚Sinn' " [130], so nähert sich Brecht jetzt der Gegenmöglichkeit eines „Nihilismus der Stärke", von dem Nietzsche gesagt hatte: „Er (der Nihilismus) kann ein Zeichen von Stärke sein, die Kraft des Geistes kann so angewachsen sein, daß ihr die bisherigen Ziele („Überzeugungen, Glaubensartikel") unangemessen sind . . ." [131]. Ohne daß es zu einer neuen Wertsetzung kommt, die Nietzsches Definition noch voraussetzte, begegnet bei Brecht ab 1920 die teils stoische, teils hymnische Be-

---

[127] Vergl. Blume, *Motive der frühen Lyrik Brechts: II*, S. 276 ff.
[128] Brecht, *Ges. Werke*, Bd. IV, S. 252, Str. 1, V. 3/4.
[129] ebd. S. 73, Str. 2.
[130] Nietzsche, *Werke*, Bd. III, S. 550.
[131] ebd. S. 557 f.

jahung des Nichts, beispielhaft in dem Gedicht „*Die schwarzen Wälder*"
(1920):

> Die schwarzen Wälder aufwärts
> In das nackte böse Gestein
> Es wachsen schwarze Wälder bis
> In den kalten Himmel hinein.
>
> Es schreien die Wälder vor Kummer
> Von Frost und Oststurm zerstört —
> Wir aber haben dort unten
> Die flüsternden Worte gehört.
>
> Die Bäche, die von dort kommen
> Sind kalt, daß sie keiner erträgt
> Wir aber haben uns unten
> In kältere Betten gelegt.
>
> Sie sagen, man sieht dort nur Finstres
> Weil Tannen vorm Lichte stehn:
> Wir aber haben dort unten
> Das Schauspiel der Welt gesehn.
>
> Sie sagen auch: Über den Wäldern
> Drunten im Stein kommt nichts.
> Da sind wir die Leute, hinüber-
> zugehen ins Gestein gelaßnen Gesichts. [132]

Das Gedicht hat mit dem „*Himmel der Enttäuschten*" die poetische
Darstellungsweise gemeinsam, daß die Landschaft mit den wiederkehren-
den Chiffren des „nackten ... Gesteins" und des „kalten Himmels" als
durchgeführte Metapher für eine Welt ohne Gott fungiert. Aber während
sich dort noch die Fiktion einer Transzendenz in der Himmelslandschaft
des Gedichts spiegelte, ist hier bewußt der Blick auf jede mögliche
Transzendenz verstellt:

> Es wachsen schwarze Wälder bis
> In den kalten Himmel hinein.
>
> Sie sagen, man sieht dort nur Finstres
> Weil Tannen vorm Lichte stehn:

[132] Brecht, *Ges. Werke*, Bd. IV, S. 72.

Damit wird die Gebirgslandschaft eindeutig zur Metapher des Nichts. Die sie konstituierenden Elemente des „nackten bösen Gesteins", der „schwarzen Wälder" und der „kalten Himmel" vergegenwärtigen die Kälte, Härte und Finsternis einer dem Nichts preisgegebenen Welt.

Der Gebirgslandschaft diametral entgegengesetzt, erscheint im Mittelteil des Gedichts die Welt „dort unten". Zwischen diesen beiden Polen wechselt die Blickrichtung in jeder der Strophen. Aber während die jeweils erste Strophenhälfte von Aussagen über die Kälte und Finsternis der Gebirgswelt bestimmt ist, beinhalten die Äußerungen über die Menschenwelt in der jeweils zweiten Strophenhälfte keine Entgegensetzung im positiven, sondern im gesteigert negativen Sinne, so daß ein ursächlicher Zusammenhang zwischen der Welt „dort unten" und dem Weg in das Nichts der Gebirgswelt suggeriert wird. Diesen Zusammenhang zeitgeschichtlich zu deuten, läge auf der Linie des herausgestellten Abhängigkeitsverhältnisses von Nihilismus und Zeitgeschichte in der frühen Lyrik Brechts. Es macht aber die Schwäche dieses Gedichts aus, daß die Aussagen über die Menschenwelt — „flüsternde Worte", „kältere Betten," „Schauspiel der Welt" — in sich zu unbestimmt bleiben, als daß sich ihnen mehr entnehmen ließe als die radikale Negation einer sozialen Umwelt, dergegenüber das nackte Nichts der Außenseiterexistenz als wünschenswertes Ziel vorzuziehen sei.

Damit ist zugleich etwas über die räumliche und geistige Richtung des Gedichts gesagt. Sie führt aus der Ablehnung der Menschenwelt in die Gebirgswelt einer sinnentleerten Natur, die als Metapher des Nichts fungiert:

> Sie sagen auch: Über den Wäldern
> Drunten im Stein kommt nichts.
> Da sind wir die Leute, hinüber-
> zugehen ins Gestein gelaßnen Gesichts.

Es ist die genau umgekehrte Richtung wie sie das zwei Jahre später entstandene Gedicht „Vom armen B. B." (1922) einschlägt, der „aus den schwarzen Wäldern" „in die Städte hinein" getragen wird, dem aber die frühe Erfahrung dieser Weltkälte des Nichts gleichwohl geblieben ist: „Und die Kälte der Wälder/ Wird in mir bis zu meinem Absterben sein." [133]

---

[133] Brecht, Ges. Werke, Bd. IV., S. 261, Str. 1.

4) Aufklärerischer Nihilismus

Die dargestellte Entwicklung Brechts zum Nihilismus bliebe unvollständig ohne die Beachtung der aufklärerischen Intention, die sich ab 1920 in einigen Gedichten dieser Thematik mit der Erkenntnis des Nihilismus verbindet. Aufklärerischer Nihilismus spricht insbesondere aus dem „Schlußkapitel" der „Hauspostille" „Gegen Verführung" das in diesem Zusammenhang angeführt sei, obwohl es an formal-inhaltlicher Geschlossenheit die Nachlaßgedichte bei weitem überragt:

Laßt euch nicht verführen!
Es gibt keine Wiederkehr.
Der Tag steht in den Türen;
Ihr könnt schon Nachtwind spüren:
Es kommt kein Morgen mehr.

Laß euch nicht betrügen!
Das Leben wenig ist.
Schlürft es in schnellen Zügen!
Es wird euch nicht genügen
Wenn ihr es lassen müßt!

Laßt euch nicht vertrösten!
Ihr habt nicht zu viel Zeit!
Laßt Moder den Erlösten!
Das Leben ist am größten:
Es steht nicht mehr bereit.

Laßt euch nicht verführen
Zu Fron und Ausgezehr!
Was kann euch Angst noch rühren?
Ihr sterbt mit allen Tieren
Und es kommt nichts nachher. [134]

Diese Geschlossenheit dokumentiert sich weniger in einer nur ästhetischen Abrundung des Gedichts als durch die Integration von Spannungen und Antithesen im formalen und inhaltlichen Bereich. Sie betrifft ins-

---

[134] Brecht, Ges. Werke, Bd. IV, S. 260. — Das Gedicht trug ursprünglich den Titel: „Luzifers Abendlied". Vergl. Schuhmann, Der Lyriker Bertolt Brecht, S. 68. Sein Entstehungsdatum wird im Bestandsverzeichnis des literarischen Nachlasses, S. 90, Nr. 5740 um das Jahr 1920 angegeben.

besondere den streng antithetisch gegliederten, gedanklichen Aufbau der Strophen. Er ist in der jeweils ersten Strophenhälfte (V. 1—2) durch eine doppelte Negation bestimmt: Jede Strophe setzt ein mit dem adhortativen Aufruf, sich „nicht verführen", „betrügen", „vertrösten" zu lassen, und kommt im zweiten Vers zur apodiktischen Negation der Verführungsinhalte:

> Es gibt keine Wiederkehr.
> Das Leben wenig ist.
> Ihr habt nicht zu viel Zeit!
> Zu Fron und Ausgezehr!

Demgegenüber wird in der jeweils zweiten Strophenhälfte (V. 3—5) nun im Gegenzug die Position des Dichters deutlich, der statt der Verführung zu einem jenseitigen Leben auf die Priorität dieses begrenzten, irdischen Daseins verweist. — Der jeweilige Schlußvers wiederholt formelhaft die Negation des Anfangs.

Das antithetische Argumentationsschema des Strophenaufbaus verdeutlicht das Bemühen des Autors um Aufklärung und Unterweisung. Brecht wendet sich mit imperativischen Satzkonstruktionen zu Beginn jeder Strophe adhortativ an den Leser, sich nicht zum Glauben an ein jenseitiges Leben „verführen" zu lassen. BENJAMIN hat in seinen Anmerkungen zu diesem Gedicht die Paradoxie erkannt, daß Brecht hier den theologischen Unterweisungscharakter und die theologische Begrifflichkeit formal beibehält, um sie gegen bestimmte theologische Inhalte auszuspielen: „Die Leute wurden von der Geistlichkeit vor den Verführungen gewarnt, welche sie in einem zweiten Leben nach dem Tode teuer zu stehen kommen. Der Dichter warnt vor Verführungen, die sie in diesem Leben teuer zu stehen kommen. Er bestreitet, daß es ein solches Leben gäbe. Seine Warnung ist nicht weniger feierlich gehalten als die der Geistlichkeit; seine Versicherungen sind ebenso apodiktisch. Wie die Geistlichkeit, so gebraucht auch er den Begriff der Verführung absolut, ohne Zusatz; er übernimmt dessen erbauliche Klangfarbe." [135] Es ist Benjamins Kommentar ergänzend hinzuzufügen, daß der „apodiktische" Tenor des Gedichts nur scheinbar seiner aufklärerischen Intention widerspricht; vielmehr bestätigt sich hier die Beobachtung Nietzsches,

---

[135] Walter Benjamin, *Versuche über Brecht*, hrsg. v. Rolf Tiedemann, Frankfurt/M. 1966, S. 57.

daß sich das christliche Ethos der Wahrhaftigkeit zuletzt desillusionierend gegen die christliche Tradition wende. [136]

Die einzelnen Inhalte der „Verführung" sowie die entsprechende Gegenposition Brechts bedürfen näherer Explikation. Die Feststellung, daß es „keine Wiederkehr" gäbe, dürfte weniger auf eine Wiederholung des Lebens im diesseitigen als im jenseitigen Leben zu beziehen sein, wie sie die christliche Religion nach dem Tode verspricht. Das Ende des menschlichen Lebens ist definitiv. Die Tageszeitenmetaphorik der Eingangsstrophe verdeutlicht diese Situation, da hier dem Ende des Lebenstages und der hereinbrechenden Nacht des Todes „kein Morgen" d. h. keine eschatologische Zukunftsaussicht folgt.

Im Lichte dieses auf das Diesseits begrenzten, menschlichen Lebens kommt Brecht zu seiner zweiten Warnung:

> Laßt euch nicht betrügen!
> Das Leben wenig ist.

Sie lautete im Erstdruck der „Taschenpostille" mißverständlich:

> Laßt euch nicht betrügen
> Daß Leben wenig ist. [138]

Denn daß dieses Leben „wenig" bedeute gegenüber einem besseren Leben im Jenseits, würde die christliche Weltanschauung ja ebenfalls behaupten. Gemeint war aber von Brecht offenbar weniger die qualitative als die quantitative Beschränktheit dieses Lebens, dessen kurze Freuden rasch genossen werden wollen, wie die anschließende Aufforderung zum raschen Leeren des Lebenstrunks — „Schlürft es in schnellen Zügen" — verdeutlicht.

Das leitet über zur Warnung der dritten Strophe, die nun die Problematik des christlichen Zeitverständnisses und die Angewiesenheit des Menschen auf seine Lebenszeit eindringlich ausspricht. Hinter der Warnung:

---

[136] „ ... der Sinn der Wahrhaftigkeit, durch das Christentum hoch entwickelt, bekommt Ekel vor der Falschheit und Verlogenheit aller christlichen Welt- und Geschichtsdeutung. Rückschlag von ‚Gott ist die Wahrheit' in den fanatischen Glauben ‚Alles ist falsch' ". — Nietzsche, *Werke*, Bd. III, S. 881.

[137] Nietzsche, *Werke*, Bd. III, S. 568.

[138] Zitiert nach Benjamin, *Versuche über Brecht*, S. 58.

> Laßt euch nicht vertrösten!
> Ihr habt nicht zu viel Zeit!

steht offenbar die christliche Vertröstung auf ein ewiges Leben, in der Brecht die Gefahr sieht, die diesseitig begrenzte, kurz bemessene Lebenszeit zu versäumen. Sie bestünde insbesondere dann, wenn der Mensch nach christlichem Zeitverständnis sein Leben am Tod orientierte — eine Zeitauffassung, die Brecht mit dem Ausruf „Laßt Moder den Erlösten!" sarkastisch abwehrt — und nicht begriffe, daß es über sein einmaliges Leben hinaus nichts „Größeres" gibt.

Von daher muß auch die Warnung vor „Fron und Ausgezehr" in der letzten Strophe verstanden werden, die offenbar eine Ablehnung des christlich-asketischen Lebensideals impliziert, das sich durch Dienst am Nächsten und Verachtung des Leibes die jenseitige Erlösung von einem angenommenen Schuld- und Sündenzustand des Menschen verspricht. Brecht stellt diese Lebenshaltung mit dem Hinweis auf die ihr zugrunde liegende „Angst" vor einer höchsten weltenrichterlichen Instanz in Frage, die dann hinfällig würde, wenn der Mensch sein Leben wie das aller Kreaturen als definitiv begrenzt erkennt, so daß weder atavistische Gottesfurcht noch jenseitige Hoffnung den aufgeklärten Nihilisten zu „rühren" vermögen.

Den Abschluß dieser Entwicklung zu einem aufgeklärten Nihilismus markiert prägnant das Gedicht „Der Nachgeborene", das in epigrammatisch-pointierter Form die Position des aufgeklärten Nihilisten — „ich/ habe keine Hoffnung" — gegen die der Gläubigen ausspielt — „Die Blinden reden von einem Ausweg" —, und das gegen die Utopie der Hoffnung die nüchterne Erkenntnis des „Nichts" setzt:

> Ich gestehe es: ich
> Habe keine Hoffnung.
> Die Blinden reden von einem Ausweg. Ich
> Sehe.
>
> Wenn die Irrtümer verbraucht sind
> Sitzt als letzter Gesellschafter
> Uns das Nichts gegenüber. [139]

---

[139] Brecht, *Ges. Werke*, Bd. IV, S. 99. Das Entstehungsdatum dieses Gedichts wird im *Bestandsverzeichnis des literarischen Nachlasses*, S. 55, Nr. 5415 um das Jahr 1920 angegeben.

5) Zusammenfassung und Rückblick

Wir haben Brechts Entwicklung zum Nihilismus an exemplarischen Gedichten aus dem Nachlaß aufzuzeigen versucht, die in ihrer Folge die frühe Übernahme der Formel Nietzsches vom „Tod Gottes", ein Zwischenstadium der paradoxen Auflehnung gegen die Fiktion der Transzendenz bis hin zur stoischen Bejahung des Nichts und zum aufgeklärten Nihilismus erkennen ließen. Obwohl sich diese Entwicklung in ihren Anfängen als von Nietzsche beeinflußt erwies, stellte sie sich in ihrem weiteren Verlauf als höchst eigene Auseinandersetzung des jungen Brecht mit dem Phänomen des modernen Unglaubens dar, die gerade in ihrer langsamen, widerspruchsvollen Loslösung von der Transzendenz, ihrem Schwanken zwischen enttäuschter Abhängigkeit von der Fiktion der Transzendenz und vitaler Bejahung des Nichts die persönliche Betroffenheit des Dichters dokumentiert. [140] — Dafür spricht auch der formale Aspekt dieser in sich keineswegs einheitlichen Gedichtfolge, die im „Lied der müden Empörer" und der „Hymne an Gott" noch nachweislich epigonale Züge aufwies und erst im „Himmel der Enttäuschten" und in ‚Die schwarzen Wälder" mit der Darstellungsweise der durchgeführten Metapher einen selbständigen, auf die Balladen verweisenden Stil fand.

Gleichwohl läßt sich die persönliche Entwicklung Brechts zum Nihilismus dem von Nietzsche diagnostizierten Zusammenhang des „Europäischen Nihilismus" einordnen. Denn sie durchläuft in ihrer individuellen Ausprägung durchaus die typischen, „psychologischen Zustände", die Nietzsche mit dem „Hinfall der kosmologischen Werte" [141] vorausgesagt hatte. Von der enttäuschten Fixierung an die scheinhafte Transzendenz, die Nietzsche als „Nihilismus der Schwäche" [142] bezeichnet hätte — „Der Nihilismus als psychologischer Zustand wird eintreten müssen, wenn wir einen Sinn in allem Geschehen gesucht haben, der nicht darin ist: so daß der Sucher endlich den Mut verliert" [143] — gelangt auch Brecht zu jener „letzten Form des [aufgeklärten] Nihilismus, welche den

---

[140] Ähnlich sieht es Blume: „Unüberhörbar auf jeden Fall, ist jedoch der emotionale Unterton, wann immer es um religiöse Dinge geht. Man muß daraus schließen, daß die Ablösung von der christlichen Lehre, in der Brecht aufgewachsen war, nicht ohne Konflikte vor sich ging ...". — Blume, *Motive der frühen Lyrik Brechts:* II, S. 275.

[141] Nietzsche, *Werke*, Bd. III, S. 676—678.

[142] ebd. S. 550.

[143] Nietzsche, *Werke*, Bd. III, S. 676.

Unglauben an eine metaphysische Welt in sich schließt — welche sich den Glauben an eine wahre Welt verbietet."[144]

Auf die Bedeutung dieser Thematik für die frühe Lyrik Brechts, die hier zum erstenmal in ihrem entwicklungsgeschichtlichen Zusammenhang dargestellt wurde, haben nicht erst die Arbeiten von GEISSLER, KRAFT, BLUME und KILLY punktuell verwiesen,[145] sondern viel früher bereits Brecht selbst, wenn er in seinem 1945 entstandenen Gedicht „Einst" aus kritisch-distanziertem Rückblick Werk und Lebensgefühl seiner Augsburger Lyrik im Zeichen des „Nichts" interpretierte:

> Einst schien dies in Kälte leben wunderbar mir
> Und belebend rührte mich die Frische
> Und das Bittre schmeckte, und es war mir
> Als verbliebe ich der Wählerische
> Lud die Finsternis mich selbst zu Tische.
>
> Frohsinn schöpfte ich aus kalter Quelle
> Und das Nichts gab diesen weiten Raum.
> Köstlich sonderte sich seltne Helle
> Aus natürlich Dunklem. Lange? Kaum.
> Aber ich, Gevatter, war der Schnelle.[146]

Die Chiffren der „Kälte", des „Bittren" und der „Finsternis", mit denen Brecht das Lebensgefühl seiner Augsburger Jahre evoziert, sind uns in ihrer Bedeutung als Umschreibungen des Nichts aus der Interpretation von Gedichten wie „Der Himmel der Enttäuschten und „Die schwarzen Wälder" geläufig und verweisen hier erneut auf den nihilistischen Zusammenhang. Aber während sich uns dieser als langwieriger, widerspruchsvoller Prozeß der Loslösung von der Transzendenz darstellte, erscheint er hier im Rückblick des Dichters einseitig auf die Anfangs- und Endpunkte dieser Entwicklung, das Ja zum „Tod Gottes" und die vitale Bejahung des Nichts verkürzt. Entsprechend werden auch die Chiffren der „Kälte", des „Bittren" und der „Finsternis" in diesem Kontext zu Formeln für die Radikalität und Stärke eines Lebensgefühls (die Verbformen „leben", „belebend", „schmeckte", „schöpfte" verdeutlichen den vitalistischen Aspekt) das „dies in Kälte leben" in einer dem

[144] ebd. S. 678.
[145] Vergl. S. 9—11 dieser Arbeit.
[146] Brecht, *Ges. Werke*, Bd. IV, S. 933 f.

Nichts preisgegebenen Welt als „belebendes" Stimulans bejahte und das auch vor den Anerbietungen der „Finsternis", wie dem Tode, irrtümlich noch die Freiheit der Wahl zwischen Leben und Tod zu haben meinte. [147]

Diese Problematik betrifft nicht nur den „aus kalter Quelle" geschöpften „Bitternisfrohsinn der Welt" und den „weiten Raum" einer Freiheit, die der Dichter nun kritisch durch das „Nichts" determiniert sieht — „Und das Nichts gab diesen weiten Raum" —, sondern auch für die aus diesem Lebensgefühl entstandenen, frühen Dichtungen Brechts, deren „seltne Helle" er den äußersten, materialistisch verstandenen Bedingtheiten des Lebens wie dem Tod, dem Untergang und der Verwesung abzugewinnen wußte: „Köstlich sondert sich seltne Helle/ Aus natürlich Dunklem". Wiederum verweist so der Dichter im Rückblick auf die gefährliche Paradoxie, das mit der Bejahung eines dem Nichts überantworteten Daseins zugleich auch die Bejahung des Todes mitgegeben war. — Aber damit ist auch schon die Peripetie des Gedichts erreicht, das nun mit der Frage und Antwort: „Lange? Kaum." auf das rechtzeitige Abbrechen einer dichterischen Entwicklungsstufe verweist und den rasch ergriffenen Beginn einer neuen mit dem Vers „Aber ich, Gevatter, war der Schnelle" [148] andeutet.

---

[147] „Aber der Wählerische hat nicht eigentlich die Wahl zwischen Ja und Nein", wie Werner Kraft in seiner Interpretation ausführt: „In der Finsternis, die den Wählerischen selbst zu Tische lud, schmeckt alles gleich bitter und das Bittre gleich gut, und die Laune entscheidet zwischen Bittrem und Bittrem, nicht die Freiheit, die Freiheit der Wahl." — Kraft, *Augenblicke der Dichtung*, S. 178.

[148] Werner Kraft deutet diesen Vers als Entscheidung gegen den Tod: „Genau hier nämlich, in dieser Sonderung von natürlich Dunklem und seltner Helle, in dieser Bewohnbarkeit des Frohsinn spendenden Nichts, in seinem weiten Raume hockte der „Gevatter", der „Gevatter Tod", und alles kam darauf an, im Blitze der Entscheidung schneller zu sein als er, überhaupt schnell zu sein; denn der Tod ist hier als langsam gedacht, ja als träge wie alle Freiheit schnell und alles stoische Gebundensein langsam ist." — Kraft, *Augenblicke der Dichtung*, S. 179.

III. Ironische Selbstdarstellung Brechts in der Rolle „Von den Sündern in der Hölle" 1918—1921

1) DAS IRONISCHE SCHEMA „VON DEN SÜNDERN IN DER HÖLLE". NIHILISMUS UND IRONIE.

Im weiteren Zusammenhang mit der nihilistischen Thematik ist eine Folge von Gedichten zu sehen, in denen Brecht das Problem des Nihilismus auf ironische Weise überspielt, indem er sich und seinen Augsburger Freundeskreis zu „Sündern in der Hölle" stilisiert. Es handelt sich demnach um Gelegenheitsgedichte [149] mit deutlich erkennbarem, biographischen Kern, die nichtsdestoweniger einen nach Form und Inhalt geschlossenen Strukturtypus darstellen, der sich in seiner Folge von 1917 bis 1921 erst aus dem Nachlaß voll erschließt. In die ‚Hauspostille' von 1927 hatte Brecht nur wenige Gedichte dieser Thematik aufgenommen und von ihnen die für diesen Zusammenhang wichtigen Stücke „Prototyp eines Bösen" [150] und „Vom François Villon" [151] aus späteren Ausgaben wieder eliminiert. Der Grund dafür mag in dem biographischen Charakter zu sehen sein, den diese Gedichte trotz ihrer strukturellen Geschlossenheit aufweisen. Für unseren Zusammenhang sind sie nichtsdestoweniger wichtig, da sie den Spielraum umreißen, aus dem der ironische Stilzusammenhang der ‚Hauspostille' entsteht.

Das Gedicht „Von den Sündern in der Hölle" [152] (1919), das im „Anhang" der ‚Hauspostille' von 1927 an zweiter Stelle erschien, baut auf der Abwandlung der christlichen Fürbitte auf, daß die Tränen der Bittenden Linderung für die Höllenqual der Verdammten erwirken könnten. Brecht hat das volkstümliche Bittmotiv, dem die Volksliedstrophe kunstvoll korrespondiert, dahingehend erweitert, daß die „Sünder in der Hölle" selber als unsichtbare Schatten um die Tränen ihrer Lieben betteln gehn müßten:

---

[149] Zum Gelegenheitscharakter der frühen Gedichte Brechts vergl. Münsterer, *Brecht*, S. 77—80.

[150] Brecht, *Hauspostille*, S. 32 f.

[151] ebd. S. 35—37.

[152] Als Entstehungsdatum für dieses Gedicht wird im *Bestandsverzeichnis des literarischen Nachlasses* das Jahr 1919 angegeben. (S. 178, Nr. 6551).

Die Sünder in der Hölle
Haben's heißer, als man glaubt.
Doch fließt, wenn einer weint um sie
Die Trän mild auf ihr Haupt.

Doch die am ärgsten brennen
Haben keinen, der drum weint
Die müssen an ihrem Feiertag
Drum bettln gehn, daß einer greint.

Doch keiner sieht sie stehen
Durch die die Winde wehn.
Durch die die Sonne scheint hindurch
Die kann man nicht mehr sehn. [153]

Auf diesen bildlich sehr suggestiven Eingang folgt im Mittelteil des Gedichts die ironische Präsentation der dazumal höchst lebendigen Augsburger Freunde Müllereisert, Caspar Neher, George Pfanzelt sowie Brechts selber als „Sünder in der Hölle", denen die lindernde Wohltat der Tränen versagt bleibt:

Da kommt der Müllereisert
Der starb in Amerika
Das wußte seine Braut noch nicht
Drum war kein Wasser da.

Es kommt der Kaspar Neher
Sobald die Sonne scheint
Dem hatten sie, Gott weiß warum
Keine Träne nachgeweint.

Dann kommt George Pfanzelt
Ein unglückseliger Mann
Der hatte die Idee gehabt
Es käm nicht auf ihn an.

Und dort die liebe Marie
Verfaulet im Spital
Kriegt keine Träne nachgeweint:
Der war es zu egal.

[153] Brecht, Hauspostille, S. 146 f., Str. 1—3.

Und dort im Lichte steht Bert Brecht
An einem Hundestein
Der kriegt kein Wasser, weil man glaubt
Der müßt im Himmel sein. [154]

„Wie ein Marterl am Wege die ohne Sterbsakramente Verschiedenen der Fürbitte der Vorübergehenden empfiehlt" [155], deutet Brecht mit dem stereotypen „Da kommt", „Es kommt", „Dann kommt" nacheinander auf die vorgeblich toten Freunde und gibt zwischen Ernst und Ironie schwankende Begründungen, weshalb den so früh Dahingeschiedenen „keine Träne nachgeweint" werde. Vom unglücklichen Zufall, der Müllereisert und Caspar Neher die lindernde Wohltat der Tränen versagte über die selbstverschuldete Qual der Selbstmörder und Gleichgültigen George Pfanzelt und Marie kommt Brecht zum Höhepunkt „tragischer Ironie" im eigenen Falle:

Der kriegt kein Wasser, weil man glaubt
Der müßte im Himmel sein.

Nach dieser Klimax folgt die kunstvoll berechnete Peripetie des Gedichts mit dem Lamento [156]: „Jetzt brennt er in der Höllen" und der gesteigerten Wiederaufnahme des Bittmotivs in der Schlußstrophe:

Jetzt brennt er in der Höllen
Oh, weint Ihr Brüder mein!
Sonst steht er am Sonntagnachmittag
Immer wieder dort an seinem Hundestein. [157]

Was veranlaßte Brecht zu einer derart ironischen Darstellung seiner selbst und seines Freundeskreises als „Sünder in der Hölle"? — Da kaum anzunehmen ist, daß er sich, beim Wort genommen, als solcher bezeichnet hätte, weil die Ironie die konventionellen religiösen Schemata wie Himmel und Hölle, Sünder und Heiliger spielerisch auflöst, scheint

[154] ebd. S. 147 f., Str. 4—8.
[155] Benjamin, *Versuche über Brecht*, S. 60.
[156] Benjamin deutet das Gedicht unter dem Aspekt der „Klage": „Sein Stammbaum ist der der Klage, eine der größten Formen mittelalterlicher Literatur, Man kann sagen: auf die alte Klage greift es zurück, um Klage zu erheben über dies Neueste — daß es nicht einmal mehr die Klage gibt." — Benjamin, *Versuche über Brecht*, S. 60 f.
[157] Brecht, *Hauspostille*, S. 148, Str. 9.

es sich hier um eine weltanschauliche Relativierung zu handeln, deren Voraussetzungen in der Nihilismus-Problematik zu suchen sind. Wir müssen zur Erhellung dieser Voraussetzungen noch einmal auf das „Lied der müden Empörer" von 1917 zurückgreifen [158], in dessen letzter Strophe Brecht auf das Phänomen des „Todes Gottes" mit ironischer „Grazie" reagierte:

> Wir tanzten nie mit mehr Grazie
> Als über Gräber noch.
> Gott pfeift die schönste Melodie
> Stets auf dem letzten Loch.

Es scheint demnach, daß mit dem Zusammenbruch des religiösen Weltbildes eine Relativierung des weltanschaulichen Standpunkts eintritt, die sich in der Dichtung als Freiwerden von Ironie, Parodie, Provokation und Satire äußert, wie bereits hinsichtlich der politischen Lyrik des Dichters zu beobachten war. Brecht selbst hat diese im weitesten Sinne ironische Haltung angesichts eines sinnlos gewordenen Daseins in einer späteren Deutung der ‚Hauspostille' als „risus mortis" gedeutet, womit die Abhängigkeit der Ironie vom „Tod Gottes" genau bezeichnet ist: „Das Erhabene wälzt sich im Staub, die Sinnlosigkeit wird als Befreierin begrüßt. Der Dichter solidarisiert nicht einmal mit sich selbst. Risus mortis. . . ." [159]

Diese Abhängigkeit wird besonders deutlich in dem 1918 entstandenen „Lied der Galgenvögel", in dem Brecht, wiederum in der Rolle des „Sünders" bzw. „Galgenvogels", das Wissen um die Nichtexistenz Gottes provokativ gegen eine bürgerliche Gesellschaft ausspielt, deren christliche Glaubensformen parodiert werden.

> Daß euer schlechtes Brot uns nicht tut drucken
> Spüln wir's hinab mit eurem schlechten Wein —
> Daß wir uns ja nicht schon zu früh verschlucken.
> Auch werden einst wir schrecklich durstig sein.
>
> Wir lassen euch für eure schlechten Weine
> Neidlos und edel euer Abendmahl . . .
> Wir haben Sünden. — Sorgen han wir keine.
> Ihr aber habt dafür eure Moral.

[158] Vergl. S. 44 dieser Arbeit.
[159] Brecht, „Über die Hauspostille", in: Brecht, Über Lyrik, S. 74.

Wir stopfen uns den Wanst mit guten Sachen
Das kost' euch Zähren viel und vielen Schweiß.
Wir haben oft das Maul zu voll zum Lachen
Ihr habt es oft zu voll vom Kyrieleis.

. . .

Und hängen wir einst zwischen Himmel und Boden
Wie Obst und Glocke, Storch und Jesus Christ
Dann, bitte, faltet die geleerten Pfoten
Zu einem Vater Euer, der nicht ist. [160]

Der grob polemische Ausfall Brechts gegen die überkommenen Moralbe-
griffe der bürgerlichen Welt sowie die Parodierung ihrer Glaubensformen erweist sich bei näherem Hinsehn nicht nur als tradierte Pose des
von ihm verehrten poète maudit VILLON, auf dessen „Ballade von den
Gehenkten" [161] auch das Galgenvogelmotiv der vierten Strophe zurückzuführen sein dürfte, sondern hat die Erkenntnis vom „Tod Gottes" zur
Voraussetzung:

Dann, bitte, faltet die geleerten Pfoten
Zu einem Vater Euer, der nicht ist.

Die letzte Strophe macht vollends deutlich, daß die ironische Abwertung
der konventionellen Glaubenswelt in direktem Kausalzusammenhang mit
der Erfahrung einer „leeren Transzendenz" steht, insofern die absolute
„Freiheit" der „Galgenvögel" ironisch auf die gleichgültig gewordene Realität zurückschlägt:

Konnt in den Himmel uns der Sprung nicht glücken
Ward eure Welt uns schließlich einerlei.
Kannst du heraufschaun, Bruder mit dem krummen Rücken?
Wir sind frei, Bruder, wir sind frei! [162]

Mit diesem zerstörerischen Rückschlag von einer als leer erkannten
Transzendenz auf die Realität, der sich in der Dichtung als Ironie äußert,
steht Brecht im Zusammenhang der von Hugo FRIEDRICH an BAUDELAIRE,

[160] Brecht, Ges. Werke, Bd. IV, S. 35 f, Str. 1—4.
[161] Vergl. die Ballade Villons (in der Brecht bekannten Nachdichtung Ammers)
„Grabschrift in Form einer Ballade, die Villon für sich und seine Kumpane machte,
als er erwartete, mit ihnen gehängt zu werden", in: Francois Villon. Des Meisters
Werke, übertr. von Karl Ludwig Ammer, Berlin, S. 22 f.
[162] Brecht, Ges. Werke, Bd. IV, S. 36, Str. 9.

RIMBAUD und MALLARMÉ aufgezeigten „Dialektik der Modernität", die weit ins 20. Jahrhundert hinein ihre Gültigkeit behält: „Dieses nicht mehr gläubig, philosophisch, mystisch zu füllende Unbekannte (die Idealität) ist ... Pol einer Spannung, die, weil der Pol leer ist, zurückschlägt auf die Realität. Diese zerstörte Realität bildet nun das chaotische Zeichen für die Unzulänglichkeit des Realen überhaupt wie auch für die Unerreichbarkeit des Unbekannten. Man darf Derartiges die Dialektik der Modernität nennen." [163] Es ist freilich für diesen Zusammenhang bezeichnend, daß die von Friedrich aufgewiesene „Dialektik der Modernität" bereits von NIETZSCHE in seinem „Nachlaß der Achziger Jahre" erkannt und zum Ausgangspunkt seines Nihilismusbegriffs wurde:

> Entwicklung des Pessimismus zum Nihilismus. — Entnatürlichung der Werte. Scholastik der Werte. Die Werte, losgelöst, idealistisch, statt das Tun zu beherrschen und zu führen, wenden sich verurteilend gegen das Tun.
>
> . . .
>
> Die verworfene Welt, angesichts einer künstlich erbauten „wahren, wertvollen". — Endlich: man entdeckt, aus welchem Material man die „wahre" Welt gebaut hat: und nun hat man nur die verworfene übrig und rechnet jene höchste Enttäuschung mit ein auf das Konto ihrer Verwerflichkeit.
>
> Damit ist der Nihilismus da: man hat die richtenden Werte übrigbehalten — und weiter nichts. [164]

In der Überwindung der „richtenden Werte" sah NIETZSCHE das Kriterium für einen „Nihilismus der Stärke", der sich teils aus Zerstörungswillen, teils aus Ironie konstituieren sollte: „Nihilismus als Ideal der höchsten Mächtigkeit des Geistes ... teils zerstörerisch, teils ironisch." [165] Damit ist auch für Brecht die Tendenz der Ironie angedeutet.

2) PORTRÄT DES BÖSEN

Lassen sich auf diese Weise Ironie und Parodie als bezeichnende Stilhaltung der Gedichtfolge „Von den Sündern in der Hölle" auf das

---

[163] Hugo Friedrich, *Die Struktur der modernen Lyrik*, Hamburg 1956, S. 56 f.
[164] Nietzsche, *Werke*, Bd. III, S. 533.
[165] ebd. S. 557.

Nihilismusproblem zurückführen, so bedarf doch die spezifische Darstellung des „Sünders" bzw. des „Bösen" noch genauerer Betrachtung, die weniger die weltanschauliche als die artifizelle Seite dieser Gedichte in den Blick rücken soll.

„Prototyp eines Bösen" überschreibt Brecht ein ursprünglich in den „Bittgängen" der ‚Hauspostille' enthaltendes Gedicht und deutet damit bereits an, daß es sich hier um das Porträt eines „Bösen" handele, an dem prototypisch vorgegebene Darstellung religiöser und literarischer Art gleichermaßen Anteil haben:

> Frostzerbeult und blau wie Schiefer
> Sitzend vor dem Beinerhaus
> Schlief er. Und aus schwarzem Kiefer
> Fiel ein kaltes Lachen aus.
> Ach er spie's wie Speichelbatzen
> Auf das Tabernakel hin
> Zwischen Fischkopf, toten Katzen
> Als noch kühl die Sonne schien.

> Aber

> Wohin geht er, wenn es nachtet
> Der von Mutterzähren troff?
> Der der Witwen Lamm geschlachtet
> Und die Milch der Waisen soff?
> Will er, noch im Bauch das Kälbchen
> Vor den guten Hirten, wie?
> Tief behängt mit Jungfernskälpchen
> Vor die Liebe Frau Marie?

> Ah, er kämmt sich das veraltge
> Haar mit Fingern ins Gesicht?
> Meint, man sieht so die verkalkte
> Freche Schandvisage nicht?
> Ach, wie macht er seine böse
> Fresse zittern, arm und nackt?
> Daß ihn Gott aus Mitleid löse
> Oder weil ihn Schauder packt?

> Sterbend hat er schnell geschissen
> Noch auf seine Sterbestatt.

Aber wird man dort wohl wissen
Was er hier gefressen hat?
Kalt hat man ihn mit dem Schlangen-
frass des Lebens abgespeist.
Will man da von ihm verlangen
Daß er sich erkenntlich weist?

Darum bitt ich hiermit um Erbarmen
Mit den Schweinen und den Schweinetrögen!
Helft mir bitten, daß auch diese Armen
In den Himmel eingehn mögen. [166]

Die konventionelle religiöse Vorgabe betrifft hier ähnlich wie im Gedicht „Von den Sündern in der Hölle" das Schema des für sein Leben
zur Verantwortung gezogenen armen Sünders, das den Aufbau des
Gedichts mit dem Übergang von der ersten zur zweiten Strophe bestimmt. Die Umschreibung des Sündenregisters mit biblischen Wendungen:

Der der Witwen Lamm geschlachtet
Und die Milch der Waisen soff?

sowie das Sich-verantworten-Müssen des Sünders vor dem „guten Hir-
ten" bzw. der „Lieben Frau Marie" machen die prototypische Situation
des christlichen Sünders evident.

Andererseits ist nicht zu übersehen, daß Brecht den archaisierend
biblischen Stil auf ironisch provozierende Weise mit Argot der Umgangssprache versetzt und dem tradierten Klischee vom armen Sünder
geschickt das Selbstporträt bubenhafter „Verworfenheit" untergeschoben
hat, wie insbesondere die dritte Strophe zeigt. — Daß es sich dabei um
die künstlerisch beabsichtigte Form eines „lyrischen Porträts" handelt,
darauf verweisen die zahlreichen Gedichte aus dem Nachlaß, in denen
Brecht sich und seinen Freudeskreis porträtiert hat, vor allem das Selbstporträt „Vom schlechten Gebiß" [167] und der humoristische Nachruf auf
Casper NEHER in „Der dicke Cas" (1920) [168]. Hans Otto MÜNSTERER,
der ein solches Porträt mit dem „Lied vom Herrn M." [169] zugestellt

---

[166] Brecht, *Ges. Werke*, Bd. IV, S. 22—24.
[167] Brecht, *Hauspostille*, S. 145 f.
[168] Brecht, *Ges. Werke*, Bd. IV, S. 92 f.
[169] ebd. S. 28 f.

bekam, spricht davon, daß es sich hier um „eines der frühesten ‚lyrischen Porträts' handele, in denen es die amerikanischen Dichter zu großer Vollendung gebracht hätten". [170]

Der Hinweis Münsterers auf etwaige Beziehungen Brechts zu den amerikanischen Meistern des lyrischen Porträts läßt sich nicht verifizieren. Wohl aber deutet das Gedicht „Prototyp eines Bösen" mit seinem provokativ aus biblischen Wendungen und Argot gemischtem Stil, seiner frechen Rechtfertigungsgeste in der vierten Strophe und vor allem mit dem Geleit (envoi) im Stil der christlichen Fürbitten VILLONS [171] so offenkundig auf das literarische Vorbild dieses Dichters, daß man dem von ihm verkörperten Typus des poète maudit und den von ihm geschaffenen Formen der Selbstdarstellung entscheidenden Einfluß auf die Gestaltung des Bösen in den frühen Porträtgedichten Brechts einräumen muß.

Dafür spricht eindeutig auch die nach MÜNSTERER [172] im Jahre 1918 entstandene Ballade „Vom François Villon" [173], die mit ihrem Lebensbild des poète maudit direkt auf analoge Selbstdarstellungen in den „Testamenten" [174] VILLONS verweist. — Daß hier die Ansätze zu einer neuen, nicht auf Handlung, sondern auf das lyrische Porträt bzw. die lyrische Biographie gerichteten Balladenform liegen, wird im Zusammenhang der „Lebenslauf-Strukturen" später noch ausführlicher zu behandeln sein.

3) AUFLÖSUNG DES ROLLENCHARAKTERS

Um 1919/20 mischen sich ironisch-elegische Töne in die Gedichte, in denen Brecht sich und seinen Freundeskreis zu „Sündern in der Hölle" stilisiert, die auf das Ende dieser Rolle vorausweisen:

> Zartes Lammfleisch du, in steifem Linnen.
> Ach, schon sucht dich wild der gute Hirt!

---

[170] Münsterer, Brecht, S. 14—16.
[171] François Villon, S. 22 f, 65 f, 106, 109 f.
[172] Münsterer, Brecht, S. 50 f.
[173] Brecht, Ges. Werke, Bd. IV, S. 38 f.
[174] Villon, „Epistel an seine Freunde in Balladenform", „Grabschrift in Form einer Ballade ...", „Rondeau für den armen Villon", „Ballade um als Schluß zu dienen", in: François Villon, S. 19 f, 22 f, 106, 111 f.

> Ja, noch weidest du, und rot darinnen
> Sitzt ein Herz, das bald verfaulen wird. [175]

Es mehren sich Gedichte, in denen wie in der *„Ballade von den Selbst-helfern"* (1920) das Sich-überlebt-Haben der „Sünder" thematisch wird:

> Ihr Himmel verbleicht wohl schon?
> Wie schnell es doch geschah!
> Ihr Tag ist schon nicht mehr
> Und sie sind noch da? [176]

Die definitive Ablösung von der Rolle des armen Sünders und Böse-wichts vollzog Brecht ein Jahr später in dem 1921 entstandenen Gedicht „März":

> Mond hing kahl im Lilahimmel
> Über der Likörfabrik
> Als er, Gottes nackter Lümmel
> Eingeseift im Sack den Strick
>
> Durch absinthnen Abend trabte
> Er, der nach Gefühlen stank
> Kaum erjagten, halb gehabten
> Wie aus einer Fleischerbank.
> Ach, erbarmt euch! Ach, erbarmt euch! [177]

Die Ironie der Darstellung ergibt sich hier aus der exzentrischen Über-treibung der eigenen „Verworfenheit" sowie der sprachlichen Verkoppe-lung des religiösen mit dem profanen Vorstellungsbereich, wie sie in der metaphorischen Umschreibung des Sünders als „Gottes nackter Lüm-mel" bereits typisch zum Ausdruck kommt. Dabei verfällt der moralische Apell an das Gewissen des armen Sünders in dem Maße der Lächerlich-keit, in dem seine „Verworfenheit" übertrieben wird, so daß die be-kannte christliche Fürbitte im Stil VILLONS, die den Refrain jeder zweiten Strophe bildet, in stark ironischem Licht erscheint:

---

[175] Brecht, *Ges. Werke*, Bd. IV, S. 49 f, *„Oh, ihr Zeiten meiner Jugend"*, Str. 5.
[176] ebd. S. 206, Str. 4.
[177] ebd. S. 104, Str. 1/2. — Als Entstehungsdatum für dieses Gedicht wird im *Bestandsverzeichnis des literarischen Nachlasses*, S. 136, Nr. 6162 das Jahr 1921 angegeben.

Hast die Hände nie gerungen
Kahl, Branntweingeschluck im Mund?
In den grünen Dämmerungen
Schwankend zwischen Wolf und Hund?

Zwischen Kirschschnaps und Wacholder
Eine Hymne schnell gefühlt?
Angstvoll und vertiert ein Vollder-
gnaden schnell hinabgespült?
Ach, erbarmt euch! Ach, erbarmt euch! [178]

Aber während die bisher besprochenen Gedichte dieser Thematik den ironischen Schwebezustand in bezug auf die Rolle des Sünders nicht auflösten, vollzieht Brecht im Gedicht „März" eine überraschende Schlußwendung, die mit dem Übergang von der dritten Person zur Aussage in der Ich-Form die Auflösung des Rollencharakters signalisiert und mit dem Villonschen Bild vom geschmolzenen Schnee des vergangenen Jahrs [179] die Ablösung von der Rolle des „Sünders in der Hölle" zynisch vollzieht:

Mählich ward der Himmel trüber
Und zerfleischt hob ich dies Herz
Zarter, und ich ging vorüber
Wie ein Schnee im frischen März. [180]

Nicht mehr im Bilde sondern explizit rhetorisch hat Brecht schließlich die Aufkündigung der Rolle „Von den Sündern in der Hölle" in dem Gedicht „Was erwartet man noch von mir?" ausgesprochen. Die freirhythmische Form des „Psalms", die hier anstelle der sonst für diese Folge typischen Liedstrophe von ihm gewählt wurde, ermöglicht eine annähernde Datierung des Textes auf die Jahre 1920/21, in denen Brecht die Form seiner „Psalmen" [181] entwickelte. Sie basiert allgemein auf dem ironischen Kontrast zwischen sakraler Form und profanem Inhalt:

---

[178] Brecht, *Ges. Werke*, Bd. IV., S. 104, Str. 3/4.
[179] Vergl. den berühmten Refrain in Villons „*Ballade des dames du temps jadis*": „Mais ou sont les neiges d'antan", der Brecht aus der Ammerschen Übertragung vertraut war. — *Francois Villon*, S. 43 f.
[180] Brecht, *Ges. Werke*, Bd. IV, S. 105, Str. 9.
[181] ebd. S. 75—83; S. 241—243.

1) Was erwartet man noch von mir?
Ich habe alle Patiencen gelegt, alles Kirschwasser gespieen
Alle Bücher in den Ofen gestopft
Alle Weiber geliebt, bis sie wie der Leviathan gestunken haben.
Ich bin schon ein großer Heiliger, mein Ohr ist so faul, daß es
nächstens einmal abbricht.
Warum ist also nicht Ruhe? Warum stehen immer noch die
Leute im Hof wie Kehrichttonnen — wartend, daß man etwas
hineingibt?
Ich habe zu verstehen gegeben, daß man das Hohelied von
mir nicht mehr erwarten darf.
Auf die Käufer habe ich die Polizei gehetzt.
Wer immer es ist, den ihr sucht: ich bin es nicht.

2. Ich bin der praktischste von allen meinen Brüdern —
Und mit meinem Kopf fängt es an!
Meine Brüder waren grausam, ich bin der graumsamste —
Und ich weine nachts!

3. Mit den Gesetzestafeln sind die Laster entzweigegangen.
Man schläft schon bei seiner Schwester ohne rechte Freude.
Der Mord ist vielen zu mühsam
Das Dichten ist zu allgemein.
Bei der Unsicherheit aller Verhältnisse
Ziehen viele es vor, die Wahrheit zu sagen
Aus Unkenntnis der Gefahr.
Die Kurtisanen pökeln Fleisch ein für den Winter
Und der Teufel holt seine besten Leute nicht mehr ab. [182]

Bereits der Einsatz des Gedichts enthält mit der rhetorisch gestellten
Frage: „Was erwartet man noch von mir?" die Ankündigung des Endes
von der Epoche der „Sünder in der Hölle". Die Aufzählung des
Sündenregisters im definitiv abschließenden Perfekt: „Ich habe alle Patiencen gelegt, alles Kirschwasser gespieen" etc. führt zu der ironisch-
verkehrten Feststellung: „Ich bin schon ein großer Heiliger", da ein
größerer Sündengrad offenbar nicht zu erreichen war. Deshalb die quasi
öffentliche Absage an die wartenden Anhänger: „Ich habe zu verstehn
gegeben, daß man das Hohelied von/ mir nicht mehr erwarten darf",

[182] Brecht, *Ges. Werke*, Bd. IV., S. 101.

die man nicht wörtlich mißverstehen darf (als habe es je in Brechts Absicht gelegen, das Hohelied anzustimmen), sondern als ironisch kaschierte Absage an eine dichterische Haltung, die durch das Hohelied allenfalls zum Gegensatz einer Apotheose des Bösen provoziert worden war. Aber Brecht warnt seine Anhänger auch davor, diese Apotheose des Bösen in der Gedichtfolge „Von den Sündern in der Hölle" ernster zu nehmen, als er selbst es tat, und ihn nicht mit einer Rolle zu identifizieren, die er eine Zeitlang durchspielte, um sich schließlich von ihr zu distanzieren: „Wer immer es ist, den ihr sucht: ich bin es nicht."

Dennoch werden nun von Brecht im zweiten Absatz des Gedichts scheinbar Angaben zu seiner Person gemacht, die man als Selbstcharakteristik mißverstehen könnte, wenn sie nicht durch ihren Zitat-Charakter auf die literarische Herkunft des Rollen-Ich verwiesen. Denn mag die angeführte praktische Vernunft zu den persönlichen Eigenschaften Brechts zählen („Ich bin der praktischste von allen meinen Brüdern —/ Und mit meinem Kopf fängt es an!"), so wird die Aussage „Meine Brüder waren grausam, ich bin der grausamste —" nur als Variation eines Satzes aus Nietzsches „Zarathustra" verständlich:

O mein Brüder, bin ich denn grausam? Aber ich sage: was fällt, das soll man auch noch stoßen! [183]

Grausamkeit und praktische Vernunft sind demnach bezeichnend für ein Rollen-Ich, das bei NIETZSCHE die philosophischen Voraussetzungen für eine aktive Destruktion der religiösen und moralischen Werte fand und sie auf der ästhetischen Ebene mittels der Ironie ins Werk zu setzen suchte; nicht umsonst trägt das Kapitel, dem das Nietzsche-Zitat entstammt den Titel: *„Von alten und neuen Tafeln"* [184].

Auf eben diesen Titel scheint sich auch der dritte Absatz des Gedichts zu beziehen, in dem nun die Gründe für die Distanzierung und definitive Verabschiedung der Rolle „Von den Sündern in der Hölle" mit zynischer Offenheit dargelegt werden: „Mit den Gesetzestafeln sind die Laster entzweigegangen." — Denn die von Nietzsche unternommene Zerstörung der konventionellen Werte geschah im Hinblick auf die Postulierung von neuen Werten; die „Umwertung aller Werte" [185], wie er diesen Prozeß später nannte, läßt demnach die Begriffe des „Lasters"

---

[183] Nietzsche, *Werke*, Bd. II, S. 455.
[184] ebd. S. 443—460.
[185] ebd. Bd. III, S. 634 f.

bzw. des „Sünders" nicht mehr zu, da sie immer noch negativ an den christlichen Wertvorstellungen orientiert sind. — Das gilt nicht nur für die „Laster", für deren Verherrlichung niemand mehr „vom Teufel geholt wird", sondern für die frühe, ironische Lyrik Brechts allgemein, die immer noch an den Kategorieen der alten Wertewelt orientiert ist. Auch wenn sie diese Kategorieen ironisch verkehrt, bleibt sie „zu allgemein", um mehr zu bewirken als ein „harmloses Getöse" [186] und weit entfernt von dem Wahrheitsanspruch, den Brecht schon wenig später an seine Dichtungen zu stellen begann.

Die Analyse der in diesem Kapitel besprochenen Texte ließ eine kontinuierliche Gedichtfolge von 1918 bis 1921 erkennbar werden, in denen Brecht sich und seinen Freundeskreis ironisch in der Rolle der „Sünder in der Hölle" zur Darstellung bringt. Der biographische Kern und Gelegenheitscharakter dieser Gedichtreihe kann nicht darüber hinwegtäuschen, daß sie Voraussetzungen enthalten, die für den Zusammenhang der frühen Lyrik Brechts bedeutsam sind.

Eine dieser Voraussetzungen betrifft das literarische Vorbild VILLONS, das zweifellos zum Selbstverständnis des jungen Brecht als eines poète maudit in der Rolle „Von den Sündern in der Hölle" wesentliche Züge beigetragen hat. Es wird spätestens mit dem Gedicht „Vom François Villon" aus dem Jahre 1918 wirksam. — Mindestens ebenso wichtig wie dieser historische Aspekt ist der formale, daß Brecht sich zur Darstellung seiner „Sünder" der Form des lyrischen Porträts bedient. Denn weist diese Technik einerseits auf Formen der Selbstdarstellung in den „Testamenten" Villons zurück, so deutet sie andererseits auf die Brechtsche Balladenform der lyrischen Biographie voraus, in der die Handlung zugunsten des personalen Porträts in den Hintergrund tritt.

Die wichtigste Voraussetzung aber liegt in der ironischen Stilhaltung dieser Gedichtfolge, deren Ursache wir in dem ironischen „risus mortis" angesichts der mit dem „Tod Gottes" unverbindlich gewordenen Glaubensformen zu sehen meinten. Ließ sich das Freiwerden von Ironie, Parodie, Provokation und Satire, analog zur politischen Lyrik des Dichters, aus dem Zusammenbruch des religiösen Weltbilds erklären, so darf doch daneben die kritische Intention der Brechtschen Ironie nicht übersehen werden, welche die Kategorieen der religiösen Wertewelt im Sinne NIETZ-

---

[186] Vergl. Brechts selbstkritisches „Sonett über das Böse", in: Brecht, Ges. Werke, Bd. IV, S. 163, Str. 1.

SCHES ironisch zu verkehren sucht, ohne sich indessen ganz aus ihrem Bann lösen zu können. — Der ironische Stil schließlich setzt diese Gedichtfolge eindeutig von den Gedichten mit religiöser Thematik ab, in denen die Auseinandersetzung mit dem Nihilismus ernsthaft geführt wurde, und ist vorausweisend auf den ironischen Stilzusammenhang der ,Hauspostille'.

B. STILZUSAMMENHÄNGE DER ‚HAUSPOSTILLE'

I. Der ironische Stilzusammenhang der ‚Hauspostille'

1) ZUR IRONISCHEN KOMPOSITION DER ‚HAUSPOSTILLE'. GRUND UND TENDENZ DER IRONIE.

Im Jahre 1927 veröffentlichte der Propyläen-Verlag, Berlin

Bertolt Brechts
Hauspostille

Mit Anleitungen, Gesangsnoten und einem Anhange

Sie erschien wesentlich später, als ursprünglich vorgesehen, denn bereits 1922 hatte der Kiepenheuer-Verlag anläßlich der ersten Buchausgabe des ‚Baal' „vom selben Verfasser" auch die ‚Hauspostille' angekündigt [187]. Das Projekt zerschlug sich wegen Meinungsverschiedenheiten zwischen Autor und Verleger; nur die ‚Taschenpostille' wurde 1926 vom Kiepenheuer-Verlag „als einmaliger unverkäuflicher Privatdruck in fünfundzwanzig Exemplaren" [188] herausgegeben.

SCHUHMANN hat mit Recht darauf aufmerksam gemacht, daß „das Hauspostillen-Projekt von 1922 mit der Buchausgabe von 1927 nicht identisch" [189] sein kann, denn während die ursprünglich geplante Ausgabe auf die Lyrik der Augsburger Zeit und die der ersten Münchener Jahre bis 1922 beschränkt war, hat Brecht in die ‚Hauspostille' von 1927 auch Gedichte aufgenommen, die wie die ‚Liturgie vom Hauch' (1924), ‚Von der Willfährigkeit der Natur' (1926) und die ‚Mahagonnygesänge' mit ihrer verschärft sozialkritischen Tendenz bereits einer späteren Entwicklungsstufe des Lyrikers zuzordnen sind.

Auch die ‚Anleitung zum Gebrauch der einzelnen Lektionen', die Brecht den Gedichten der ‚Hauspostille' voranstellte, dürfte erst anläßlich der Herausgabe der ‚Taschenpostille' im Jahre 1926 entstanden sein. Denn

---

[187] Vergl. Schuhmann, Der Lyriker Bertolt Brecht, S. 123.
[188] ebd. S. 123.
[189] ebd. S. 123 f.

die apodiktische Erklärung über den Gebrauchscharakter dieser Gedichtsammlung:

Diese Hauspostille ist für den Gebrauch der Leser bestimmt.
Sie soll nicht sinnlos hineingefressen werden. [190]

verweist bereits auf die Wendung Brechts zur neusachlichen Kunsttheorie
in der zweiten Hälfte der Zwanziger Jahre, in der er für Lyrik das
Postulat aufstellte:

Und gerade Lyrik muß zweifellos etwas sein, was man ohne weiteres
auf den Gebrauchswert untersuchen können muß [191].

Allerdings kann der verspätete Versuch Brechts, seine Augsburger
Lyrik unter dem Aspekt ihres Gebrauchswerts vorzustellen, nicht ohne
Selbstironie verstanden werden, so wenn er von den ‚Chroniken' meint,
daß sie aufgrund ihrer „Einfachheit" „auch für Volksschullesebücher
in Betracht kommen" [192] könnten, oder wenn er, den „Gebrauchswert" beim Wort nehmend, ironische Gebrauchsanweisungen zum Vortrag
einzelner Gedichte gibt:

Das zweite Kapitel von den verführten Mädchen ist zu singen unter
Anschlag harter Mißlaute auf einem Saiteninstrument.
Es hat als Motto: Zum Dank dafür, daß die Sonne sie bescheint,
werfen die Dinge Schatten.
Das dritte Kapitel vom ertrunkenen Mädchen ist mit geflüsterten
Lippenlauten zu lesen. [193]

Jedoch erschöpft sich die ironische Intention der ‚Anleitung' nicht in
der Selbstironisierung des Augsburger Frühwerks durch die eingenommene
Nützlichkeitsperspektive, sondern erhält dadurch eine neue Richtung,
daß Brecht, aus der Rolle des neusachlichen Verfechters vom Gebrauchswert der Lyrik in die seit dem Mittelalter und der Reformation tradierte
Rolle eines geistlichen Erbauungsschriftstellers hinüberwechselt:

Die zweite Lektion (Exerzitien = geistige Übungen) wendet sich mehr
an den Verstand. Es ist vorteilhaft, ihre Lektüre langsam und wieder-

[190] Brecht, *Hauspostille*, S. 9.
[191] Brecht, *Kurzer Bericht über 400 (vierhundert) junge Lyriker*, in: Brecht, *Ges. Werke*, Bd. VIII, S. 55.
[192] Brecht *Hauspostille*, S. 10/11.
[193] ebd. S. 12.

holt, niemals ohne Einfalt, vorzunehmen. Aus den darin verborgenen Sprüchen sowie unmittelbaren Hinweisen mag mancher Aufschluß über das Leben zu gewinnen sein. [194]

Die Ironie der ‚Anleitung' erklärt sich damit nicht nur aus dem Abstand des Verfassers von seinem eigenen Frühwerk, sondern bezeichnet eine in diesem selbst enthaltene Tendenz zur ironischen Verkehrung geistlichen Schrifttums. Diese betrifft zunächst den auf LUTHERS ‚Kirchen- und Hauspostille' [195] von 1527 ironisch zurückverweisenden Titel ‚Hauspostille', sodann die analog zur Gottesdienstliturgie der katholischen Messe vorgenommene Einteilung des Gedichtbandes in einzelne Lektionen [196], die ihrerseits mit Titeln wie ‚Bittgänge' [197], ‚Exerzitien' [198] und ‚Kleine Tagzeiten der Abgeschiedenen' [199] auf bestimmte Ereignisse des katholischen Kirchenlebens verweisen. Vor allem aber gehört die parodistische Verkehrung ursprünglich sakraler Formen wie Choral, Liturgie und Psalm in diesen Zusammenhang.

Trotz der sehr deutlichen, ironischen Hinweise Brechts durch Titel, Anleitung und Komposition seiner Gedichtsammlung ist der ironisch-parodistische Stil der ‚Hauspostille' noch kaum seinem Umfange nach erkannt und analysiert worden. SCHUHMANN versteht zwar, analog zu Hans MAYER, die ‚Hauspostille' als „umfunktionierte Theologie" [200],

---

[194] ebd. S. 10.

[195] Postille (von post illa) bedeutet ursprünglich die Erklärung eines biblischen Textes, dessen Wortlaut in kleinen Abschnitten jeweils dem Kommentar vorausgeht. Sie bezeichnet ferner einen Jahrgang von Predigten zur Vorlesung im Gottesdienst sowie zur häuslichen Erbauung. Luther gab seine jahrgangsweise gesammelten Predigten 1527 als Kirchen- und Hauspostille heraus. (Die Religion in Geschichte und Gegenwart, Bd. V, S. 477).

[196] Vergl. Schuhmann, Der Lyriker Bertolt Brecht, S. 126.

[197] Bittgänge bzw. Bittprozessionen veranstaltet die katholische Kirche zur Erflehung göttlicher Hilfe und zur Abwendung von Gefahren. (Lexikon für Theologie und Kirche, Bd. 2, S. 514).

[198] Unter der Bezeichnung ‚Exercitia spiritualia' faßt schon die asketische Sprache des Mittelalters ‚Übungen' des geistlichen Lebens zusammen, die in äußerer Einsamkeit und nach bestimmten gebetspädagogischen Gesetzen eine Einübung in die geglaubten Mysterien besonders durch betrachtendes Gebet anstreben. Die in der Geschichte des geistlichen Lebens klassische Form der Exerzitien sind diejenigen des Ignatius von Loyola. (Lexikon für Theologie und Kirche, Bd. 3, S. 1297).

[199] „‚Die kleinen Tagzeiten der Abgestorbenen' führen noch einmal ins christliche Zeremoniell hinein. Das katholische Gebetbuch enthält hierfür ... eine Anzahl von Gebeten. Viele davon gelten den Verstorbenen". (Schuhmann, Der Lyriker Bertolt Brecht, S. 127).

[200] Hans Mayer, Bertolt Brecht und die Tradition, S. 49.

lehnt aber den naheliegenden Begriff der „Parodie" in diesem Zusammenhang ab [201]. So erkennt er zwar richtig, daß Brecht „mit diesem Gedichtband nicht den Glauben an Gott befestigen, sondern ihn desillusionieren und zerstören" [202] wolle, hält aber andererseits, in Verkennung der ironischen Spannung zu LUTHERS ‚Hauspostille' dafür, daß „sein Lyrikbuch . . . als nützliches Gebrauchsgut — wie ehemals im 16. Jahrhundert die Lutherbibel und die Hauspostille — einen Platz im Hause des Lesers" [203] fordere. Dagegen hebt ROTERMUND in seinem Buch ‚Die Parodie in der modernen deutschen Lyrik' [204] einzelne Parodien Brechts hervor, ohne auf den ironisch-parodistischen Gesamtzusammenhang der ‚Hauspostille' näher einzugehen. Dabei hat Rotermund in seinen theoretischen Begriffsbestimmungen selbst erkannt, daß die Grenzen zwischen Ironie und Parodie fließend seien, denn „darin, daß die Parodie entscheidende Elemente der Vorlage, also weitgehend auch ihr ‚Wertsystem' übernimmt, ist ihr in jedem Fall ein ironisches Moment eigen". [205] Ebenso ist für ALLEMANN „die Parodie die Sprechweise des Ironikers par excellence". [206] Beide Begriffe sollen deshalb im Folgenden zwar nach ihrer Definition, nicht aber bezüglich ihrer Anwendung auf die Analyse der frühen Lyrik Brechts getrennt werden. Entsprechend hatte schon Walter BENJAMIN, der in seinen ‚Kommentaren zu Gedichten von Brecht' [207] erstmals auf die Bedeutung der Ironie für die ‚Hauspostille' verwies,

[201] „Sein (Brechts) Bemühen um die kirchlichen Formen ist vorwiegend ein ernstes Anliegen. Der Lyriker versucht, alte Formen — nachdem er ihren christlichen Gehalt abgestoßen hat — für neue Inhalte handhabbar zu machen. Er funktioniert sie um. Im ‚Großen Dankchoral' übernimmt er die christlichen Formen, um darin seinen unchristlichen Gedankengängen Gestalt zu geben". (Schuhmann, Der Lyriker Bertolt Brecht, S. 114). Das von Schuhmann avisierte ‚Umfunktionieren' christlicher Formen durch unchristliche (neue) Inhalte (vergl. auch S. 310, Anm. 16) entspräche der Kontrafaktur, wenn dadurch eine neue ästhetische Einheit gewonnen würde. Gerade das läßt sich aber von dem ‚Großen Dankchoral' nicht behaupten, in dem die parodistische „Disharmonie der Strukturschichten" (Rotermund) deutlich erkennbar bleibt. Die komische Diskrepanz zwischen Form und Inhalt, die Schuhmann offenbar als unerläßlich für die Parodie ansieht (vergl. Anm.) kann nach Rotermunds weiter gefaßter Definition auch durch „satirische Kritik" ersetzt werden. (Erwin Rotermund, Die Parodie in der modernen deutschen Lyrik, S. 21).
[202] Schuhmann, Der Lyriker Bertolt Brecht, S. 125.
[203] ebd. S. 126.
[204] Rotermund, Die Parodie in der modernen dt. Lyrik, München 1963. S. 21.
[205] ebd. S. 27.
[206] Beda Allemann, Ironie und Dichtung, Pfullingen 1956, S. 24.
[207] Walter Benjamin, Kommentare zu Gedichten von Brecht, in: Benjamin, Versuche über Brecht, hrsg. v. Rolf Tiedemann, Frankf. M. 1966 (ed. suhrkamp 172), S. 50 f.

das im engeren Sinne parodistische Verfahren selbstverständlich in den ironischen Gesamtzusammenhang eingeordnet:

> Es versteht sich, daß der Titel ,Hauspostille' ironisch ist. Ihr Wort kommt nicht vom Sinai noch von den Evangelien. Die Quelle ihrer Inspiration ist die bürgerliche Gesellschaft. Die Lehren, die ihr Betrachter aus ihr zieht, unterscheiden sich so weitgehend wie nur möglich von den Lehren, welche sie selbst verbreitet. Die ,Hauspostille' hat es mit den ersten allein zu tun. Wenn Anarchie Trumpf ist, so denkt der Dichter, wenn in ihr das Gesetz des bürgerlichen Lebens beschlossen ist, dann soll sie wenigstens beim Namen genannt werden. Und die poetischen Formen, mit denen die Bourgeoisie ihre Existenz umspielt, sind ihm nicht zu gut, das Wesen ihrer Herrschaft unverstellt auszusprechen. Der Choral, mit dem die Gemeinde erbaut wird, das Volkslied, mit dem das Volk abgespeist werden soll, die vaterländische Ballade, die den Soldaten zur Schlachtbank begleitet, das Liebeslied, das den billigsten Trost anpreist — sie alle bekommen hier einen neuen Inhalt, indem der verantwortungslose und asoziale Mensch von diesen Dingen (von Gott, Volk, Heimat und von der Braut) so spricht, wie man vor Verantwortungslosen und Asozialen mit ihnen zu sprechen hat: ohne falsche und ohne echte Scham. [208]

So richtig BENJAMIN den ironischen Stilzusammenhang der ,Hauspostille' erkannt hat, so fragwürdig scheint seine Begründung. „Ihr (der ,Hauspostille') Wort kommt nicht vom Sinai noch von den Evangelien", sondern ist, wie wir sahen, ironisch auf LUTHERS ,Kirchen- und Hauspostille' bezogen. Damit ist „die Quelle ihrer Inspiration" aber nicht, wie Benjamin meint, in erster Linie „die bürgerliche Gesellschaft", sondern im engeren Sinne die geistliche Erbauungsliteratur im weiteren die religiösen Glaubensformen des christlichen Weltbildes. Allerdings handelt es sich hier bereits um ein zur Konvention erstarrtes Weltbild, auf dessen dogmatisch fixierte, allseits bekannte religiöse Glaubenssätze und Denkschemata die Ironie jederzeit anspielen kann [209], wie an dem

---

[208] Walter Benjamin, *Kommentare zu Gedichten von Brecht*, Zur ,Hauspostille', in: W. B., *Versuche über Brecht*, S. 50/51.

[209] „Tatsächlich bedarf das ironische Spiel einer großen Fülle von unzweifelhaften Gemeinsamkeiten, Voraussetzungen, Kenntnissen, Erfahrungen, auf die jederzeit angespielt werden kann." „Jede exakte und eindeutig und damit für das lebendige Gefühl immer auch schon etwas trocken und banal gewordene Sphäre kann den

Schema von den ‚Sündern in der Hölle' deutlich wurde. Die Voraussetzung für die Ironisierung dieses christlichen Weltbildes aber lag, wie die Folge von den ‚Sündern in der Hölle' erkennen ließ, in der nihilistischen Grundproblematik des jungen Brecht, von der aus sich das Freiwerden von Ironie und Parodie in seiner Dichtung als „risus motis" angesichts des „Todes Gottes" erklären ließ. — Es bleibt zu zeigen, daß sich auch der ironische Stilzusammenhang der ‚Hauspostille' an entscheidenden Stellen auf die Nihilismusproblematik zurückführen läßt, und damit die Frage *Allemanns*, ob „nicht die Ironie in einem umfassenden Sinne mit in den Zusammenhang des Europäischen Nihilismus gehöre" [210] für die frühe Lyrik Brechts bestätigt.

Auch das von BENJAMIN im weiteren Verlauf seiner Ausführungen angedeutete, poetische Verfahren der parodistischen Verkehrung konventioneller Formen — „die poetischen Formen, mit denen die Bourgeoisie ihre Existenz umspielt, sind ihm nicht zu gut, das Wesen ihrer Herrschaft unverstellt auszusprechen" — ist nicht in erster Linie gegen die „bürgerliche Gesellschaft" gerichtet. Denn die Parodien der ‚Hauspostille' betreffen weniger die konventionellen dichterischen Formen wie Ballade [211] und Lied als die spezifisch sakralen wie Choral und Psalm, so daß damit die antichristliche Tendenz auch der Parodie deutlich wird.

Die literarhistorische Parallele zwischen Brechts ‚Hauspostille' und Walter MEHRINGS 1921 veröffentlichtem ‚Ketzerbrevier' bezüglich der ironisch-parodistischen Verkehrung sakraler Formen ist bereits von ROTERMUND [212] herausgestellt worden. Aber „während Mehring Teile der katholischen Liturgie [‚Litanei', ‚Gloria in Excelsis', ‚Graduale', ‚Sanktus', ‚Agnus dei' und ‚Requiem'] parodiert" und sie dem formalen Gesamtzusammenhang einer ‚Schwarzen Messe' [213] integriert, „ahmt der gebürtige Protestant Brecht mit Vorliebe Kirchenlieder nach". [214]

Hintergrund des ironischen Spiels abgeben." — Allemann, *Ironie und Dichtung*, S. 137, 140.

[210] Allemann, *Ironie und Dichtung*, S. 168.

[211] Eine Ausnahme bildet die satirische Ballade ‚Legende vom toten Soldadten'.

[212] Walter Mehring, *Das Ketzerbrevier. Ein Kabarettprogramm*, München 1921.

[213] Rotermund weist für Arno Holz' ‚Moderne Walpurgisnacht' und Mehrings ‚Schwarze Messe' die formale Tradition des sich von Baudelaire und Huysmanns herleitenden, literarischen Satanismus nach. Wie vor ihm Karl Thieme (‚Des Teufels Gebetbuch'? Eine Auseinandersetzung mit dem Werke Bertolt Brechts, Holland 29, 1931/32, S. 397—413) lehnt er jedoch die Einordnung von Brechts ‚Hauspostille' in die Tradition des Satanismus ab. — Rotermund, *Die Parodie in der modernen dt. Lyrik*, S. 124, 127, 142, Anm. 9.

Dennoch unterscheiden sich die Parodien der ‚Hauspostille' von Mehrings ‚Ketzerbrevier' nicht nur dem Rahmen nach, sondern auch bezüglich ihrer ironischen Tendenz: Gedichte wie ‚Der große Dankchoral' oder die ‚Psalmen' intendieren keine ironische Gesellschaftskritik, wie ROTERMUND [215], analog zu BENJAMIN, für Brechts Parodien allgemein konstatiert, sondern demonstrieren die Tendenz zur ironischen Umfunktionierung theologischer Gehalte [216], auf deren Aufhebung die Ironie letztlich zielt.

2) DIE IRONISCHE BRECHUNG DER CHRISTLICHEN FÜRBITTE IN DEN ‚BITTGÄNGEN'.

Ein ironischer Rückblick auf die katholische Gebetstradition geschieht bereits durch die ‚Bittgänge' der ersten ‚Lektion', obwohl nicht ohne weiteres einsichtig wird, in welcher Beziehung die Brechtschen ‚Bittgänge' zu den gleichnamigen ‚Bittgängen' bzw. ‚Bittprozessionen' katholischer Provenienz stehen. Erst wenn man sich vergegenwärtigt, daß anläßlich dieser Bittprozessionen bestimmte liturgische Gebete und Fürbitten zur Erflehung göttlicher Hilfe und zur Abwendung von Gefahren gesprochen werden, wird der Vergleichspunkt zu den Brechtschen Texten evident, die fast sämtlich um das Bittmotiv zentriert sind.

Dennoch bleibt der Bezug der Brechtschen ‚Bittgänge' zu den katholischen Bittprozessionen ein eher formaler neben dem nachweislichen Einfluß VILLONS [217], in dessen ‚Testamenten' das Thema der christlichen Fürbitte eine bedeutende Rolle spielt. Erinnert sei an die Brecht in der Übersetzung. K. L. AMMERS bekannte ‚Ballade die Villon auf Verlangen seiner Mutter machte, um zu Maria zu beten' [218], an die ‚Ballade und Gebet' [219] für Jean Cotard, an das ‚Rondeau für den armen Villon' [220]

[214] Rotermund, *Die Parodie in der modernen dt. Lyrik*, S. 139.
[215] ebd. S. 175.
[216] „Die ‚Hauspostille' spielt nicht bloß mit Reminiszenzen aus dem Erbauungsbuch, sondern ist neben anderem auch umfunktionierte Theologie." — Hans Mayer, *Bertolt Brecht und die Tradition*, S. 49.
[217] Bei Münsterer findet sich im Zusammenhang mit dem Einfluß Villons auf die ‚Hauspostille' die Bemerkung, daß nach der Lektüre Villons im Jahre 1918 „die Form der ‚Oraison' und ‚Leçon' aufgenommen (würde)." Aber auch die weite Verbreitung der zeitgenössischen Gebetsliteratur wie Stadlers Übersetzungen der Jammeschen ‚Gebete der Demut' wird von Münsterer erwähnt. — Münsterer, *Brecht*, S. 51.
[218] *François Villon. Des Meisters Werke*, übertr. v. Karl Ludwig Ammer, S. 65/66.
[219] ebd. S. 77.
[220] ebd. S. 106.

und an die ‚Ballade in der Villon jedermann Abbitte leistet' [221], die
Brecht später für die ‚Dreigroschenoper' nachdichtete. Die bei VILLON
wiederholt zu beobachtende Eigenart, die Fürbitte in Form eines Geleits
(Envoi) an den Schluß seiner Gedichte anzuhängen:

> Geleit.
> O Jesus, der du Herr bist von uns allen,
> verhüte, daß der Hölle wir verfallen.
> Ihm stehn wir Rechenschaft, nur ihm allein.
> Hier Menschen, lasset allen Leichtsinn fallen
> und bittet Gott, er möge uns verzeihn! [222]

findet sich in dieser Form schon in Brechts Gedicht ‚Prototyp eines Bösen'
ausgeprägt, das den christlichen Gehalt der Villonschen Fürbitte indessen
bereits durch karikierende Züge parodiert:

> Darum bitt' ich hiermit um Erbarmen
> Mit den Schweinen und den Schweinetrögen!
> Helft mit bitten, daß auch diese Armen
> In den Himmel eingehn mögen. [223]

Wenn eingangs erwähnt wurde, daß die Gedichte der ‚Bittgänge' fast
sämtlich das Motiv der Bitte bzw. Fürbitte enthielten, so ist jedoch
zwischen dem jeweiligen Aussagewert des Bittmotivs zu differenzieren:
Er reicht von der Parodie der christlichen Fürbitte im Stile VILLONS und
ihrer ironischen Brechung in ‚Vom Brot und den Kindlein' („Woll's
Gott, es hat einst der Himmel/ Ein kleines Gewürzlein für sie") [224]
über die daseinsproblematische Variation des Bittmotivs im Gedicht ‚Das
Schiff' („Und ich bitte, daß es enden soll" [225]) bis zur sozialen Bitte um
Hilfe und Verständnis für die ‚Kindesmörderin Marie Farrar' („Doch ihr,
ich bitte euch, wollt nicht in Zorn verfallen/ Denn alle Kreatur braucht
Hilf von allen." [226]). In der ‚Liturgie vom Hauch' erhebt Brecht über
die soziale Fürbitte hinaus die revolutionäre Forderung: „ . . . ein Mensch
müsse essen können, bitte sehr —" [227]. Damit ließe sich allein an den

---

[221] ebd. S. 109.
[222] ebd. S. 23.
[223] Brecht, Hauspostille, S. 33, ‚Prototyp eines Bösen', Str. 6.
[224] ebd. S. 16, Str. 7. V. 3/4.
[225] ebd. S. 26, Str. 5. V. 6.
[226] Brecht, Hauspostille, S. 20, Str. 1, V. 9/10.
[227] ebd. S. 28, Str. 17.

unterschiedlichen Ausprägungen des Bittmotivs sehr wohl die ganze Entwicklung der frühen Lyrik Brechts ablesen, die jedoch erst im weiteren Verlauf der Arbeit exemplifiziert werden soll, während hier zunächst der ironische Stilzusammenhang der ‚Hauspostille‘ zur Diskussion steht.

Am interessantesten in diesem Zusammenhang ist zweifellos das Phänomen der ironischen Brechung der christlichen Fürbitte in den Kinderliedern ‚Vom Brot und den Kindlein‘ und dem ‚Bericht vom Zeck‘. Es ist nicht zu verwechseln mit dem komischen Kontrast zwischen Fürbitte und Verwünschung, wie ihn bereits VILLON kannte, wenn er in der ‚Ballade in der Villon jedermann Abbitte leistet‘ [228] sprunghaft zwischen Fürbitte und Verwünschung für Freunde und Feinde wechselt. Vielmehr liegt der Grund für die ironische Brechung der christlichen Fürbitte darin, daß für Brecht, anders als für Villon, Gott als Adressat dieser Fürbitte radikal in Frage gestellt wird.

So lehnen die „Kindlein“ in dem die ‚Bittgänge‘ der ‚Hauspostille‘ eröffnenden, symbolisch verschlüsselten Kinderlied ‚Vom Brot und den Kindlein‘ [229] (1920) „das Brot im hölzernen Schrein“ in einem viel grundsätzlicheren Sinne ab als es sonst wohl Kinderart ist, woraus geschlossen werden kann, daß diese Ablehnung in einem symbolisch-hintergründigen Sinne die christliche Speisung durch das Brot mitbetrifft, wie sie in der Vierten Bitte des Vaterunsers („Unser täglich Brot gib uns heute“) und in dem Sakrament der Eucharistie fixiert ist:

Sie haben nicht gegessen
Das Brot im hölzernen Schrein
Sie riefen, sie wollten essen
Lieber die kalten Stein.

Es ist das Brot verschimmelt
Weil's keiner essen will.
Es blickte mild zum Himmel
Da sagte der Schrank ihm still:

---

[228] François Villon. Des Meisters Werke, übertr. v. K. L. Ammer, S. 109.
[229] Brecht, Hauspostille, S. 15/16. — Als Entstehungsdatum des Gedichts wird in dem Bestandsverzeichnis des literarischen Nachlasses, S. 174, Nr. 6512 das Jahr 1920 angegeben.

> „Die werden sich noch stürzen
> Auf ein Stückelein Brot
> Mit wenigen Gewürzen
> Nur für das Leibes Not." [230]

Die grundsätzliche Verweigerung des sakramentalen Brots wird in den folgenden Strophen noch durch den Exodus der „Kindlein" „außer die Christenheit" verstärkt, wobei hier bereits auf die ironische Paradoxie aufmerksam zu machen wäre, daß Brecht diesen Auszug in dem traditionellen Motivzusammenhang eines Kinderkreuzzugs [231] zur Darstellung bringt, der später zum Thema einer seiner bedeutendsten Balladen aus der Zeit des Exils werden sollte:

> Es sind die Kindlein gangen
> Viele Straßen weit.
> Da mußten sie ja gelangen
> Außer die Christenheit.
>
> Und bei den Heiden da hungern
> Kindlein dürr und blaß.
> Es geben ihnen die Heiden
> Keinem irgend was.
>
> Sie würden sich gerne stürzen
> Auf ein Stückelein Brot
> Mit wenigen Gewürzen
> Nur für des Leibes Not. [232]

Vollends ironisch aber muß es erscheinen, wenn der Dichter nun am Schluß des Gedichts für die das Sakrament des Brotes verweigerden, „außer die Christenheit" gegangenen „Kindlein" mit der christlichen Fürbitte eintritt:

> Das Brot aber ist verschimmelt
> Gefressen von dem Vieh.
> Woll's Gott, es hat einst der Himmel
> Ein kleines Gewürzlein für sie. [233]

---

[230] Brecht, *Hauspostille*, S. 15, Str. 1—3.
[231] Brecht, ‚Kinderkreuzzug', Ges. Werke, Bd. IV, S. 833—838.
[232] Brecht, *Hauspostille*, S. 16, Str. 4—6.
[233] ebd. S. 16, Str. 7.

Vermittelter erscheint die Ironie im ‚*Bericht vom Zeck*' [234] (1919), der als zweites Kinderlied die ‚*Bittgänge*' der ‚*Hauspostille*' beschließt. Die Bemerkung ALLEMANNS, daß „ein hochironischer Text denkbar (sei), in welchem sich keine einzige ‚ironische Bemerkung' findet", [235] trifft auf dieses Gedicht in der Tat zu, da die Ironie sich erst vor dem Hintergrund seiner literarischen Vorlage erschließt.

Es handelt sich dabei um das Kinderlied ‚*Das buckliche Männlein*' [236] aus ‚*Des Knaben Wunderhorn*', das in seiner noch ungebrochenen Magie neben Brecht auch BENJAMIN [237] zur poetischen Reflexion auf den träumerischen Zustand der frühen Kindheit anregte, in dem so mysteriöse Wesen wie ‚Das buckliche Männlein' oder ‚Der Mann in Violett' den Grund ihrer Existenz hatten:

> Will ich in mein Gärtlein gehn,
> Will mein Zwiebeln gießen,
> Steht ein bucklicht Männlein da,
> Fängt als an zu niesen.
>
> Will ich in mein Küchel gehn,
> Will mein Süpplein kochen,
> Steht ein bucklicht Männlein da,
> Hat mein Töpflein brochen.
>
> Will ich in mein Stüblein gehn,
> Will mein Müslein essen.
> Steht ein bucklicht Männlein da,
> Hat's schon halber gessen.
>
> Will ich auf mein Boden gehn,
> Will mein Hölzlein holen,
> Steht ein bucklicht Männlein da,
> Hat mir's halber gstohlen.

---

[234] ebd. S. 37—39.
[235] Allemann, *Ironie und Dichtung*, S. 12.
[236] *Des Knaben Wunderhorn. Alte deutsche Lieder*, gesammelt von L. Achim von Arnim und Clemens Brentano, Darmstadt 1965, S. 824/5.
[237] Walter Benjamin, *Berliner Kindheit um Neunzehnhundert, Das buckliche Männlein*, in: Walter Benjamin, Illuminationen, Ausgewählte Schriften, Frankf. M. 1961, S. 307—309.

Will ich in mein Keller gehn,
Will mein Weinlein zapfen,
Steht ein bucklicht Männlein da,
Tut mirn Krug wegschnappen.

Setz ich mich ans Rädlein hin,
Will mein Fädlein drehen,
Steht ein bucklicht Männlein da,
Läßt mirs Rad nicht gehen.

Geh ich in mein Kämmerlein,
Will mein Bettlein machen,
Steht ein bucklicht Männlein da,
Fängt als an zu lachen.

Wenn ich an mein Bänklein knie,
Will ein bißlein beten,
Steht ein bucklicht Männlein da,
Fängt als an zu reden:

„Liebes Kindlein, ach, ich bitt,
Bet fürs bucklicht Männlein mit!"

Aber während im Kinderlied aus dem ‚Wunderhorn' das „bucklichte Männlein" sich störend in alle praktischen Verrichtungen mischt, von allen konkreten Habseligkeiten seinen Teil vorwegnimmt und erst am Schluß des Gedichts überraschend auch um die Aufnahme ins Gebet des Kindes bittet, liegen die Ansprüche des „Manns in Violett", der die Kinderträume so intensiv heimsucht, von vornherein auf der psychologischen Ebene und sind offenbar derart, daß er — im ironischen Gegensatz zum versöhnlichen Schluß des ‚Bucklichen Männleins' — als parasitärer Blutsauger, als „Zeck", empfunden und abgelehnt wird:

Bericht vom Zeck
Durch unsere Kinderträume
In dem milchweißen Bett
Spukte um Apfelbäume
Der Mann in Violett.

Liegend vor ihm im Staube
Sah man: da saß er. Träg.
Und streichelte seine Taube
Und sonnte sich am Weg.

Er schätzt die kleinste Gabe
Sauft Blut als wie ein Zeck.
Und daß man ihn nur habe
Nimmt er sonst alles weg.

Und gabst du für ihn deine
Und anderer Freude her;
Und liegst dann arm am Steine
Dann kennt er dich nicht mehr.

Er spuckt dir gern zum Spaße
Ins Antlitz rein und guckt
Daß er dich ja gleich fasse
Wenn deine Wimper zuckt.

Am Abend steht er spähend
An deinem Fenster dort
Und merkt sich jedes Lächeln
Und geht beleidigt fort.

Und hast du eine Freude
Und lachst du noch so leis —
Er hat eine kleine Orgel
Drauf spielt er Trauerweis'.

Er taucht in Himmelsbläue
Wenn einer ihn verlacht
Und hat doch auch die Haie
Nach seinem Bild gemacht.

An keinem sitzt er lieber
Als einst am Totenbett.
Er spukt durchs letzte Fieber
Der Kerl in Violett.

So fordert der „Mann in Violett" von dem Kinde unbedingte Devotion
(„Liegend vor ihm im Staube") und beansprucht die absolute Allein-
herrschaft über seine Zuneigung („Und daß man ihn nur habe/ Nimmt
er sonst alles weg."). Das gilt insbesondere für die dem „Zeck" offenbar
verhaßten, kindlichen Gefühlsregungen der „Freude", die inquisitorisch
in jedem ‚Wimperzucken" und „Lächeln" gefasst und strafend vermerkt
werden, wodurch er jede „Freude" in das Gegenteil einer „Trauerweis'"
verkehrt:

Und hast du eine Freude
Und lachst du noch so leis —
Er hat eine kleine Orgel
Drauf spielt er Trauerweis'.

Die Antwort auf die Frage, wer demnach dieser „Mann in Violett"
sei [238], der die Lebensfreude der Kinder tyrannisch in die „Trauerweis'"
seiner Herrschaft zu zwingen versucht, hat Brecht in der achten Strophe
seines Gedichts angedeutet:

Er taucht in Himmelsbläue
Wenn einer ihn verlacht
Und hat doch auch die Haie
Nach seinem Bild gemacht.

Unverständlich scheint der kindlichen Gottesvorstellung Brechts der Widerspruch in der Gestalt des alttestamentarischen Schöpfergottes gewesen zu
sein, der einerseits alle Wesen schuf, „wie's ihnen frommt" [239], ihnen andererseits aber eine lebensfeindliche Moral auferlegte, die durch das Christentum noch sublimiert wurde:

Er hat ein Buch geschrieben
Des ich satt bin.
Es stehen sieben mal sieben
Gebote darin. [240]

Dieses Motto stellte Brecht in späteren Ausgaben seinem ,Bericht vom
Zeck' voran, der nach MÜNSTERER ursprünglich den in diesem Zusammenhang bezeichnenden Titel ,Ballade vom lieben Gott' [241] trug.

---

[238] Schuhmann (S. 71) deutet den „Mann in Violett" als katholischen Geistlichen.
[239] Der selbe Widerspruch findet sich, metaphorisch verdichtet, in dem Gedicht
„Vom Schwimmen in Seen und Flüssen": „Weil dann der bleiche Haifischhimmel kommt/
Bös und gefräßig über Fluß und Sträuchern/ Und alle Dinge sind, wie's ihnen
frommt." Brecht, Hauspostille, S. 64, Str. 3, V. 6—8.
[240] Brecht, Ges. Werke, Bd. IV, S. 187.
[241] „ . . . am 2. Dezember [1919] (hörte ich) die ,Ballade vom lieben Gott'. Eine
beigegebene Zeichnung, einen großen Mann in langem Talar zeigend, der sehr kritisch zum Fenster hinein nach dem mit gesträubtem Haar im Bettchen liegenden Kind
späht, läßt kaum einen Zweifel darüber aufkommen, daß es sich um die später als
,Bericht vom Zeck' bekannt gewordene Dichtung handelt, die die muckerischen Gottes-
vorstellungen aufs Korn nimmt." — Münsterer, Brecht, S. 142/43.

Erst von hier aus wird die hintergründige Ironie in Brechts ‚Bericht vom Zeck' gegenüber dem ‚Bucklichen Männlein' aus ‚Des Knaben Wunderhorn' voll verständlich. Sie erweist sich nicht zuletzt dadurch, daß der ‚Bericht vom Zeck' überhaupt in die ‚Bittgänge' der ‚Hauspostille' aufgenommen wurde, obwohl er gerade die christliche Fürbitte der Vorlage verschweigt und sich gegen den magischen Zwang der kindlichen Gottesvorstellung vom „Mann in Violett" auflehnt.

3) Die ironisch-parodistische Verkehung christlicher Gehalte in den ‚Exerzitien'.

Eine Hauptquelle für Ironie und Parodie in der ‚Hauspostille' ist zweifellos die ironische Verkehrung christlicher Wertvorstellungen und Glaubenswahrheiten in krass materialistische Lebensansichten, die jedoch ihrerseits auch in ironischer Brechung erscheinen. Besonders ausgeprägt ist dieses Verfahren in den ‚Exerzitien' der ‚zweiten Lektion', deren Titel bereits ironisch auf die ‚Exercitia spiritualia' verweist, unter denen seit dem Mittelalter und besonders bei Ignatius von Loyola Übungen des geistlichen Lebens verstanden wurden, die in äußerer Einsamkeit und nach bestimmten gebetspädagogischen Gesetzen eine Einübung in die geglaubten Mysterien anstrebten [242].

Wenn Schuhmann darauf hinweist, daß „die katholischen Reinigungsprozessionen ... sich unter Brechts Hand in vulgärmaterialistische Übungen im Lebensgenuß (verwandeln)" [243], so ist damit die Ironisierung christlicher Wertvorstellungen und Glaubensformen durch Substitution materialistischer Gegenvorstellungen gemeint, ein Verfahren, das bereits in die Nähe der Parodie führt, wenn nicht zur vollständigen Definition dieses Begriffs der Bezug auf eine literarische Vorlage notwendig wäre, wie sie unter Brechts ‚Exerzitien' allein ‚Der große Dankchoral' aufweist.

Um den ironischen Gegensatz der Brechtschen ‚Exerzitien' zu den ‚Exercitia spiritualia' zunächst auf der Ebene bloßer Erheiterung zu erfassen, sei an ‚Orges Gesang' erinnert, der zuerst in der zweiten Fassung des ‚Baal' [244] von 1919 erschien und später für die ‚Hauspostille' überarbeitet wurde. Er sei hier in der überarbeiteten Form zitiert:

---

[242] *Lexikon für Theologie und Kirche*, Bd. 3, S. 1298.
[243] Schuhmann, *Der Lyriker Bertolt Brecht*, S. 126.
[244] Bertolt Brecht, *Baal. Drei Fassungen*, S. 93/94.

Orge sagte mir:

Der liebste Ort, den er auf Erden hab'
Sei nicht die Rasenbank am Elterngrab.

Orge sagte mir: Der liebste Ort
Auf Erden war ihm immer der Abort.

Dies sei ein Ort, wo man zufrieden ist
Daß drüber Sterne sind und drunter Mist.

Ein Ort sei einfach wundervoll, wo man
Wenn man erwachsen ist, allein sein kann.

Ein Ort der Demut, dort erkennst du scharf
Daß du ein Mensch nur bist, der nichts behalten darf.

Ein Ort, wo man, indem man leiblich ruht
Sanft, doch mit Nachdruck, etwas für sich tut.

Ein Ort der Weisheit, wo du deinen Wanst
Für neue Lüste präparieren kannst.

Und doch erkennst du dorten, was du bist:
Ein Bursche, der auf dem Aborte — frißt! [245]

Als Ort der Klausur wird hier der „Abort" gefeiert, auf dem statt der ‚Exercitia spiritualia' ‚Übungen' für das leibliche Wohl vollzogen werden: „Ein Ort, wo man, indem man leiblich ruht/ Sanft, doch mit Nachdruck, etwas für sich tut." — Sofern christliche Wertvorstellungen wie „Demut", „Weisheit" und „Selbsterkenntnis" zur Sprache kommen, werden sie im Hinblick auf die leiblichen Verrichtungen ironisiert: „Ein Ort der Demut, dort erkennst du scharf/ Daß du ein Mensch nur bist, der nichts behalten darf."

Das ironische Gegenstück zu dieser Fäkalienpoesie in den ‚Exerzitien' der ‚Hauspostille' ist ‚Orges Antwort, als ihm ein geseifter Strick geschickt wurde' [246], in dem das christliche Ideal der Lebensvervollkommnung, das auch bereits in den ‚Exercitia spiritualia' eine Rolle spielt [247], unter dem Hinweis auf den Realwert dieses Lebens persifliert wird:

Oft sang er, es wäre ihm sehr recht
Wenn sein Leben besser wär:

[245] Brecht, *Hauspostille*, S. 46/47.
[246] Brecht, *Hauspostille*, S. 65—67.
[247] Zu den Meditationsübungen des Ignatius von Loyola gehörte das Ja zum endgültigen Lebenstand der Vollkommenheit in der an das Leben Christi möglichst

Sein Leben sei tatsächlich sehr schlecht —
Jedoch sei es besser als er.

. . .

Jedoch seine letzte Realie
Gibt ein Mann nur ungern auf
Ja, auf seine letzte Fäkalie
Legt er seine Hand darauf. [248]

Die ironische Verkehrung christlicher Wertvorstellungen gipfelt folge-
richtig in der Parodierung der christlichen Weltanschauung *in toto*, wie
sich am ,*Großen Dankchoral'* beobachten läßt, der die ,*Exercitien'* der
,*Hauspostille'* beschließt. Der ironische Rückbezug zu den ,Exercitia
spiritualia' des Ignatius von LOYOLA wird deutlich, wenn man sich vergegenwärtigt, daß auch diese geistlich-asketischen Übungen in einer Gesamtschau „von der Gnade der göttlichen Majestät je dem einzelnen . . .
in Christus zugeteilten Ordnung des Lebens" [249] kulminierten. Aber
für den Protestanten Brecht konkretisiert sich eine solche Gesamtschau
naheliegender in dem evangelischen Choral ,*Lobe den Herren'* des
Bremer Predigers Joachim NEANDER, dessen allseits bekannter Text ihm
Anlaß zu einem nihilistischen Gegenentwurf bot, zu dessen Durchführung er sich auch des oben erwähnten Verfahrens der parodistischen
Substitution materialistischer Inhalte bedient:

Neander:
Lobe den Herren, den mächtigen König der Ehren,
meine geliebte Seele, das ist mein Begehren.
Kommet zu Hauf,
Psalter und Harfe, wacht auf,
lasset den Lobgesang hören!

Lobe den Herren, der alles so herrlich regieret,
der dich auf Adelers Fittichen sicher geführet,
der dich erhält,
wie es dir selber gefällt;
hast du nicht dieses verspüret?

---

angeglichenen Vervollkommnung des bereits gewählten Lebenstandes. *Lexikon für
Theologie u. Kirche*, Bd. 3, S. 1298.
[248] Brecht, *Hauspostille*, S. 65/66, Str. 1, 6.
[249] *Lexikon für Theologie u. Kirche*, Bd. 3, S. 1288/89.

Lobe den Herren, der künstlich und fein dich bereitet,
der dir Gesundheit verliehen, dich freundlich geleitet.
In wieviel Not
hat nicht der gnädige Gott
über dir Flügel gebreitet!

Lobe den Herren, der deinen Stand sichtbar gesegnet,
der aus dem Himmel mit Strömen der Liebe geregnet.
Denke daran
was der Allmächtige kann,
der dir mit Liebe begegnet.

Lobe den Herren, was in mir ist, lobe den Namen.
Alles, was Odem hat, lobe mit Abrahams Samen.
Er ist dein Licht,
Seele, vergiß es ja nicht;
Lobende, schließe mit Amen. [250]

Brecht:
Lobet die Nacht und die Finsternis, die euch umfangen!
Kommet zuhauf
Schaut in den Himmel hinauf:
Schon ist der Tag euch vergangen.

Lobet das Gras und die Tiere, die neben euch leben und sterben!
Sehet, wie ihr
Lebet das Gras und das Tier
Und es muß auch mit euch sterben.

Lobet den Baum, der aus Aas aufwächst jauchend zum Himmel!
Lobet das Aas
Lobet den Baum, der es fraß
Aber auch lobet den Himmel.

Lobet von Herzen das schlechte Gedächtnis des Himmels!
Und daß er nicht
Weiß euren Nam' noch Gesicht
Niemand weiß, daß ihr noch da seid.

---

[250] *Evangelisches Kirchengesangbuch, Ausgabe für die evangelisch-lutherische Kirche Niedersachsens*, Göttingen, S. 275, Nr. 234.

Lobet die Kälte, die Finsternis und das Verderben!
Schauet hinan:
Es kommet nicht auf euch an
Und ihr könnt unbesorgt sterben. [251]

Brecht übernimmt von Neander die Strophenform des Chorals, die sich nur im Wegfall des zweiten Verses und in der Aufteilung des durch Binnenreim zäsurierten dritten in zwei selbständige Verse von der Vorlage unterscheidet. Die umarmende Reimfolge (Neander: ab(b)a; Brecht: abba) und das daktylische Metrum bleiben ebenso erhalten wie der stereotyp wiederholte Lobpreis (,Lobe ...!) zu Beginn jeder Strophe des Chorals.

Aber an Stelle der Apotheose Gottes, „des mächtigen Königs der Ehren", tritt bei Brecht das Lob der alles „umfangenden" „Nacht und der Finsternis", die als Gegenmächte der göttlichen Lichtherrschaft seine Abwesenheit chiffrieren. Damit kündigt sich bereits hier die nihilistische Tendenz des ,Großen Dankchorals' an.

Die Tag/Nacht-Metaphorik der ersten Strophe enthüllt indessen noch eine andere Bedeutung, wenn man das „Schlußkapitel" ,Gegen Verführung' für die Interpretation heranzieht, in dessen erster Strophe der Übergang von Tag zur Nacht den mit dem Ende des Lebenstages gesetzten Verlust der christlichen Jenseitshoffnungen chiffriert:

Laßt euch nicht verführen!
Es gibt keine Wiederkehr.
Der Tag steht in den Türen;
Ihr könnt schon Nachtwind spüren.
Es kommt kein Morgen mehr. [252]

Daß diese Bedeutung auch noch im ,Großen Dankchoral' mitschwingt wird deutlich, wenn Brecht nun in den folgenden Strophen seines Gedichts dem Verlust der Jenseitshoffnungen antithetisch den Lobpreis des vegativ-animalischen Lebens und Sterbens bzw. des organischen Kreislaufs einer materialistischen Weltsicht gegenübergestellt, wie sie bereits in ,Gegen Verführung' zum Ausdruck kam: „Ihr sterbt mit allen Tieren/ Und es kommt nichts nachher." [253]

---

[251] Brecht, Hauspostille, S. 71 f.
[252] Brecht, Hauspostille, S. 141, Str. 1.
[253] ebd. S. 142, Str. 4, V. 4/5.

Damit wird die parodistische Spannung zwischen der sakralen Form der Vorlage (Choral) und dem dieser Form inadäquaten Inhalt einer betont materialistischen Weltsicht evident, zumal wenn man sich daran erinnert, daß die entsprechende zweite Strophe des Neanderschen Chorals einen Lobpreis auf die christlich-monotheistische Weltregierung Gottes enthielt: „Lobe den Herren, der alles so herrlich regieret." Daß diese Spannung zwischen sakraler Form und profanem Inhalt nicht eigentlich „komisch" wirkt, ist kein Beweis gegen die Parodie, wie SCHUHMANN [254] annimmt, da die komische Diskrepanz zwischen den Strukturschichten nach ROTERMUNDS [255] weiter gefaßter Definition der Parodie auch durch „satirische Kritik" ersetzt werden kann. So wirft der Lobpreis des vegetativ-organischen Lebensprozesses („Lobet den Baum, der aus Aas aufwächst jauchzend zum Himmel") ein satirisches Licht auf NEANDERS herrliche Weltregierung, wobei nicht übersehen werden darf, daß der in dieser Chiffre enthaltene, ideelle Anspruch noch stark genug ist, um seinerseits das Lob des vegetativ-animalischen Lebenskreislaufs ironisch zu brechen. [256]

Keineswegs läßt sich deshalb das Lob des materialistischen Lebensprozesses eindeutig dem „Vitalitätsprinzip" [257] bei Brecht zuordnen, sondern ist in diesem Kontext nur ein Argument für die Nichtexistenz Gottes, in deren paradoxer Lobpreisung der ‚Große Danckchoral' gipfelt. Die NEANDERSCHE Vorlage enthält in der dritten und vierten Strophe einen Lobpreis des persönlichen Gottes, der sich seiner Kreaturen hilfreich und liebevoll annimmt:

> Lobe den Herren, der künstlich und fein dich bereitet,
> der dir Gesundheit verliehen, dich freundlich geleitet.

---

[254] Schuhmann, *Der Lyriker Bertolt Brecht*, S. 310, Anm. 16.

[255] „Eine Parodie ist ein literarisches Werk, das aus einem anderen Werk beliebiger Gattung formal-stilistische Elemente, vielfach auch den Gegenstand übernimmt, das Entlehnte aber teilweise verändert, daß eine deutliche, oft komisch wirkende Diskrepanz zwischen den einzelnen Strukturschichten entsteht. Die Veränderung des Originals, das auch ein nur fiktives sein kann, erfolgt durch totale oder partiale Karikatur, Substitution (Unterschiebung), Adjektion (Hinzufügung) oder Detraktion (Auslassung) und dient einer bestimmten Tendenz des Parodisten, zumeist der bloßen Erheiterung oder der satirischen Kritik. Im zweiten Falle ist das Vorbild entweder Objekt oder nur Medium der Satire." — Rotermund, *Die Parodie in der modernen dt. Lyrik*, S. 9.

[256] ebd. S. 152.

[257] Schuhmann, *Der Lyriker Bertolt Brecht*, S. 67.

In wieviel Not
hat nicht der gnädige Gott
über dir Flügel gebreitet!

Demgegenüber preist Brecht in der vierten Strophe seines ‚Dankchorals‘ ironisch „das schlechte Gedächtnis des Himmels!/ Und daß er nicht/ Weiß euren Nam' noch Gesicht" als Ausdruck für das Nichtvorhandenseins einer solchen göttlichen Vorsehung: „Niemand weiß, daß ihr noch da seid". Ihr entspricht genau das „Vergessen" Gottes im Gedicht ‚Vom ertrunkenen Mädchen‘, das sich ebenfalls als Metapher für die Nichtexistenz eines persönlichen Gottes interpretieren läßt:

Als ihr bleicher Leib im Wasser verfaulet war
Geschah es (sehr langsam) daß Gott sie allmählich vergaß,
Erst ihr Gesicht, dann die Hände und ganz zuletzt erst ihr Haar.
Dann ward sie Aas in Flüssen mit vielem Aas. [258]

Analog zum Beginn des Gedichts treten in der letzten Strophe des ‚Dankchorals‘ noch einmal „Kälte, Finsternis und Verderben" dieser Welt an die Stelle der Apotheose Gottes im Neanderschen Choral. Die „Finsternis" dieser von Gott nicht mehr erhellten Welt steht im parodistischen Kontrast zur Transzendenz Gottes in Neanders Choral („Er ist dein Licht"); das „Verderben" chiffriert noch einmal den definitiven Verfall des Menschen nach dem Verlust seiner Jenseitshoffnungen, während die „Kälte" unmittelbar die Weltkälte des Nichts widerspiegelt. Diesen unpersönlichen Mächten des Nichts gegenüber, ist auch der Mensch zu nichts mehr verpflichtet, ein Zustand, der ihn einerseits von atavistischer Gottesfurcht befreit („Und ihr könnt unbesorgt sterben"), um ihn andererseits dem Bewußtsein der eigenen Nichtigkeit („Es kommt nicht auf euch an") auszuliefern.

4) Die ironische Struktur der ‚Psalmen‘

Während sich die ‚Chroniken‘ der ‚Dritten Lektion‘, die hauptsächlich die Balladendichtung des frühen Brecht enthalten, aus später ausführlich zu behandelnden Gründen dem ironischen Stilzusammenhang der ‚Hauspostille‘ entziehen, sind die ‚Psalmen‘ der ‚Vierten Lektion‘ nicht außer-

---

[258] Brecht, Hauspostille, S. 129, Str. 4.

halb dieses Zusammenhangs denkbar. Allerdings wurden die drei 1920/21 entstandenen ‚Psalmen' nach einer Anmerkung Elisabeth Hauptmanns [259] erst in den fünfziger Jahren in die ‚Vierte Lektion' der ‚Hauspostille' aufgenommen und auch sie vermitteln nur einen Bruchteil der um 1920 entstandenen Psalmendichtung Brechts, die sich erst aus dem Nachlaß voll erschließt.

Zunächst wird aus dem Nachlaß die literarhistorische Herkunft der Brechtschen Psalmendichtung vom Davidschen Psalm bzw. dem ‚Hohenlied' Salomons deutlich [260], da die Gruppe der Liebesgedichte in Psalmenform ‚Gesang von einer Geliebten' [261] (1920), ‚Von He' [262] (1920), ‚Gesang von der Frau' [263] (1920), sowie das anläßlich des Todes von Brechts Mutter entstandene ‚Lied von meiner Mutter' [264] (1920), noch völlig unironisch im Tenor, das alte Genre des biblischen Klagepsalms wiederaufzunehmen scheinen:

Gesang von der Frau

1. Abends am Fluß in dem dunklen Herz der Gesträucher sehe ich manchmal wieder ihr Gesicht, der Frau, die ich liebte: meiner Frau, die nun gestorben ist.

2. Es ist viele Jahre her, und zuzeiten weiß ich nichts mehr von ihr, die einst alles war, aber alles vergeht.

3. Und sie war in mir wie ein kleiner Wacholder in mongolischen Steppen, konkav mit fahlgelbem Himmel und großer Traurigkeit.

4. Wir hausten in einer schwarzen Hütte am Fluß. Die Stechfliegen zerstachen oft ihren weißen Leib, und ich las die Zeitung siebenmal oder ich sagte: dein Haar ist schmutzfarben. Oder: du hast kein Herz.

[259] Brecht, Ges. Werke, Bd. IV, S. 7, Anmerkung 241, „Von den von Brecht in den fünfziger Jahren eingefügten drei ‚Psalmen' entstanden der zweite und dritte 1920, der erste 1920 oder 1921."

[260] „Davidscher Psalm und Hoheslied dürfen als die beiden wichtigsten Anreger der Brechtschen Psalmendichtung gelten." Schuhmann, Der Lyriker Bertolt Brecht, S. 116.

[261] Brecht, Ges. Werke, Bd. IV, S. 78.

[262] ebd. S. 80 f.

[263] ebd. S. 82 f.

[264] ebd. S. 79.

5. Doch eines Tages, da ich mein Hemd wusch in der Hütte, ging sie an das Tor und sah mich an und wollte hinaus.

6. Und der sie geschlagen hatte, bis er müde war, sagte: mein Engel —

7. Und der gesagt hatte: ich liebe dich, führte sie hinaus und sah lächelnd hin in die Luft und lobte das Wetter und gab ihr die Hand.

8. Da sie nun draußen war in der Luft, und es ward öde in der Hütte, schloß er das Tor zu und setzte sich hinter die Zeitung.

9. Seitdem habe ich sie nicht mehr gesehen, und einzig von ihr blieb der kleine Schrei, den sie machte, als sie zurück an das Tor kam am Morgen, da es schon zu war.

10. Nun ist die Hütte verfault und die Brust ausgestopft mit Zeitungspapier, und ich liege abends am Fluß im dunklen Herz der Gesträucher und erinnere mich.

11. Der Wind hat Grasgeruch im Haar, und das Wasser schreit unaufhörlich um Ruhe zu Gott, und auf meiner Zunge habe ich eine bitteren Geschmack.

Dennoch wird man über der literarischen Tradition die spezifisch moderne Ausprägung dieser Brechtschen Psalmendichtung nicht übersehen dürfen. Wenn Schuhmann mit seiner Meinung recht hätte, daß der ‚Gesang von einer Geliebten' und der ‚Gesang von der Frau' dem Hohenlied „verpflichtet" seien, so trifft das dafür angeführte Argument, „Brecht (übernähme) die dialogische Sprechweise des Hohenliedes" [265] bezeichnenderweise nicht zu [266], so wie auch seine „religiösen" Psalmen nicht mehr der dialogischen Zwiesprache des Davidschen Psalms verpflichtet sind. Das Fehlen des Dialogs aber wird geradezu zum Kriterium für die Modernität dieser Brechtschen Liebesgedichte, in deren Zentrum die Klage über den verlorenen Bezug der Liebenden steht:

7. Und der gesagt hatte: Ich liebe dich, führte sie hinaus und sah lächelnd in die Luft und lobte das Wetter und gab ihr die Hand.

---

[265] Schuhmann, *Der Lyriker Bertolt Brecht*, S. 116.
[266] Eine Ausnahme bilden lediglich die 1. und 2. Strophe des ‚Gesang von einer Geliebten'.

8. Da sie nun draußen war in der Luft, und es öde ward in der Hütte, schloß er das Tor zu und setzte sich hinter die Zeitung.

Der Modernität des Inhalts korrespondiert eine entsprechende Modernität der Formgebung. Sie betrifft zunächst die Ausprägung einer rhythmischen Prosa, die die Satzfolge numerisch nach Sinn- und Klangeinheiten aufgliedert und übergreifende, rhythmische Entsprechungen vornehmlich durch das Stilmittel des Parallelismus bewirkt:

6. Und der sie geschlagen hatte ...

7. Und der gesagt hatte ...

Zwar läßt sich das entfernte Vorbild zu dieser Prosodie noch im Psalter des Alten Testaments nachweisen, aber sie muß doch vornehmlich im Zusammenhang mit der seit dem Naturalismus einsetzenden Auflösung fester Strophenformen zugunsten freirhythmischer Verse gesehen werden, die in der expressionistischen Lyrik z. B. bei TRAKL [267] die Ausbildung moderner Psalmendichtung begünstigte. In diesem Zusammenhang muß auch die auffallend kühne Metaphorik der Brechtschen Psalmen gesehen werden, die zweifellos mehr mit der Entwicklung der modernen Lyrik seit dem Expressionismus als dem Psalter gemeinsam hat:

3. Und sie war in mir wie ein kleiner Wacholder in mongolischen Steppen, konkav mit fahlgelbem Himmel und großer Traurigkeit.

Vor allem aber führt nun das Stilmittel der Ironie und Parodie in der Mehrzahl der ‚Psalmen' zur ironischen oder kritischen Abgrenzung gegen das alttestamentarische Vorbild. Die typischen Weisen des Ironisierungsprozesses, sei es die Ironisierung der sakralen Form durch Substitution materialistischer Inhalte, sei es die parodistische Verkehrung der religiösen Inhalte in ihr nihilistisches Gegenteil, sind bereits aus der Interpretation des ‚Großen Dankchorals' vertraut und ermöglichen die Aufteilung der Brechtschen Psalmendichtung in zwei weitere Gruppen. Zur zweiten Gruppe gehören der ‚Psalm im Frühjahr' [268], sowie der ‚Zweite Psalm' [269] und der ‚Dritte Psalm' [270], die inhaltlich um eine

[267] Georg Trakl, *Die Dichtungen*, ‚Psalm', S. 61.
[268] Brecht, *Ges. Werke*, Bd. IV, S. 75.
[269] ebd. S. 242.
[270] ebd. S. 243.

Verherrlichung der sinnlichen Lebenslust bzw. eine Apotheose des „Fleisches" zentriert sind:

Unter einer fleischfarbenen Sonne, die vier Atemzüge nach Mitternacht den östlichen Himmel hell macht, unter einem Haufen Wind, der sie in Stößen wie mit Leilich bedeckt, entfalten die Wiesen von Füssen bis Passau ihre Propaganda für Lebenslust. [271]

Es besteht kein Zweifel darüber, daß diese neuen, sinnlich-materialistischen Inhalte, unterstützt durch die umgangssprachlich-frivole Diktion, in eine ironische Spannung zur Vorlage der Davidschen Psalmendichtung treten, wie sich am ‚Dritten Psalm' noch näher verifizieren läßt:

1. Im Juli fischt ihr aus den Weihern meine Stimme. In meinen Adern ist Kognak. Meine Hand ist aus Fleisch.

2. Das Weiherwasser gerbt meine Haut, ich bin hart wie eine Haselrute, ich wäre gut fürs Bett, meine Freundinnen!

3. In der roten Sonne auf den Steinen liebe ich die Gitarren: es sind Därme von Vieh, die Klampfe singt viehisch, sie frißt kleine Lieder.

4. Im Juli habe ich ein Verhältnis mit dem Himmel, ich nenne ihn Azurl, herrlich, violett, er liebt mich. Es ist Männerliebe.

5. Er wird bleich, wenn ich mein Darmvieh quäle und die rote Unzucht der Äcker imitiere sowie das Seufzen der Kühe beim Beischlaf. [272]

Statt der Stimme des Psalmisten ist „aus den Weihern" die „Stimme" des betrunkenen Dichters zu hören, der seine „Freundinnen" zum Beischlaf auffordert. Aus der Harfe Davids ist die „Klampfe" Brechts geworden, der auf die übertrieben erotische Materialisierung seiner Gesänge nicht ohne Selbstironie anspielt:

3. In der roten Sonne auf den Steinen liebe ich die Gitarren: es sind Därme von Vieh, die Klampfe singt viehisch, sie frißt keine Lieder.

[271] ebd. S. 242, Zweiter Pslam, Str. 1. — Als Entstehungsdatum des „Zweiten Psalms", „Dritten Psalms" und des „Psalms im Frühjahr" wird im Bestandsverzeichnis des literarischen Nachlasses, S. 191, Nr. 6673, S. 81, Nr. 5655, S. 144, Nr. 6231 das Jahr 1920 angegeben.
[272] Brecht, Ges. Werke, Bd. IV, S. 243.

Auf ähnliche Weise wird der traditionelle, dialogische Bezug des Psalmisten zu seinem Gott bei Brecht durch Substitution eines homoerotischen Verhältnisses ironisch umgedeutet:

4. Im Juli habe ich ein Verhältnis mit dem Himmel, ich nenne ihn Azurl, herrlich, violett, er liebt mich. Es ist Männerliebe.

Daß umgekehrt aber auch die von Brecht substituierte, erotisch-materialistische Ebene wie im ‚Großen Dankchoral‘ der Ironie verfällt, wird in jeder Aussage deutlich.

Gegenüber den zuletzt behandelten Psalmen ist der ‚Erste Psalm‘ (1920), der zusammen mit Gedichten wie ‚Gottes Abendlied‘ [273] und ‚Vision in Weiß‘ [274] in die dritte Gruppe der pseudo-religiösen Psalmendichtung Brechts gehört, im Tenor seiner Aussage nicht eigentlich ironisch zu nennen. Eher dürfte man von einer parodistischen Spannung, analog zum ‚Großen Dankchoral‘ sprechen, mit der Einschränkung, daß es sich hier nicht um die Parodie einer konkreten Vorlage handelt. Dennoch ergibt sich die parodistische Diskrepanz daraus, daß die religiösen Voraussetzungen der alttestamentarischen Psalmendichtung, die Brecht ja formal imitiert, inhaltlich in ihr Gegenteil einer Konstatierung des Nichts verkehrt werden:

Erster Psalm

1. Wie erschreckend in der Nacht ist das konvexe Gesicht des schwarzes Landes!

2. Über der Welt sind die Wolken, sie gehören zur Welt. Über den Wolken ist nichts.

3. Der einsame Baum im Steinfeld muß das Gefühl haben, daß alles umsonst ist. Er hat noch nie einen Baum gesehen. Es gibt keine Bäume.

4. Immer denke ich: wir werden nicht beobachtet. Der Aussatz des einzigen Sternes in der Nacht, vor er untergeht!

5. Der warme Wind bemüht sich noch um Zusammenhänge, der Katholik.

[273] ebd. S. 75 f.
[274] ebd. S. 76 f.

6. Ich komme sehr vereinzelt vor. Ich habe keine Geduld.
   Unser armer Bruder Vergeltsgott sagte von der Welt: sie macht nichts.

7. Wir fahren mit großer Geschwindigkeit auf ein Gestirn in
   der Milchstraße zu. Es ist eine große Ruhe in dem Gesicht der
   Erde. Mein Herz geht zu schnell. Sonst ist alles in Ordnung. [275]

Wie in der Gruppe der Brechtschen ,Klagepsalmen' das Fehlen des
Dialogs den fehlenden Bezug zwischen den Liebenden des modernen
Liebesgedichts anzeigte, wird auch an diesem pseudoreligiösen Psalm
das Fehlen des dialogischen Bezugs zwischen dem Psalmisten und Gott,
der für die Davidsche Psalmendichtung konstituierend war, zum Ausgangspunkt für die an keine göttliche Macht mehr gerichtete Aussage
des modernen Psalmisten:

2. Über der Welt sind die Wolken, sie gehören zur Welt. Über
   den Wolken ist nichts.

Von dieser eindeutigen Konstatierung des Nichts her, die jeden transzendenten Bezug von vornherein in Abrede stellt, wird nicht nur die „erschreckend" befremdliche, durch das Stilmittel der Genitivmetapher verfremdende Weltsicht des Psalmeneingangs verständlich:

1. Wie erschreckend in der Nacht ist das konvexe Gesicht des
   schwarzen Landes!

sondern erklärt sich auch die Häufung der in ihrer Isolierung wahr-
genommenen Dinge in den folgenden Abschnitten als Verlust eines
übergreifenden, ideellen Ordnungszusammenhangs:

3. Der einsame Baum im Steinfeld muß das Gefühl haben, daß alles
   umsonst ist . . .

4. . . . Der Aussatz des einzigen Sternes in der Nacht, vor er untergeht!

6. Ich komme sehr vereinzelt vor . . .

In dem Verlust eines solchen kosmologischen Einheits- und Ordnungszusammenhangs aber hatte schon NIETZSCHE einen der Hauptgründe für

---

[275] Brecht, *Ges. Werke*, Bd. IV, S. 241. — Das Entstehungsdatum des „Ersten
Psalms" wird im *Bestandsverzeichnis des literarischen Nachlasses*, S. 86, Nr. 5694
um das Jahr 1920 angegeben.

101

das Eintreten des Nihilismus als eines „psychologischen Zustandes" erkannt:

> Der Nihilismus als psychologischer Zustand tritt ... ein, wenn man eine Ganzheit, eine Systematisierung, selbst eine Organisierung in allem Geschehen ... angesetzt hat: so daß in der Gesamtvorstellung einer höchsten Herrschafts- und Verwaltungsform die nach Bewunderung und Verehrung durstige Seele schwelgt ... Eine Art Einheit, irgendeine Form des „Monismus": und infolge dieses Glaubens der Mensch in tiefem Zusammenhangs- und Abhängigkeitsgefühl von einem ihm unendlich überlegenen Ganzen ... aber siehe da, es gibt kein solches Allgemeines! Im Grunde hat der Mensch den Glauben an seinen Wert verloren, wenn durch ihn nicht ein unendlich wertvolles Ganzes wirkt ... [276]

Auf dem Hintergrund dieser Ausführungen läßt sich schärfer erkennen, daß die bis zur Absurdität pointierte Vereinzelung der Dinge im Brechtschen ‚Psalm' e contrario auf das Fehlen eines kosmologischen Zusammenhangs verweist, und daß der moderne Psalmist, in analoger Weise „vereinzelt", des „tiefen Zusammenhangs- und Abhängigkeitsgefühls von einem ihm unendlich überlegenen Ganzen" entbehrt, von dem Nietzsche sprach. Zwar wird ein solcher Gesamtzusammenhang im fünften Abschnitt des ‚Psalms' nun doch noch beschworen:

> 5. Der warme Wind bemüht sich noch um Zusammenhänge,
>   der Katholik.

aber diese abschätzige Reminiszenz, an die für den Dichter nicht mehr verbindliche, hierarchische Ordnung des katholischen Weltbildes vermag an der Isolierung des „modernen Ich" ebensowenig zu ändern wie „Unser armer Bruder Vergeltsgott", der, für Brecht nur noch in dieser abgegriffenen Dankesformel präsent, von der Welt sagte: „sie macht nichts", im Sinne von: sie sei nicht der Rede wert.

Damit schließt sich ähnlich wie im ‚Großen Dankchoral' an die Konstatierung der Nichtexistenz Gottes und die Darstellung einer in fragmentarische Einzelheiten zerfallenden Welt konsequent das Bewußtsein des modernen Psalmisten von seiner eigenen Nichtigkeit, die Erfahrung des Nihilismus also, die NIETZSCHE damit begründet hatte, daß

---

[276] Nietzsche, *Werke*, Bd. III, S. 677.

„der Mensch den Glauben an seinen Wert verloren (habe), wenn durch ihn nicht ein unendlich wertvolles Ganzes (wirke)".

Daß darüberhinaus bereits spezifisch moderne Vorstellungen einer naturwissenschaftlichen Welterklärung hinter dem Zerfall des christlichen Weltbildes stehen, deutet Brecht im Schlußabschnitt seines ,Psalms' im Bilde des „mit großer Geschwindigkeit auf ein Gestirn in der Milchstraße" zufahrenden Planeten an, das in Analogie zur dynamischen Weltentstehungstheorie zu stehen scheint. Angesichts der von da aus abgeleiteten, finalen Weltkatastrophe, die der Herzschlag des Dichters seismographisch registriert („Mein Herz geht zu schnell"), macht der ironische Schlußkommentar „Sonst ist alles in Ordnung" noch einmal auf den tatsächlichen Verlust eines übergreifenden Ordnungszusammenhangs aufmerksam.

Die Analyse dieses Kapitels versuchte an signifikanten Beispielen aus den einzelnen ,Lektionen' den ironischen Stilzusammenhang der ,Hauspostille' zu erschließen. Dabei erwies sich die durchgehende Bezogenheit der Brechtschen Ironie auf die Ebene des christlichen Weltbildes als ihr bezeichnendstes Merkmal. Christliche Motive, Wertvorstellungen, Glaubenssätze und sakrale Formen wurden zum Objekt von Ironie und Parodie, indem der Dichter sie einem heterogenen Kontext integrierte, sie gegenläufig umfunktionierte oder ihnen widersprüchliche Inhalte substituierte.

Dabei blieb die ironische Diskrepanz zwischen den Strukturschichten von Form und Inhalt nicht nur ästhetisch unverbindliches Spiel, wie sich an der materialistischen Umfunktionierung christlicher Inhalte gelegentlich beobachten ließ, sondern enthüllte sich, wie am Beispiel der ironischen Brechung der christlichen Fürbitte in den ,Kinderliedern' verdeutlicht, in ihrer dezidiert antichristlichen Tendenz. In Texten schließlich, die wie ,Der große Dankchoral' und der ,Erste Psalm' die christliche Weltanschauung in toto parodierten, zielte die antichristliche Tendenz durchaus auf Aufhebung des in der Vorlage implizierten Weltbildes, so daß hier der kritische Impetus der Brechtschen Ironie evident wird. — Die eingangs aufgeworfene Frage ALLEMANNS, „ob nicht die Ironie in einem umfassenden Sinne mit in den Zusammenhang des Europäischen Nihilismus gehöre," ist damit für die frühe Lyrik Brechts zu bejahen. Innerhalb des bereits von NIETZSCHE herausgestellten Bezugs von Nihilismus und Ironie — " ' Nihilismus' als Ideal der höchsten Mächtigkeit des Geistes ... , teils zerstörerisch, teils ironisch" [277] — erhält die Ironie Brechts die ästhetisch-kritische Funktion einer „Umwertung aller Werte" [278] mit der Einschränkung, daß es bei ihm zu keiner verbindlichen Setzung von „neuen Werten" kommt, die Nietzsche mit dieser Formel letztlich avisiert hatte.

[277] Nietzsche, *Werke*, Bd. III, S. 557.
[278] ebd. S. 634 f.

II. Der existentielle Stilzusammenhang der Balladen Brechts
1916—1922

Die Balladen der ‚Hauspostille' erschließen sich nicht von der Thematik der Natur her, wie wiederholt von der Forschung angenommen worden ist [279], sondern erst von der zentraleren Thematik des Menschen. Im genaueren Sinne ist es die Existenzproblematik des Menschen, die als zweiter, übergreifender Aussagezusammenhang neben der ironischen Struktur der frühen Lyrik Brechts in den Balladen der ‚Hauspostille' bedeutsam wird. Die Forschung hat diesem Aspekt bisher kaum Beachtung geschenkt mit Ausnahme von H. O. Münsterer, dem Biographen der Augsburger Jahre, der in den „von Brecht selbst damals als wesentlich empfundenen Arbeiten" zu Recht einen „Grundton" heraushörte, „der in die nächste Nähe des Nihilismus oder Existentialismus führt". [280] Nur darin ist Münsterer zu korrigieren, daß „Nihilismus oder Existentialismus" keine echten Alternativen der frühen Lyrik Brechts darstellen, sondern in einem ursächlichen Zusammenhang stehen. Denn die existentiell verbindlichen Aussagen der frühen Lyrik Brechts lassen sich mit ähnlicher Konsequenz auf die nihilistische Position zurückführen wie die ironisch unverbindlichen, so daß erst damit die alternativen Aussagemöglichkeiten der ‚Hauspostille" und das Zentrum des Werkzusammenhangs genau bezeichnet sind.

Wenn nach der Darstellung des ironischen Stilzusammenhangs der ‚Hauspostille' im Folgenden der existentielle Stilzusammenhang der Balladen Brechts herausgestellt werden soll, so ist der Begriff „Existenz" zunächst im Sinne der alten scholastischen Unterscheidung zwischen

---

[279] So rechnet Martin Rockenbach die frühe Lyrik Brechts „Zur Naturdichtung der jungen Generation": Brecht, ein Balladendichter von ungezügelter, oft wüster Kraft, treibt das Motiv der neuen Sehnsucht nach Naturverbundenheit auf die Spitze der barbarischen und brutal-zynischen Vergöttlichung der Natur" (Rockenbach, *Zur Naturdichtung der jungen Generation*, Orplid 5, 1928, S. 41), und noch Schuhmann stellt zum „*Choral vom großen Baal*" fest: „Die Übersteigerung des Naturgefühls schlägt bei Baal in einen Kult um, sie wird zur Naturrreligion." — Schuhmann, *Der Lyriker Bertolt Brecht*, S. 64.
[280] Münsterer, *Brecht*, S. 82.

essentia (So-sein) und *existentia* (Da-sein) gemeint. Es ist zwar unzweifelhaft so, daß Brecht auf die Frage nach dem Menschen die Antwort nicht mehr im Bereich der *essentia* sondern der *existentia* sucht, nachdem ihm die glaubensmäßigen und idealistischen Voraussetzungen für ein wesenhaftes Menschenbild abhanden gekommen sind und daß er diese Verlagerung der Blickrichtung mit dem Ansatz der modernen Existenzphilosophie teilt. [281] Aber mit der insbesondere von HEIDEGGER herausgearbeiteten Bestimmung der „Existenz" als eines „verstehenden Seinkönnens, dem es um sein Sein selbst geht" [282], hat das Brechtsche Verständnis des Menschen sowenig gemeinsam wie mit analogen Intentionen bei RILKE und KAFKA, da es, hierin BÜCHNER sehr viel näher, auf die materiellen Voraussetzungen der menschlichen Existenz zielt.

Zwischen der zentralen Thematik des Menschen und der dieses Thema hauptsächlich zum Ausdruck bringenden Form der Ballade besteht notwendig ein enger Zusammenhang. Allerdings verändert sich unter der spezifisch existentiellen Blickrichtung des Dichters auch die Form der Ballade in bezeichnender Weise. Das Eigengewicht ihrer äußeren Handlung nimmt in dem Grade ab als die Balladenhandlung zur durchgeführten Metapher für die Ausgesetztheit menschlicher Existenz in eine Welt ohne Gott bzw. in die Weltkälte des Nichts wird. Man mißversteht die frühen Balladen Brechts, wenn man sie wie SCHUHMANN nur in bezug auf ihre vordergründige Handlung, ihr exotisches Milieu und ihre extravaganten Charaktere interpretiert. Diese sind meist nur ein Vorwand, das Brechtsche Wirklichkeitsverständnis von der Ausgesetztheit menschlicher Existenz, das sich hier partiell mit analogen Auffassungen der Existenzphilosophie berührt, in den „Grenzsituationen" [283] von Geburt, Tod, Scheitern und Untergang zur Darstellung zu bringen. Und derart ausgeprägt ist diese Tendenz, daß sie in der Entwicklung des Brechtschen Balladenwerks zeitweilig zur Aufhebung der konventionellen, auf Handlung basierenden Balladenform führt, um durch die Ausprägung neuer

---

[281] „Das Was-sein (essentia) dieses Seienden muß ... aus seinem Sein (existentia) begriffen werden." — Martin Heidegger, *Sein und Zeit*, 10. Aufl. Tübingen 1963, S. 42.

[282] ebd. S. 232.

[283] Der Terminus „Grenzsituationen" stammt von Jaspers: „Sie wandeln sich nicht, sondern nur in ihrer Erscheinung, sie sind auf unser Dasein bezogen, endgültig ... Sie sind wie eine Wand, an die wir stoßen, an der wir scheitern". Karl Jaspers, *Philosophie*, Bd. II, Berlin 1932, S. 203.

Balladenstrukturen wie Ausfahrt und Untergang, Geburt und Tod das existentielle Anliegen ihres Dichters auch formal adäquat zum Ausdruck zu bringen.

1) EXISTENTIELLE AUSGESETZTHEIT IN EINE WELT OHNE GOTT

a) Anti-Legende

Die 1917 entstandene und in die erste Fassung des Dramas „Baal" (1918) aufgenommene „Legende der Dirne Evlyn Roe" gehört zu den frühesten Balladen Brechts. Sie sei hier vorangestellt, weil sie die Dialektik zwischen der Negation des christlichen Weltbildes und der existentiellen Ausgesetztheit des Menschen ins Nichts einer gottverlassenen Welt exemplarisch verdeutlicht.

Der Titel „Legende" bezieht sich zunächst auf den seit dem Mittelalter tradierten Legendenstoff von der Kreuzfahrt des Sünders ins Heilige Land, genauer: auf die legendäre Maria von Ägypten, die in Alexandria ihr lasterhaftes Leben führte, bis sie durch eine Bußfahrt an die heiligen Stätten der Christenheit Erlösung fand. Brecht verwandelt die heidnische Sünderin in die moderne „Dirne Evlyn Roe", deren Leidensgeschichte er in bewußt volkstümlicher Form und Diktion erzählt. Die Verwendung der unregelmäßig gehandhabten Volksliedstrophe mit gelegentlichen Überlängen in den Dialogpartien, zahlreiche Elisionen („fahrn", „zahl") und Wendungen der Luthersprache wie „ich will nit han" verdeutlichen den archaisierenden Stil der „Legende". [284]

Dagegen erweist sich das Gedicht von der inhaltlichen Durchführung seines Sujets her geradezu als Anti-Legende, da das transzendente Ziel der Kreuzfahrt, die Erlösung der Seele durch den Opfertod Christi, bereits in der Exposition der Ballade fundamental in Frage gestellt wird:

Als der Frühling kam und das Meer war blau
Da fand sie nimmer Ruh —
Da kam mit dem letzten Boot an Bord
Die junge Evlyn Roe.

[284] Vergl. Schuhman, *Der Lyriker Bertolt Brecht*, S. 61 f.

Sie trug ein härnes Tuch auf dem Leib
Der schöner als irdisch war.
Sie trug kein andres Gold und Geschmeid
Als ihr wunderreiches Haar.

„Herr Kapitän, laß mich mit dir ins heil'ge Land fahrn
Ich muß zu Jesus Christ."
„Du sollst mitfahrn, Weib, weil wir Narrn
Und du so herrlich bist."

„Er lohn's Euch. Ich bin nur ein arm Weib.
Mein Seel gehört dem Herrn Jesu Christ."
„So gib uns deinen süßen Leib!
Denn der Herr, den du liebst, kann das nimmermehr zahln:
Weil er gestorben ist." [285]

Die Erklärung der Evlyn Roe, daß ihre „Seele" „dem Herrn Jesu Christ"
gehöre, provoziert die antithetisch pointierte Forderung des Kapitäns:
„So gib uns deinen süßen Leib!", die sich vordergründig auf den Preis
für die Überfahrt bezieht, den der tote Christ nicht mehr zahlen könne:

„Denn der Herr, den du liebst, kann das nimmermehr zahln:
Weil er gestorben ist."

Aber eben dadurch, daß der Tod Christi hier in krass materialistischer
Vordergründigkeit und nicht in seiner religiös-symbolischen Bedeutung
verstanden wird, negiert diese Äußerung die geistige Existenz Christi
und rückt sie damit in den besprochenen Zusammenhang von Aussagen,
die das Motiv vom „Tod Gottes" variieren.

Zugleich wird die Forderung des Kapitäns („So gib uns deinen süßen
Leib!") zum Ausgangspunkt für eine Balladenhandlung, die in zwei-
fachem Sinne darauf angelegt ist, daß Evlyn Roe ihr Ziel, das Heilige
Land, nicht erreicht. Denn gerät es als endliches Ziel dadurch außer Reich-
weite, daß Kapitän und Mannschaft sich bei ihr verliegen, so wird es
als transzendentes Ziel unerreichbar durch die Paradoxie, daß die fromme
Evlyn Roe himmlische Liebe um den Preis sinnlicher Liebe zu erkaufen
gezwungen ist und erst dadurch zur Dirne wird:

[285] Brecht, *Ges. Werke*, Bd. IV, S. 18, Str. 1—4.

Sie fuhren hin in Sonn und Wind
Und liebten Evlyn Roe.
Sie aß ihr Brot und trank ihren Wein
Und weinte immer dazu.

Sie tanzten nachts. Sie tanzen tags
Sie ließen das Steuern sein.
Evlyn Roe war so scheu und so weich:
Sie waren härter als Stein.

Der Frühling ging. Der Sommer schwand.
Sie lief wohl nachts mit zerfetztem Schuh
Von Rah zu Rah und starrte ins Grau
Und suchte einen stilleren Strand
Die arme Evlyn Roe.

Sie tanzte nachts. Sie tanzte tags.
Da ward sie wie ein Sieches matt.
„Herr Kapitän, wann kommen wir
In des Herrn heilige Stadt?"

Der. Kapitän lag in ihrem Schoß
Und küßte und lachte dazu:
„Und ist wer schuld, daß wir nie hinkommen:
So ist es Evlyn Roe."

Sie tanzte nachts. Sie tanzte tags.
Da ward sie wie ein Leichnam matt.
Und vom Kapitän bis zum jüngsten Boy
Hatten sie alle satt.

Sie trug ein seiden Gewand auf dem Leib
Der siech und voll Schwielen war
Und trug auf der entstellten Stirn
Ein schmutzzerwühltes Haar.

„Nie seh ich dich, Herr Jesus Christ
Mit meinem sündigen Leib.
Du darfst nicht gehn zu einer Hur
Und bin ein so arm Weib." [286]

---

[286] Brecht, *Ges. Werke*, Bd. IV, S. 18 f., Str. 5—12.

Die Legende in ihrer herkömmlichen Form, die von der „*Maria aus Ägypten*" ebenso wie die vom „*Gregorius*", hätte hier noch einen Ausweg gewußt nach der ihr immanenten Dialektik, daß Gottes Gnade sich gerade an dem größten Sünder zum Schluß wunderbar erweise. Brechts Gedicht dagegen enthüllt sich nicht zuletzt dadurch als Anti-Legende, daß seine Heldin, Evlyn Roe, nicht mehr den Glauben hat, auf die Gnade Gottes zu vertrauen, auf den es in der alten Legende vorrangig ankam; sie wählt, körperlich und geistig gebrochen, den Freitod:

> Sie lief wohl lang von Rah zu Rah
> Und Herz und Fuß tat ihr weh:
> Sie ging wohl nachts, wenn's keiner sah
> Sie ging wohl nachts in die See.

> Das war im kühlen Januar
> Sie schwamm einen weiten Weg hinauf
> Und erst im März oder im April
> Brechen die Blüten auf.

> Sie ließ sich den dunklen Wellen, und die
> Wuschen sie weiß und rein
> Nun wird sie wohl vor dem Kapitän
> Im heiligen Lande sein. [287]

Auch im Nachspiel der „*Legende*" geschehen keine Wunder mehr, wenn man von der Einfügung des poetischen Motivs absieht, daß Evlyn Roe nacheinander im „Himmel" und in der „Hölle" um Einlaß bittet. Aber aus beiden wird sie mit dem Hinweis auf ihre fehlende Frömmigkeit bzw. Sündhaftigkeit verstoßen, so daß die Zuständigkeit dieser „Institutionen", die Brecht bereits in der Folge „Von den Sündern in der Hölle" ironisiert hatte, hier erneut in Frage gestellt wird, da sie die Komplexität menschlicher Existenz nicht mehr zu beherbergen vermögen:

> Als im Frühling sie in den Himmel kam
> Schlug Petrus die Tür ihr zu:
> „Gott hat mir gesagt: Ich will nit han
> Die Dirne Evlyn Roe."

> Doch als sie in die Hölle kam
> Sie riegeln die Türen zu:

---

[287] ebd. S. 19 f., Str. 13—15.

Der Teufel schrie: „Ich will nit han
Die fromme Evlyn Roe." [288]

So bleibt nur die Vision der durch „Wind und Sternenraum" wandern-
den, unbehausten Evlyn Roe, von der aus sich die Anti-Legende als
durchgeführte Metapher für die Ausgesetztheit des modernen Menschen
in eine Welt ohne Gott erschließt. [289] Daß Evlyn Roe damit auch in der
Legende ihren legitimen Ort verliert, verdeutlicht Brecht, indem er, aus
der Rolle des Legendenerzählers heraustretend („Spät abends durchs Feld
sah i c h sie schon gehn"), die Auflösung des Legendencharakters anzeigt:

> Da ging sie durch Wind und Sternenraum
> Und wanderte immerzu.
> Spät abends durchs Feld sah ich sie schon gehn:
> Sie wankte oft. Nie blieb sie stehn.
> Die arme Evlyn Roe. [290]

Damit ist am Beispiel der „*Legende*" paradigmatisch der Weg verdeutlicht, den Brecht mit seiner Balladendichtung einschlägt: Von der
Voraussetzung des „Tod Gottes" ausgehend, bemüht er sich in seinen
Balladen um die Darstellung der existentiellen Ausgesetztheit des Menschen in eine Welt ohne Gott, die er in den verschiedensten Stoffen, Motiven und Formen abwandelt, so daß diese als durchgeführte Metaphern
der nämlichen existentiellen Grundsituation erscheinen.

b) Überantwortung des Menschen an den materiellen Charakter der
   Natur

So umkreist Brecht die Ausgesetztheit des Menschen in seinen frühen
Balladen auch dort, wo der religiöse Aspekt scheinbar ganz hinter
die Darstellung neuer Wirklichkeitsbereiche zurücktritt, wie im „*Lied der
Eisenbahntruppe von Fort Donald*", der ersten Ballade Brechts, die am
13. Juli 1916 in den *Augsburger Neuesten Nachrichten* [291] erschien. Sie
sei hier in der für die ‚Hauspostille' überarbeiteten Fassung zitiert:

---

[288] Brecht, *Ges. Werke*, Bd. IV, S. 20, Str. 16—17.
[289] Der Meinung Hincks, daß die „Ballade kein bloßer Gegenentwurf zur christlichen Legende, keine Anti-Legende (bleibe)", ist für den Schluß des Gedichts zu-
zustimmen. — Walter Hinck, Die deutsche Ballade von Bürger bis Brecht, Göttingen
1968, S. 139.
[290] Brecht, *Ges. Werke*, Bd. IV, S. 20, Str. 18.
[291] „*Das Lied der Eisenbahntruppe*", Der Erzähler, ANN, Nr. 78, 13. Juli 1916.

Die Männer von Fort Donald — hohé!
Zogen den Strom hinauf, bis die Wälder ewig und seelenlos sind.
Aber eines Tages ging Regen nieder und der Wald
                              wuchs um sie zum See.
Sie standen im Wasser bis an die Knie.
Und der Morgen kommt nie, sagten sie
Und wir versaufen vor der Früh, sagten sie
Und sie horchten stumm auf den Eriewind.

Die Männer von Fort Donald — hohé!
Standen am Wasser mit Pickel und Schiene und schauten
                              zum dunkleren Himmel hinauf
Denn es ward dunkel und der Abend wuchs aus dem
     plätschernden See.
Ach, kein Fetzen Himmel, der Hoffnung lieh
Und wir sind schon müd, sagten sie
Und wir schlafen noch ein, sagten sie
Und uns weckt keine Sonne mehr auf.

Die Männer von Fort Donald — hohé!
Sagten gleich: wenn wir einschlafen, sind wir adje!
Denn Schlaf wuchs aus Wasser und Nacht, und sie
     waren voll Furcht wie Vieh
Einer sagte: singt „Johnny über der See".
Ja, das hält uns vielleicht auf, sagten sie
Und sie sangen von Johnny über der See.

Die Männer von Fort Donald — hohé!
Tappten in diesem dunklen Ohio wie Maulwürfe blind
Aber sie sangen so laut, als ob ihnen wunder was
     Angenehmes geschäh
Ja, so sangen sie nie.
Oh, wo ist mein Johnny zur Nacht, sangen sie
Oh, wo ist mein Johnny zur Nacht, sangen sie
Und das nasse Ohio wuchs unten, und oben wuchs
     Regen und Wind.

Die Männer von Fort Donald — hohé!
Werden jetzt wachen und singen, bis sie ersoffen sind.
Doch das Wasser ist höher als sie bis zur Früh, und lauter als

sie der Eriewind schrie.
Wo ist mein Johnny zur Nacht, sangen sie
Dieses Ohio ist naß, sagten sie
Früh wachte nur noch das Wasser und nur noch
    der Eriewind.

Die Männer von Fort Donald — hohé!
Die Züge sausen über sie weg an den Eriesee
Und der Wind an der Stelle singt eine dumme Melodie
Und die Kiefern schrein den Zügen nach: hohé:
Damals kam der Morgen nie, schreien sie
Ja, sie versoffen vor der Früh, schreien sie
Unser Wind singt abends oft noch ihren Johnny
    über der See. [292]

Anders als in der „Legende" verwendet Brecht im „Lied der Eisenbahntruppe" eine kunstvoller komponierte Strophenform, deren artistischer
Reiz in dem Wechsel zwischen kurzgefügten Rahmenversen und lang
ausschwingenden Binnenversen besteht, sowie in dem metrischen Umschwung vom vorwiegend jambisch gefügten Quartett zum anapästisch
bzw. daktylisch komponierten Refrain. — Parallelismus erweist sich als
Bauprinzip dieser Ballade: [293] Er wird wirksam im Zeilenstil des Gedichts d. h. der fast durchgängigen Kongruenz von Satz- und Versende,
in dem stereotyp wiederholten Strophenbeginn („Die Männer von Fort
Donald — hohé!") und dem streng anaphorischen Bau des Refrains:

Und der Morgen kommt nie, sagten sie
Und wir versaufen vor der Früh, sagten sie

der jeweils den Aussagen der Männer vorbehalten ist. Dialog, Zeilenstil und der Wechsel zwischen Strophe und Refrain dürften auf das
Vorbild KIPLINGS zurückzuführen sein, dessen Einfluß auf die ebenfalls
stark dialogisch geprägte „Ballade von dem Soldaten" RIHA [294] nachgewiesen hat.

---

[292] Brecht, Hauspostille, S. 82 f.
[293] Vergl. Schuhmann, Der Lyriker Bertolt Brecht, S. 28 f.
[294] „Brecht potenziert die Möglichkeiten der Dialogballade, die er über Kipling
spontan wiederfindet ..." — Karl Riha, Moritat. Song. Bänkelsang. Die moderne
Ballade, Göttingen 1965, S. 106.

Die neuartige Szenerie der Ballade im amerikanischen Ohio und ein vergleichsweise moderner Typus ihrer Gestalten, zu denen Brecht anmerkte: „Die Männer vom Fort Donald ... gehörten zu Eisenbahntrupps, welche quer durch die Wildnis der Rocky Mountains die ersten Schienen legten" [295] —, veranlaßten SCHUHMANN zu der Deutung, daß Brecht es mit seiner „Pionierballade" auf die Darstellung eines neuen „Heldentums" abgesehen habe, dem in der „ungebändigten Natur ein neuer, großer Partner erwachse": „Der Aufbruch in den fernen Kontinent war nicht weniger als die Kriegslyrik eine rastlose Suche nach Gelegenheiten, den Menschen in seiner Größe zu zeigen ... Das Heldentum seiner Gestalten sollte nun an der Monumentalität ihrer Taten und an der Heroik ihres Untergangs gemessen werden." [296] *Schuhmann* übersah, daß von der „Monumentalität ihrer Taten" nur sehr verhalten und indirekt in der Schlußstrophe des Gedichts die Rede ist, dagegen von allem Anfang von ihrem gar nicht „heroischen" Untergang in den Regenfluten einer „seelenlosen" Wildnis, auf den hin die Balladenhandlung angelegt ist. Wichtiger als die Szenerie der Wälder und Seen Ohios erweist sich dabei das Übermächtigtwerden der Männer durch die überdimensional gesteigerte Vegetativkraft einer „seelenlosen" Wildnis, für die das leitmotivisch wiederholte Verbum „wachsen" bezeichnend ist:

Aber eines Tages ging Regen nieder und der Wald w u c h s um sie
zum See.
denn es ward dunkel und der Abend w u c h s aus dem plätschernden
See.
Denn Schlaf w u c h s aus Wasser und Nacht, und sie waren voll Furcht
wie Vieh.
Und das nasse Ohio w u c h s unten und oben w u c h s Regen und
Wind.

Bernhard BLUME hat in seinem Aufsatz „*Motive der frühen Lyrik Brechts*" darauf aufmerksam gemacht, daß dieses „Wachsen" nichts mehr mit dem „organischen Werden" der klassischen Natur- und Weltauffassung zu tun habe, sondern zur Metapher für die „Katastrophenhaftigkeit" menschlicher Existenz werde: „Brechts Natur wächst bösartig um sich fressend wie ein Krebsgeschwür. Die ‚Naturkatastrophe' dient als Bild des kata-

---

[295] Brecht, *Hauspostille, Anleitung*, S. 11.
[296] Schuhmann, *Der Lyriker Bertolt Brecht*, S. 28.

114

strophischen Charakters der menschlichen Existenz." [297] Im Unterschied zu Blume möchten wir aber in dieser bedrohlich gesteigerten Vegetativkraft der Natur weniger eine Metapher für den „katastrophischen Charakter der menschlichen Existenz" erkennen als die metaphorische Umschreibung für die Überantwortung menschlicher Existenz an den rein materiellen Charakter der Natur. Denn das gleiche Phänomen eines exzessiven Wachstums der Natur begegnet in Brechts „Ballade von den Cortez Leuten" (1919) [298], die von einer tropisch wuchernden Wildnis buchstäblich aufgefressen werden. HINCK hat in seiner Interpretation der Ballade mit Recht darauf aufmerksam gemacht, daß „die Natur in der „Ballade von den Cortez Leuten" ausschließlich in ihrer ,natürlichen' Beschaffenheit gesehen (werde): in ihrer reinen vegetativen Kraft. Mit deskriptivem Realismus wird man solche Blick- und Darstellungsweise nicht verwechseln." [299] Statt dessen wird hier wie im „Lied der Eisenbahntruppe von Fort Donald" eine metaphorische Darstellungsweise der Natur erkennbar, die auf die Überantwortung des Menschen an den materiellen Charakter der Natur verweist. Ihr entspricht anderenorts die substantielle Auflösung des Menschen ins amorph Vegetative und Animalische, nachdem er seiner transzendenten Bestimmung verlustig gegangen ist.

Es liefe diesen Voraussetzungen des Gedichts strikt zuwider, das Überwältigtwerden der Männer von einer gleichsam vegetativ anschwellenden Regenflut „heroisch" zu verstehen. Vielmehr zeigen ihre Reaktionen im jeweiligen Refrain der Balladenstrophen Mutlosigkeit („Und der Morgen kommt nie, sagten sie"), Müdigkeit („Und wir sind schon müd, sagten sie") und ausgesprochen animalische Furcht („Und sie waren voll Furcht wie Vieh"), die sie mit einem „Song" zu übertäuben versuchen.

An dieser Stelle scheint ein Rückgriff auf die weniger amerikanisierte erste Fassung der Ballade geboten, die im Refrain der vierten und fünften Strophe statt des „Songs": „Oh, wo ist mein Johnny zur Nacht" den „Chor": „Näher, mein Gott, zu dir" aufweist, so daß hier der Umschlag von animalischer Todesfurcht in die transzendente Hoffnung der ausgesetzten Kreatur Mensch deutlich zum Ausdruck kommt:

[297] Blume, *Motive der frühen Lyrik Brechts: II,* S. 110.
[298] Brecht, *Hauspostille,* S. 84—86.
[299] Hinck, *Die deutsche Ballade von Bürger bis Brecht,* S. 124 f.

Die Männer vom Fort Donald — hohé!
Tappten im dunklen Wasser Ohios wie Maulwürfe, blind,
Aber sie sangen so laut, als ob ihnen ein herrliches
    Wunder geschah.
Ja, so wild aus heiseren Kehlen, so groß, so
sangen sie nie.
Näher, mein Gott, zur dir, sangen sie.
Näher zu dir, sangen sie.
Und der See wuchs drunten, und oben wuchs
Regen und Wind.

Die Männer vom Fort Donald — hohé!
Sangen voll Hoffnung, wie zitternden Winds
    im Dunkel ein Kind.
Aber der See stieg schwarz in den Stämmen, und
    lauter als sie noch der Sturmwind schrie:
Sonne und Heimat, Mutter und Kinder, ade!
Näher, mein Gott, zu dir, sangen sie.
O, wir ertrinken, ächzten sie.
Bis die Wasser weiterwachten für sie und ihr Lied
    sang weiter am Morgen der Wind. [300]

Erst auf dem Hintergrund der vergeblichen, transzendenten Hoffnung
(„O, wir ertrinken, ächzten sie") wird die Ausgesetztheit der Männer
in eine Welt ohne Gott evident, und enthüllt sich nun im nachhinein,
weshalb dieser Natur so gesteigert Vegetatives und dem Sterben der
Männer derart befremdlich Animalisches anhaftet.

c) Existentielle Erfahrung des Todes

Daß es immer wieder die Erfahrung des Todes ist, die Brecht in
seinen frühen Balladen umkreist, hat bereits SCHUHMANN [301] gesehen,
ohne indessen daraus die Folgerung zu ziehen, daß der Tod als „Grenzsituation" [302] für Brecht zum Anlaß wird, den Menschen in seiner äußer-

[300] Zitiert nach Schuhmann, *Der Lyriker Bertolt Brecht*, S. 27.
[301] ebd. S. 30.
[302] Mit dem Terminus „Grenzsituation" bezeichnet die Existenzphilosophie von Jaspers die konstitutiv zum menschlichen Dasein gehörigen Grenzen wie Tod, Schuld,
Zufall, Kampf etc.: „Sie wandeln sich nicht, sondern nur in ihrer Erscheinung, sie
sind, auf unser Dasein bezogen, endgültig ... Sie sind wie eine Wand, an die
wir stoßen, an der wir scheitern." — Karl Jaspers, *Philosophie, Bd. II*, Berlin 1932,
S. 203.

sten Ausgesetztheit zu zeigen und dabei die spezifisch kreatürlichen Aspekte wie Todesfurcht oder Lebensgier herauszuarbeiten. Neben diesem existentiellen Anliegen kommt der Wahl des äußeren Lokals eine eher zufällige Bedeutung zu, wie auch die Entstehungsgeschichte der Ballade „Der Tod im Wald" [303] zeigt, die in den verschiedenen Fassungen des „Baal" von 1918, 1919, und 1922 räumlich noch nicht fixiert war, während erst die ‚Hauspostillen'-Fassung „Vom Tod im Wald" [304] die Szenerie der Ballade in den „Hathourywald" am „Mississippi" transponiert:

Und ein Mann starb im ewigen Wald,
wo ihn Sturm und Strom umbrauste.
Starb wie ein Tier im Wurzelwerk verkrallt,
Starrte hoch in die Wipfel wo ü b e r dem Wald
Sturm seit Tagen über alles sauste.

Und es standen einige um ihn
und sie sagten, daß er stiller werde:
Komm wir tragen dich nach Haus, Gefährte!
Aber er stieß sie mit seinen Knieen
spuckte aus und sagte: Und wohin?
Denn er hatte weder Kind noch Erde.

„Morsch sind dir die Zähne im Maul.
Willst du nackt in ewiger Heide lungern?
Morsch sind Kleider, Hirn und Knochen, leer der Sack und
tot der Gaul.
Stirb ein wenig still — du bist schon faul.
Warum willst du immer hungern?"

Und der Wald war laut um ihn und sie.
Und sie sahn wie er zum Himmel schrie.
Und sie sahn ihn sich am Baume halten.
Und es graute ihnen so wie nie,
daß sie zitternd ihre Fäuste ballten.
Denn es war ein Mann wie sie. [305]

---

[303] „Der Tod im Wald": Erste und zweite Fassung in: Bertolt Brecht. Baal. Drei Fassungen, S. 63 f, S. 135—137; dritte Fassung in: Brecht, Ges. Werke, Bd. I, S. 56 f.
[304] „Vom Tod im Wald": Brecht, Hauspostille, S. 79—81.
[305] Brecht. Baal. Drei Fassungen, S. 135 f., Str. 1—4.

Weitaus stärker noch als im „Lied der Eisenbahntruppe" akzentuiert Brecht in seiner Ballade „*Der Tod im Wald*", die endliche Verlassenheit im Sterben des unbekannten Mannes, die jede transzendente oder mitmenschliche Hilfe ausschließt. Aber während das Sterben der Männer der Eisenbahntruppe vornehmlich durch den Zug der Todesfurcht bestimmt war, erweist sich hier das animalische Aufbäumen der Lebensgier als zentraler Aspekt des Sterbens. Er wird insbesondere im Dialog der Männer mit dem Sterbenden deutlich, die diesen letzten Ausbruch von Lebensgier in der schon vom Verfall gezeichneten Kreatur nur mit „Ekel" und „Haß" zu begegnen vermögen:

> Unnütz bist du, räudig, toll, du Tier.
> Eiter bist du, Dreck du, Lumpenhaufen!
> Luft schnappst du uns weg und nur aus Gier."
> Sagten sie. Und er, er, das Geschwür:
> „Leben will ich! Eure Sonne schnaufen!
> Und im Lichte reiten so wie ihr.
>
> Das war etwas was kein Freund verstand
> daß sie, zitternd vor dem Ekel, schwiegen.
> Ihm hielt Erde seine nackte Hand
> Und von Meer zu Meer im Wind liegt Land
> „und ich muß hier unten stille liegen."
>
> Ja des armen Lebens Übermaß
> hielt ihn so, daß er auch noch sein Aas
> seinen Leichnam in die Erde preßte:
> In der frühen Dämmrung fiel er tot ins dunkle Gras.
> Voll von Ekel gruben sie ihn, voll von Haß
> in des Baumes dunkelstes Geäste. [306]

Ein Blick auf die Entwicklungsgeschichte der fünften Strophe in den verschiedenen Fassungen des Gedichts von 1918 bis zur ,Hauspostille' läßt den Prozeß einer zunehmenden Intensivierung und Profilierung des Motivs der Lebensgier erkennbar werden, mit dem Brecht im Sterben des Mannes „des armen Lebens Übermaß" darzustellen suchte:

---

[306] *Brecht. Baal. Drei Fassungen*, S. 136, Str. 5—7.

„Unnütz bist du und wild wie ein Tier.
Eiter bist Du, Dreck Du, Lumpenhaufen!
Sonne frißt du weg in eckler Gier."
„Hol der Teufel alle Sünde. Oh trotz Hunger und Geschwür:
Leben will ich! Eure Sonne schnaufen!" [307]

„Unnütz bist du, räudig, toll du Tier.
Eiter bist du, Dreck du, Lumpenhaufen!
Luft schnappst du uns weg und nur aus Gier."
Sagten sie. Und er, er, das Geschwür:
„Leben will ich! Eure Sonne schnaufen!
Und im Lichte reiten so wie ihr!" [308]

„Du benimmst dich schäbig wie ein Tier!
Sei ein Gentleman, kein Elendshaufen!
Ja, was ist denn das mit dir?
Und er sah sie an, kaputt vor Gier:
Leben will ich! Essen! Faul sein! Schnaufen!
Und im Wind fortreiten so wie ihr! [309]

Gegenüber dieser existentiellen Härte in der Darstellung des Sterbens und der Lebensgier wirkt der Schluß der Ballade eher romantisierend. Auch wenn der phosphoreszierende Baum in der letzten Strophe des Gedichts auf die „Zurücknahme des Menschen in den Schoß der Natur" und einen geschlossenen materiellen „Kreislauf" deutet, wie SCHUHMANN [310] annimmt, wäre mit dieser naturhaften Transzendenz eine wenig überzeugende Mystifizierung des Todes angestrebt:

Und sie ritten stumm aus dem Dickicht.
Spähten um noch einmal aus der Weite
Fanden auch den Grabbaum drüben
und sie wunderten sich beide.
D e r   B a u m   w a r   o b e n   v o l l   L i c h t.
Und sie bekreuzten ihr junges Gesicht
und sie ritten in Sonne und Heide. [311]

[307] ebd. S. 64, Str. 5.
[308] ebd. S. 136, Str. 5.
[309] Brecht, *Hauspostille*, S. 80, Str. 5.
[310] Schuhmann, *Der Lyriker Bertolt Brecht*, S. 32.
[311] *Brecht. Baal. Drei Fassungen*, S. 137, Str. 8.

Wie die vorangegangenen Interpretationen zu verdeutlichen suchten, sind die frühen Balladen Brechts bei unterschiedlichen Stoffen, Motiven und Schauplätzen um eine thematische Mitte zentriert, von der aus sie als Metaphern für die Ausgesetztheit des Menschen in eine Welt ohne Gott erscheinen. Während die *„Legende der Dirny Evlyn Roe"* diese existentielle Grundsituation paradigmatisch als Anti-Legende zur Darstellung bringt, zeigen das *„Lied der Eisenbahntruppe"* und die Ballade *„Der Tod im Wald"* den Menschen in der Grenzsituation des Sterbens, von Gott und der Mitwelt verlassen. Weitab von jeder heroischen Geste betont Brecht dabei die kreatürlichen Aspekte der Todesfurcht und Lebensgier mit einer Nachdrücklichkeit, neben der Szenerie und äußere Balladenhandlung als eher vordergründig erscheinen.

Wahrscheinlich war es dieses Mißverhältnis zwischen einer auf äußere Handlung angelegten, konventionellen Balladenform und einem auf die Existenz des Menschen gerichteten Gehalt, das Brecht schon bald dazu führte, die durchgehende Handlung seiner Balladen zugunsten andersartiger Strukturen aufzugeben. Denn während seine frühesten Balladen noch durchaus auf dem Dialog und einer kontinuierlichen Handlung aufbauen, die teils an älteren Formen der Volksballade, teils an der Balladenform KIPLINGS orientiert erscheinen, rückt mit den Abenteuer- und Schiffsballaden ein neuer Balladentypus ins Blickfeld, der eher auf das literarische Vorbild RIMBAUDS zurückweisen dürfte.

2) EXISTENTIELLE STANDORTBESTIMMUNG. BRECHTS SCHIFFSBALLADEN ALS METAPHERN DES UNTERGANGS 1917—1920

Mit den zwischen 1917 und 1920 entstandenen Schiffsballaden Brechts — ‚Ballade von den Abenteurern' (1917) [312], ‚Ballade von den Seeräubern' (1918) [313], ‚Das Schiff' (1919) [314] und ‚Ballade auf vielen Schiffen' (1920) [315] — beginnt eine neue Phase im Balladenwerk des Dichters. Sie dokumentiert sich durch die Gruppierung der genannten Gedichte um das an RIMBAUDS ‚Le Bateau ivre' orientierte Schiffsmotiv, durch die

---

[312] Brecht, *Hauspostille*, S. 75. Entstehungsdatum 1917 nach dem *Bestandsverzeichnis des literarischen Nachlasses*, S. 22, Nr. 5106.

[313] Brecht, *Hauspostille*, S. 87—93. Entstehungsdatum 1918 nach dem *Bestandsverzeichnis des lit. Nachlasses*, S. 23, Nr. 5112.

[314] Brecht, *Hauspostille*, S. 25 f. Entstehung 1919 nach Elisabeth Hauptmann.

[315] Brecht, *Hauspostille*, S. 76—79. Entstehung 1920 nach dem *Bestandsverzeichnis des lit. Nachlasses*, S. 14, Nr. 5034.

Darstellung eines neuartigen Menschentypus des gesellschaftlichen Außenseiters und durch die Reduzierung der konventionellen Balladenhandlung auf einen Handlungsrahmen von Ausfahrt und Untergang, dessen wiederholte Struktur auf das zentrale Thema des Untergangs in den Schiffsballaden aufmerksam macht.

Daß Schiffsmotiv und Untergangsthematik indessen nicht im vordergründigen Sinne als äußere Handlungsmomente mißverstanden werden dürfen, sondern als durchgeführte Metaphern den Weltzustand des Menschen in seiner existentiellen Ausgesetztheit umschreiben, verdeutlicht ihr Bezug zur Nihilismusproblematik. Fast alle Gedichte der ,Hauspostille' lassen sich auf dem Hintergrund der eingangs skizzierten Entwicklung Brechts zum Nihilismus verstehen; aber nirgends wird dieser Bezug so offenkundig wie in der Folge der um das Schiffsmotiv zentrierten Balladen Brechts, in denen Schiffbruch und Untergang die existentielle Situation des Menschen nach dem Verlust seiner transzendenten Orientierung chiffrieren. Damit werden die Schiffsballaden zu durchgeführten Metaphern des Untergangs, die den existentiellen Standort ihres Dichters genau zu fixieren suchen. Vergleicht man diese Standortbestimmungen mit den eingangs aufgezeigten Positionen in der Entwicklung Brechts zum Nihilismus, so ergeben sich hier sehr deutliche Korrespondenzen.

a) Brechts Ballade „Das Schiff" und Rimbauds ,Le Bateau ivre"

Historisch gesehen, steht die Schiffsmotivik in den Gedichten „Das Schiff", „Ballade von den Seeräubern" und „Ballade auf vielen Schiffen" in der Nachfolge von RIMBAUDS „Le Bateau ivre". [316] Für Brechts Gedicht „Das Schiff" aus dem Jahr 1919 haben GRIMM [317] und STEFFENSEN [318] nachgewiesen, daß Brecht hier sogar die gleiche poetische Darbietungsform verwendet habe wie Rimbaud, nämlich die „absolute Metapher" [319]. Sie bedeutet Identität von Schiff und symbolisiertem

---

[316] „Die ,Hauspostille' läßt namentlich den Einfluß des ,Bateau ivre' erkennen: mindestens dreimal, in den Gedichten ,Das Schiff', ,Ballade auf vielen Schiffen' und ,Vom ertrunkenen Mädchen' wandelt Brecht dieses Motiv ab." — Reinhold Grimm, Werk und Wirkung des Übersetzers Karl Klammer, Neophilologus 44, 1960, S. 30.

[317] ebd.

[318] Steffen Steffensen, Brecht und Rimbaud. Zu den Gedichten des jungen Brecht, Zeitschrift f. dt. Philologie 84 (Sonderheft), S. 87.

[319] „Dem kommt die dichterische Technik zugute, die den Text (,Bateau ivre') durchweg als absolute Metapher anlegt, nur vom Schiff, nie vom symbolisierten Ich redet." — Friedrich, Die Struktur der modernen Lyrik, S. 55.

Ich, derart, daß Brecht und Rimbaud ihre Aussagen in der Form eines Rollenmonologs zur Darstellung bringen. — Wenn Steffensen in seiner Studie über „Brecht und Rimbaud" darüberhinaus auf eine inhaltliche Übereinstimmung der beiden Gedichte schließt: „In beiden Gedichten symbolisiert das Schiff dasselbe, den einsamen Havarierten, Verfall und Untergang" und: „Daß das Schiff zuletzt auf den Himmel losfährt bedeutet den Schiffbruch im Grenzenlosen"[320] —, so ist das eine unzulässige Vereinfachung, die den verschiedenen Stellenwert der in Frage stehenden Motive in der Gesamtstruktur der beiden Gedichte unberücksichtigt läßt. — Demgegenüber soll hier versucht werden, die besondere Ausprägung der Untergangsthematik in Brechts Gedicht „Das Schiff" aufgrund eines Vergleichs mit RIMBAUDS „Bateau ivre" zu erschließen, der sich zunächst auf die Einzelmotive und dann auf die Gesamtstruktur der beiden Gedichte richten wird. Dem Vergleich zugrunde gelegt werden kann nicht die Originaldichtung RIMBAUDS, sondern die Brecht bekannte und nachweislich von ihm benutzte Nachdichtung Rimbauds durch Karl KLAMMER[321], auf die Reinhold Grimm[322] verwiesen hat.

Das zentrale Motiv des herrenlos treibenden Schiffs und den charakteristischen Zug des passiven Sich-treiben-Lassens hat Brecht zweifellos von RIMBAUD übernommen, während er das Motiv der Orientierungslosigkeit pointierter als dieser an den Anfang seines Gedichts stellt:

Rimbaud:

Da scherte ich weiter mich nicht um die Waren:
englische Wolle und flämische Saat,
ließ Schiffszieher samt allem Rummel fahren
und vom Strome mich treiben, wo ich wollte grad.

Ich trieb im wütenden Gebrüll der Wogen,
taub wie ein Kindergehirn, wie der Winter kalt,
zehn Nächte lang. Über alle Halbinseln zogen
Sturzgischte von niegesehner Gewalt.[323]

---

[320] Steffensen, Brecht und Rimbaud, S. 87 f.
[321] *Arthur Rimbaud. Leben und Dichtung*, übertr. von K. L. Ammer, 2. Aufl. Leipzig 19921.
[322] Grimm, *Werk und Wirkung des Übersetzers Karl Klammer*, a.a.O.
[323] *Arthur Rimbaud*, S. 184, Str. 2/3.

Brecht:

Durch die klaren Wasser schwimmend vieler Meere
Löst' ich schaukelnd mich von Ziel und Schwere
Mit den Haien ziehend unter rotem Mond.
Seit mein Holz fault und die Segel schlissen
Seit die Seile modern, die am Strand mich rissen
Ist entfernter mir und bleicher auch mein Horizont. [324]

Auch das Motiv des Untergangs stammt aus „Le Bateau ivre". Aber während der Untergang bei Rimbaud zunächst nur den Beginn der Ausfahrt in imaginäre Länder eröffnet und sich erst am Schluß des Gedichts zum „Schiffbruch im Grenzenlosen" steigert („Gehe in Splitter,/ schwankender Kiel! Ich sterbe gern den Wellentod!") [325], wird er bei Brecht von der zweiten Strophe des Gedichts an thematisch, derart, daß es hier keine Ausfahrt ins Imaginäre mehr gibt, sondern nur noch die mit dem Untergang verbundenen Verwandlungen des Schiffs zum Wrack:

Rimbaud:

Nun war ich ganz im Gedichte des Meeres versunken,
in dessen Tiefe das Leuchten der Sterne glimmt,
und habe die grünen Azure in mich getrunken,
auf denen in seliger Fahrt manch Ertrunkener schwimmt. [326]

Brecht:

Und seit jener hinblich und mich diesen
Wassern die entfernten Himmel ließen
Fühl ich tief, daß ich vergehen soll.
Seit ich wußte, ohne mich zu wehren
Daß ich untergehen soll in diesen Meeren
Ließ ich mich den Wassern ohne Groll. [327]

Die engste Parallele zwischen Brecht und Rimbaud ergibt sich in bezug auf das Inselmotiv, das bei beiden als Metapher für die Dekomposition des Schiffs fungiert. Da diese Übereinstimmung nicht nur das Motiv als solches betrifft, sondern die Übernahme gleicher Formulierungen

[324] Brecht, *Hauspostille*, S. 25, Str. 1.
[325] *Arthur Rimbaud*, S. 187, Str. 23, V. 3/4.
[326] ebd. S. 194, Str. 6.
[327] Brecht, *Hauspostille*, S. 25, Str. 2.

erkennen läßt, wird hier der Einfluß der KLAMMERSCHEN Rimbaud-Übertragung auf Brecht evident. Der Beginn der fünften Strophe aus Brechts Gedicht „Das Schiff":

Möw' und Algen war ich Ruhestätte [327a]

ist fast wörtlich der siebzehnten Strophe der Klammerschen Übertragung entnommen:

... war Ruhestätte
blondäugiger Vögel Mist und Gezank. [328]

Überhaupt scheint die siebzehnte Strophe des „Trunkenen Schiffs" mit der Ausprägung des Inselmotivs und den Bildern der Dekomposition und Verwesung die Konzeption von Brechts Ballade „Das Schiff" wesentlich angeregt zu haben, wobei wieder auf den entscheidenden Unterschied aufmerksam zu machen wäre, daß die Bilder der Verwesung bei RIMBAUD eher zufällig sind, während sie bei Brecht auf das zentrale Thema des Untergangs bezogen sind und deshalb in der Schlußstrophe noch einmal gebündelt erscheinen:

Rimbaud:

Wie eine Insel; war Ruhestätte
blondäugiger Vögel Mist und Gezank
und schaukelte, wenn durch meine Alpenkette
ein Leichnam zu verborgenem Schlafe sank. [329]

Brecht:

Eine Insel? Ein verkommnes Floß?
Etwas fuhr, schimmernd von Mövenkoten
Voll von Alge, Wasser, Mond und Totem
Stumm und dick auf den erbleichten Himmel los. [330]

Obwohl Brecht von Rimbaud einige zentrale Bilder und Motive übernimmt, von denen das Schiffsmotiv, das Untergangsmotiv und das Inselmotiv als die wichtigsten herausgestellt worden sind, ist die Gesamt-

---

[327a] Brecht, Hauspostille, S. 26, Str. 5, V. 1.
[328] Arthur Rimbaud, S. 186, Str. 17, V. 1/2.
[329] ebd. Str. 17.
[330] Brecht, Hauspostille, S. 26, Str. 5.

konzeption bei beiden durchaus verschieden. Bei RIMBAUD handelt es sich um den Ausbruch des Schiffs aus der Enge der europäischen Zivilisation in die Weite einer exotischen Welt, die sprachlich ins Überdimensionale und Irreale gesteigert erscheint und als Grenzerfahrung des „Unbekannten" [331] hymnisch bejaht wird. Der Schiffbruch erfolgt erst am Ende der Aufbruchbewegung, als dem Schiff die Enge Europas wiederum bewußt wird. Hugo FRIEDRICH hat versucht, Rimbauds „Bateau ivre" von seinem Bewegungsgefüge her zu deuten und dieses mit den drei Akten „Abstoßung und Revolte", „Ausbruch ins Überdimensionale" und „Absinken in die Ruhe der Vernichtung" umschrieben. [332] Demgegenüber fehlen in Brechts Gedicht „Das Schiff" sowohl die Akte der „Abstoßung und Revolte" als auch der „Ausbruch ins Überdimensionale", während die Bewegung auf den Untergang zu von Anbeginn dominierend ist, so daß ihr thematische Bedeutung zugesprochen werden muß. Erst die Schlußstrophe bringt als überraschende Gegenbewegung das Moment der Revolte ins Spiel, dem hier aber eine völlig andere Bedeutung zukommt als bei Rimbaud, wie die folgende Interpretation der Brechtschen Ballade erweisen wird.

b) Transzendente Orientierungslosigkeit und Untergang

Durch die klaren Wasser schwimmend vieler Meere
Löst ich schaukelnd mich von Ziel und Schwere
Mit den Haien ziehend unter rotem Mond.
Seit mein Holz fault und die Segel schlissen
Seit die Seile modern, die am Strand mich rissen
Ist entfernter mir und bleicher auch mein Horizont.

Und seit jener hinblich und mich diesen
Wassern die entfernten Himmel ließen
Fühl ich tief, daß ich vergehen soll.
Seit ich wußte, ohne mich zu wehren
Daß ich untergehen soll in diesen Meeren
Ließ ich mich den Wassern ohne Groll.

[331] Friedrich, *Die Struktur der modernen Lyrik*, S. 55—57.
[332] ebd. S. 56.

Und die Wasser kamen, und sie schwemmten
Viele Tiere in mich, und in fremden
Wänden freundeten sich Tier und Tier.
Einst fiel Himmel durch die morsche Decke
Und sie kannten sich in jeder Ecke
Und die Haie blieben gut in mir.

Und im vierten Monde schwammen Algen
In mein Holz und grünten in den Balken:
Mein Gesicht ward anders noch einmal.
Grün und wehend in den Eingeweiden
Fuhr ich langsam, ohne viel zu leiden
Schwer mit Mond und Pflanze, Hai und Wal.

Möw' und Algen war ich Ruhestätte
Schuldlos immer, daß ich sie nicht rette.
Wenn ich sinke, bin ich schwer und voll.
Jetzt, im achten Monde, rinnen Wasser
Häufiger in mich. Mein Gesicht wird blasser.
Und ich bitte, daß es enden soll.

Fremde Fischer sagten aus: sie sahen
Ewas nahen, das verschwamm beim Nahen.
Eine Insel? Ein verkommnes Floß?
Etwas fuhr, schimmernd von Mövenkoten
Voll von Alge, Wasser, Mond und Totem
Stumm und dick auf den erbleichten Himmel los. [333]

Die sechszeilige Strophenform, die Brecht in seiner Ballade „*Das Schiff*"
verwendet, fällt durch die Symmetrie ihrer Reimbindungen und den
regelmäßigen Fluß der fünf- bis siebenhebigen Trochäen auf. Ohne
Widerstand gleiten die Verse im Enjambement zweimal über die weib-
lich-vollen Reimbindungen hinaus und kommen erst in der Strophenmitte
an dem männlich-stumpfen Schweifreim zum Stillstand. Die Strophe erhält dadurch eine Zentrierung wie um eine Mittelachse.

Dieser in sich kreisenden Versbewegung entspricht es, daß die äußere
Balladenhandlung nur sehr schwach ausgeprägt ist, es sei denn, man
wollte die Akzentuierung des Handlungsrahmens von Ausfahrt und

[333] Brecht, *Hauspostille*, S. 25 f.

Untergang, sowie die allmähliche Dekomposition des Schiffs zum Wrack, von der im Mittelteil die Rede ist, noch als „Handlung" verstehen. Ein ähnliches Zurücktreten der äußeren Handlung zugunsten der Struktur von Ausfahrt und Untergang läßt sich bereits in RIMBAUDS „Bateau ivre" beobachten, hat aber dort andere Ursachen. Während bei Rimbaud die Dynamik der äußeren Handlung hinter die Vision zurücktreten muß, erweist sich bei Brecht jede Bewegung des sehr verhaltenen und stilisierten Handlungsablaufs als chiffrierte Aussage innerhalb eines metaphorischen Zusammenhangs, welcher der Auflösung bedarf.

Das Motiv des Ausbruchs, das für den Anfang des „Bateau ivre" bezeichnend ist, wird in Brechts Gedicht ungleich verhaltener ausgesprochen. Der zweite Vers der ersten Strophe „Löst ich schaukelnd mich von Ziel und Schwere" läßt die Revolte RIMBAUDS kaum noch erkennen. Und wenn der Verzicht auf „Schwere" den Rimbaudschen Zug variiert, daß das Schiff sich seiner Ladung entledigt, so tritt mit seinem „Sich-Lösen" vom „Ziel" das für Brecht bedeutsamere Motiv der Orientierungslosigkeit in den Vordergrund. Zwar wird diese Aussage im dritten Vers wiederum eingeschränkt, wenn das Schiff hier der Schwimmrichtung der „Haie" folgt, aber, wie der Schlußvers verdeutlicht, ist das bereits die Folge der verlorenen Orientierung am „Horizont" der verlassenen Küste. Der Verlust der Orientierung begann mit der Dekomposition des Schiffs, ein Hinweis auf den engen Bezug zwischen Orientierungslosigkeit und Untergang, den die zweite Strophe näher ausführt.

Der Beginn der folgenden Strophe nimmt die gegensätzlichen Bildbereiche von „Horizont" und „Wasser" noch einmal auf, erhellt aber ihre Beziehung durch die Synonymik von „Horizont" („jener") und „Himmel" in einer Weise, daß man jetzt von einer transzendenten Orientierungslosigkeit sprechen kann, die zur Ursache für den Untergang des ihr überantworteten Schiffs wird:

> Und seit jener hinblich und mich diesen
> Wassern die entfernten Himmel ließen
> Fühl ich tief, daß ich vergehen soll.

Analog zu dieser Bedeutungsverschiebung wird damit aber auch das Schiffsmotiv in seiner Funktion als Metapher für die Existenz des dichterischen Ich durchsichtig, wenn hier der Untergang des Schiffs mit den Verben des Fühlens und Denkens umschrieben wird. Durch die wiederholte Akzentuierung des Untergangsbewußtseins:

> Seit ich wußte, ohne mich zu wehren
> Daß ich untergehen soll in diesen Meeren
> Ließ ich mich den Wassern ohne Groll.

erschließt sich der anthropomorphisierte Untergang als thematische Mitte des Gedichts, um die (anders als bei Rimbaud) der gesamte Motivbereich zentriert ist.

Der durch den Verlust der transzendenten Orientierung veranlaßte Untergang wird in der dritten und vierten Strophe des Gedichts durch eine Anreicherung des Schiffs mit animalischem und vegetativem Leben sinnfällig gemacht. So wie das das Schiff sich den „Wassern ohne Groll" überlassen hatte, überläßt es sich jetzt den eingeschwemmten „Tieren" und „Algen". Es scheint, als ob mit den „sich freundenden Tieren" und den „gut bleibenden Haien" eine Reminiszenz an die biblische Arche Noah suggeriert werden soll. Aber nicht darauf kommt es hier letztlich an, sondern auf die mit der Dekomposition und der Aufnahme von animalischem und vegetativem Leben gegebene Verwandlung des Schiffs, die in der vierten Strophe besonders deutlich wird:

> Und im vierten Monde schwammen Algen
> In mein Holz und grünten in den Balken:
> Mein Gesicht ward anders noch einmal.
> Grün und wehend in den Eingeweiden
> Fuhr ich langsam, ohne viel zu leiden
> Schwer mit Mond und Pflanze, Hai und Wal.

Wiederum macht hier die Wendung „mein Gesicht" den metaphorischen Bezug zwischen Schiffsmotiv und lyrischem Ich so durchsichtig, daß nach der Bedeutung der vegetativ-animalischen Verwandlung für das Ich gefragt werden muß. Offenbar ist dieses Ich, nachdem es seiner transzendenten Orientierung verlustig gegangen und seinem Untergang überantwortet ist, auf die materielle Basis seiner Existenz zurückgeworfen. Es bestimmt sich selbst nicht mehr religiös, humanistisch oder idealistisch als Ebenbild Gottes oder absolute Person, sondern als sterbliche Kreatur, die den gleichen Lebensbedingungen ausgesetzt ist wie die Pflanzen und Tiere. — Da es diesen nichts voraus hat, vermag es ihnen auch nicht zu helfen, wie der Beginn der fünften Strophe ausführt.

> Möw' und Algen ward ich Ruhestätte
> Schuldlos immer, daß ich sie nicht rette.
> Wenn ich sinke, bin ich schwer und voll.

Denn sowenig es für das Ich noch eine Rettung im heilsgeschichtlichen Sinne gibt, sowenig vermag es die Kreaturen zu „retten" wie einst Noah die Tiere seiner Arche. Es ist „schuldlos" beladen nicht nur mit ihrem Leben („Schwer mit Mond und Pflanze, Hai und Wal"), sondern auch mit dem Wissen um ihren endlichen Tod: „Voll von Alge, Wasser, Mond und Totem". Daraus erklärt sich die Bitte, „daß es enden soll", am Schluß der fünten Strophe.

Es ist aber bezeichnend für Brecht, daß die scheinbar passive Hinnahme des Untergangs und das Zurückgeworfensein des Schiffbrüchigen auf die materiellen Bedingtheiten seiner Existenz doch nicht ohne Widerspruch bleiben. Die durch Kursivdruck und den Wechsel der Erzählerperspektive hervorgehobene Schlußstrophe des Gedichts verdeutlich, daß hier ein Umschlag in die Revolte gegen diesen Weltzustand des Schiffs bzw. des dichterischen Ich stattfindet:

> *Fremde Fischer sagten aus: sie sahen*
> *Etwas nahen, das verschwamm beim Nahen.*
> *Eine Insel? Ein verkommnes Floß?*
> *Etwas fuhr, schimmernd von Mövenkoten*
> *Voll von Alge, Wasser, Mond und Totem*
> *Stumm und dick auf den erbleichten Himmel los.*

Wenn man sich vergegenwärtigt, daß sich diese Empörung nicht wie bei RIMBAUD gegen die Fesseln der Realität, sondern gegen die „leere Transzendenz" richtet, die von Anbeginn das Schiff seinem Untergang überlassen hatte, so wird deutlich, daß es sich dabei um die gleiche paradoxe Auflehnung Brechts gegen die Nichtexistenz Gottes handelt wie in der eingangs besprochenen ,Hymne an Gott':

> Viele sagen, du bist nicht und das sei besser so.
> Aber wie kann das nicht sein, das so betrügen kann?
> Wo so viel leben von dir und anders nicht sterben konnten —
> Sag mir, was heißt das dagegen — daß du nicht bist?

Mit einem „Schiffbruch im Grenzenlosen" oder einem „Absinken in die Ruhe der Vernichtung" [334], wie FRIEDRICH den Schluß des *Bateau ivre'* interpretiert hat, hat diese überraschende Geste der Empörung in Brechts Gedicht ,Das Schiff' nichts zu tun. Vielmehr erscheint, von Rimbaud her

---

[334] Friedrich, *Die Struktur der modernen Lyrik*, S. 56.

gesehen, das eigentümliche Bewegungsgefüge des *Bateau ivre'* von „Abstoßung und Revolte" und „Absinken in die Ruhe der Vernichtung" bei Brecht diametral verkehrt: Die Revolte resultiert hier aus dem Untergang. Nimmt man mit Friedrich an, daß bei Rimbaud die „Leidenschaft zum Unbekannten" Ausbruch und Untergang des Schiffs veranlaßt habe [335], so steht dahinter die Hoffnung auf ein wie auch immer geartetes, transzendentes Ziel. Diese Hoffnung existiert für den Dichter der Ballade „Das Schiff" offenbar nicht mehr: Für ihn sind transzendente Orientierungslosigkeit und Untergang die Voraussetzungen der Ausfahrt.

c) Die Struktur von Ausfahrt und Untergang in Brechts Schiffsballaden zwischen 1917 und 1920

Diese Fixierung des existentiellen Standorts bedarf freilich der Modifizierung durch die Entwicklung des Untergangsthemas in der Folge der Schiffsballaden zwischen 1917 und 1920. So lassen sich insbesondere in den vor dem „*Schiff*" entstandenen Gedichten „*Ballade von den Abenteurern*" (1917) und der „*Ballade von den Seeräubern*" (1918) Strukturen der Untergangsthematik beobachten, die zunächst noch eng an Rimbauds „*Le Bateau ivre*" angelehnt erscheinen. Zugleich wird durch die Projizierung des Untergangs auf einen neuen Typus des „Abenteurers" und „Seeräubers" die existentielle Bedeutung dieser Thematik für die Ausgesetztheit des Menschen evident.

Die 1917 entstandene „*Ballade von den Abenteurern*" läßt zwar noch keine Ausprägung des Schiffsmotivs erkennen, bildet aber im Hinblick auf den hier dargestellten Typus des „Abenteurers" mit seiner Rimbaudschen Gespanntheit zwischen Aufbruch und Scheitern eine interessante Vorstufe zu der „*Ballade von den Seeräubern*". Zugleich handelt es sich hier um die erste Ballade Brechts, in der sich die Auflösung der äußeren Balladenhandlung zugunsten der existentiellen Struktur von Aufbruch und Untergang beobachten läßt:

> Von Sonne krank und ganz von Regen zerfressen
> Geraubten Lorbeer im zerrauften Haar
> Hat er seine ganze Jugend, nur nicht ihre Träume vergessen
> Lange das Dach, nie den Himmel, der drüber war.

[335] Friedrich, *Die Struktur der modernen Lyrik*, S. 50.

O ihr, die ihr aus Himmel und Hölle vertrieben
Ihr Mörder, denen viel Leides geschah
Warum seid ihr nicht im Schoß eurer Mütter geblieben
Wo es stille war und man schlief und war da?

Er aber sucht noch in absinthenen Meeren
Wenn ihn schon seine Mutter vergißt
Grinsend und fluchend und zuweilen nicht ohne Zähren
Immer das Land, wo es besser zu leben ist.

Schlendernd durch Höllen und gepeitscht durch Paradiese
Still und grinsend vergehenden Gesichts
Träumt er gelegentlich von einer kleinen Wiese
Mit blauem Himmel drüber und sonst nichts. [336]

Der Beginn des Gedichts gibt mit dem Rückblick auf die „Jugend" des „Abenteurers" zugleich den Grund für seinen Ausbruch an. Denn das, was er bis heute nicht vergessen konnte, „Träume" und „Himmel" waren die Utopieen seines Knabenalters, deretwegen er die bürgerliche Gesichertheit seiner Jugend, das „Dach" des elterlichen Hauses verließ. Ähnlich wie bei RIMBAUD wird hier die „Leidenschaft zum Unbekannten" und die utopische Sehnsucht nach einer nicht näher bestimmten Transzendenz zum Impetus für den Ausbruch.

Diese Transzendenz darf jedoch keineswegs im christlichen Sinne mißverstanden werden. Vielmehr bedeutet der Ausbruch der „Abenteurer" aus der bürgerlichen Welt zugleich den Verlust ihrer religiösen Bindungen („O ihr, die ihr aus Himmel und Hölle vertrieben") und damit ihre existentielle Ausgesetztheit in eine Welt ohne Gott. Angesichts dieser Verlorenheit stellt sich für einen Augenblick die rückwärts gewandte Sehnsucht nach dem Mutterschoß der Präexistenz ein:

Warum seid ihr nicht im Schoß eurer Mütter geblieben
Wo es stille war und man schlief und war da?

In polarem Gegensatz dazu steht der „Abenteurer" in der folgenden Strophe wieder unter dem Impuls seiner vorwärts gewandten Leidenschaft nach dem „Land, wo es besser zu leben ist." Daß diese verzweifelte Suche weniger eine reale Ausfahrt meint als den utopischen Wunschtraum,

---

[336] Brecht, *Hauspostille*, S. 75.

verrät die nach Rimbaud stilisierte Wendung von den „absinthenen Meeren", so wie auch das gesuchte Land nur die Realität einer utopischen Vision hat.

Dementsprechend zeigt der Schluß der Ballade den durch „Höllen und Paradiese" einer künstlichen Rauschwelt „schlendernden" Abenteurer als einen Gescheiterten, wobei die Wendung „vergehenden Gesichts" auf seinen Untergang verweist. Ihr korrespondiert, auch reimtechnisch hervorgehoben, das „nichts" des Schlußverses. — Es ist aber bezeichnend für die Nähe des Gedichts zu Rimbaud, daß dem derart Gescheiterten im Untergang noch einmal die Vision des Anfangs kommt mit dem „Himmel" seiner Kindheit, der ihn damals zum Aufbruch verlockte:

> Schlendend durch Höllen und gepeitscht durch Paradiese
> Still und grinsend vergehenden Gesichts
> Träumt er gelegentlich von einer kleinen Wiese
> Mit blauem Himmel drüber und sonst nichts.

Denn mit einer analogen, sentimentalischen Rückwendung schließt auch Rimbauds „Le Bateau ivre", dem im Scheitern noch einmal die rückwärts gewandte Sehnsucht nach den „Wassern Europas" und der eigenen Kindheit kommt:

> Das Wasser Europas, zu dem es micht zieht, ist ein kalter
> schwarzer Tümpel, wo traurig mit einem Boot,
> ganz kleinem Boot, wie ein Frühlingsfalter,
> ein Kind spielt in duftendem Abendrot. [337]

Die „Balade von den Abenteurern" läßt demnach mit ihrer Struktur von Aufbruch und Untergang sowie ihrem sentimentalischen Zirkelschluß sehr deutlich die strukturelle Nähe zu Rimbauds „Le Bateau ivre" erkennen, auch wenn das Schiffsmotiv und der große Bogen der Ausfahrt hier noch fehlen, die erst in der „Ballade von den Seeräubern" voll ausgebildet sind.

Obwohl das Schiffsmotiv in der 1918 entstandenen „Ballade von den Seeräubern" deutlich ausgeprägt ist, gebraucht es Brecht hier noch nicht in der Form der „absoluten Metapher" zur Umschreibung des Untergangs wie ein Jahr später in der Ballade „Das Schiff", sondern projiziert diesen direkt auf die Mannschaft des Seeräuberschiffs. Der Bezug zu Rim-

---

[337] Arthur Rimbaud, S. 187, Str. 25.

bauds „*Bateau ivre*" wird gleichwohl evident, wenn man sich vergegenwärtigt, daß die den „Ausbruch ins Überdimensionale" bezeichnende Chiffre des „trunkenen Schiffs" auch in Brechts „*Ballade von den Seeräubern*" zum Schlüsselwort wird:

> Von Branntwein toll und Finsternissen!
> Von unerhörten Güssen naß!
> Vom Frost eisweißer Nacht zerrissen!
> Im Mastkorb, von Gesichten blaß!
> Von Sonne nackt gebrannt und krank!
> (Die hatten sie im Winter lieb)
> Aus Hunger, Fieber und Gestank
> Sang alles, was noch übrig blieb:
> > O Himmel, strahlender Azur!
> > Enormer Wind, die Segel bläh!
> > Laßt Wind und Himmel fahren! Nur
> > Laßt uns um Sankt Marie die See! [338]

Sämtliche Erfahrungen der „Seeräuber" erscheinen in der Eingangsstrophe des Gedichts rauschhaft übersteigert. Der Einsatz: „Von Branntwein toll" bildet nur den Auftakt zu einer Folge von physischen und psychischen Grenzzuständen unter extremen Bedingungen der Natur, die sprachlich durch eine Kette von elliptischen Ausrufesätzen, Hyperbeln, Antithesen und Oxymera zur Darstellung gelangen. Aber auch die elementare Ausgesetztheit der „Seeräuber", verdeutlicht durch den extremen Wechsel von Regengüssen, „Frost", „Sonne", Krankheiten und Entbehrungen, wird hier ekstatisch bejaht, denn sie ist Teil des großen Rausches einer Ausfahrt ins Grenzenlose, die der Refrain der „Seeräuber" in jeder Strophe besingt. Dieser Einsatz entspricht strukturell dem Beginn von RIMBAUDS „*Le Bateau ivre*"; nicht umsonst taucht unter den die Erfahrung des Grenzenlosen umschreibenden Substantiven „Himmel", „strahlender Azur", „enormer Wind", „Segel", „See" das Rimbaudsche Schlüsselwort „Azur" an exponierter Stelle auf.

Analog dazu weitet sich im weiteren Verlauf der Ballade das leitmotivisch wiederholte Motiv der Trunkenheit [339] zur anarchischen Hemmungslosigkeit der „Seeräuber" aus, in der das in der „*Ballade von den*

---

[338] Brecht, *Hauspostille*, S. 87, Str. 1.
[339] Brecht, *Hauspostille*, S. 89—91, Str. 5, 6, 8.

Abenteurern" beobachtete, passive Erleiden des Ausgesetztseins umschlägt in einen gesteigerten Aktivismus, der im Zerbrechen jeglicher Ordnung die negativen Möglichkeiten der absoluten Freiheit demonstriert. Zweifellos geht diese Orgie der Hemmungslosigkeiten, die im Mittelteil des Gedichts ohne erkennbaren Handlungszusammenhang nach dem Prinzip liedhafter Strophenreihung zur Darstellung gelangt, weit über RIMBAUDS *„Le Bateau ivre"* hinaus und läßt formal wie inhaltlich bereits an Walter MEHRINGS *„Song-Balladen"* [340] denken, aus denen ein ähnlich provokatives Antibürgertum spricht:

> Sie häufen Seide, schöne Steine
> Und Gold in ihr verfaultes Holz
> Sie sind auf die geraubten Weine
> In ihren wüsten Mägen stolz.
> Um dürren Leib riecht toter Dschunken
> Seide glühbunt nach Prozession
> Doch sie zerstechen sich betrunken
> Im Zank um einen Lampion.
>
> . . .
>
> Sie morden kalt und ohne Hassen
> Was ihnen in die Zähne springt
> Sie würgen Gurgeln so gelassen
> Wie man ein Tau ins Mastwerk schlingt.
> Sie trinken Sprit bei Leichenwachen
> Nachts torkeln trunken sie in See
> Und die, die übrigbleiben, lachen
> Und winken mit der großen Zeh:
>
> . . .
>
> Vor violetten Horizonten
> Still unter bleichem Mond im Eis
> Bei schwarzer Nacht in Frühjahrsmonden

---

[340] Walter Mehring, *Das neue Ketzerbrevier*, Köln/Berlin 1962. — Karl Riha bezeichnet Walter Mehring in den Balladen und Liedern der *„Europäischen Nächte"* (1924) als den „eigentlichen Popularisator der „Songballade" oder des „Balladensongs" ... (Riha, *Moritat. Song. Bänkelsang*, S. 74). — Dennoch läßt sich ein Einfluß von Mehrings Vagabundenpoesie auf Brechts Lyrik entgegen Rihas Meinung nicht annehmen, da die Entstehungsdaten der Brechtschen Schiffsballaden vor dem Entstehungsdatum der *„Europäischen Nächte"* (1924) liegen.

Wo keiner von dem andern weiß
Sie lauern wolfgleich in den Sparren
Und treiben funkeläugig Mord
Und singen um nicht zu erstarren
Wie Kinder trommelnd im Abort:
... [341]

Der fatalistische Untergang des Seeräuberschiffs erscheint wiederum an *Rimbaud* orientiert, denn so wie der von der Ekstase der Trunkenheit getragene „Ausbruch ins Überdimensionale" zu Beginn des Gedichts auf Rimbaud zurückwies, entspricht es durchaus der Struktur des „Bateau ivre", wenn der am Ende der Ausfahrt stehende „Schiffbruch im Grenzenlosen" als letzte Aufgipfelung der universalen Trunkenheit rauschhaft bejaht wird:

Rimbaud:

Brennende Liebe berauschte mich. Gehe in Splitter,
schwankender Kiel! Ich sterbe gern den Wellentod! [342]

Brecht:

Noch einmal schmeißt die letzte Welle
Zum Himmel das verfluchte Schiff
Und da, in ihrer letzten Helle
Erkennen sie das große Riff.
Und ganz zuletzt in höchsten Masten
War es, weil Sturm so gar laut schrie
Als ob sie, die zur Hölle rasten
Noch einmal sangen, laut wie nie:
O Himmel, strahlender Azur!
Enormer Wind, die Segel bläh!
Laßt Wind und Himmel fahren! Nur
Laßt uns um Sankt Marie die See! [343]

Auch dieses Gedicht verlangt wie die „Ballade von den Abenteurern" als existentielle Standortbestimmung Brechts gelesen zu werden, wobei

---

[341] Brecht, *Hauspostille*, S. 89/90, Str. 4, 5, 6.
[342] *Arthur Rimbaud*, S. 187, Str. 23, V. 3/4.
[343] Brecht, *Hauspostille*, S. 93, Str. 11.

die Metapher des Untergangs die Nähe zum Nichts signalisiert. Aber statt des dort beobachteten, passiven Erleidens des Untergangs zeigt die *„Ballade von den Seeräubern"* eine rauschhaft gesteigerte Lebensbejahung, die den Untergang einschließt. Ihr entspricht in Brechts Entwicklung zum Nihilismus der Versuch einer vitalen bzw. ironischen Überwindung dieses Phänomens, wie sich am *„Lied der müden Empörer"* aus dem Jahre 1918 nachweisen ließ.

Während die *„Ballade von den Abenteurern"* und die *„Ballade von den Seeräubern"*, die zeitlich vor der Entstehung des Gedichts *„Das Schiff"* liegen, ihrer Struktur nach deutlich auf Rimbaud zurückweisen, steht die ein Jahr später entstandene *„Ballade auf vielen Schiffen"* (1920) motivlich und strukturell in engerer Verbindung zum *„Schiff"* als zu Rimbauds *„Le Bateau ivre"*. Sehr deutlich nimmt die erste Strophe der Ballade mit dem Schiffsmotiv zugleich die aus dem Gedicht *„Das Schiff"* bekannten Züge der Dekomposition und des Verfalls wiederum auf, die hier wie dort auf das zentrale Thema des Untergangs verweisen:

Brackwasser ist braun, und die alten Schaluppen
Liegen dick und krebsig darin herum.
Mit Laken einst weiß, jetzt wie kotige Hemden
Am verkommenen Mast, der verfault ist und krumm.
Die Wassersucht treibt die verschwammten Leiber
Sie wissen nicht mehr, wie das Segeln tut.
Bei Mondlicht und Wind, Aborte der Möven
Schaukeln sie faul auf der Salzwasserflut. [344]

Trotz dieser offensichtlichen Nähe zu dem Gedicht *„Das Schiff"* behandelt Brecht das Schiffsmotiv nicht mehr wie dort als „absolute Metapher" des Untergangs, sondern projiziert diesen, analog zu der *„Ballade von den Seeräubern"*, direkt auf die Besatzung, so daß der existentielle Bezug zwischen verfallendem Schiff und dem Verfall des Menschen evident wird. Diese Projektion läßt sich hier im einzelnen nachweisen, denn der dargestellte Typus des Desparados treibt nicht nur wie das „Schiff" im Kielwasser der „Haie", eine Chiffre für die Brutalisierung seiner Existenz („Denn er ist nicht alleine gekommen/ Aus dem Himmel nicht,

---

[344] Brecht, *Hauspostille*, S. 76, Str. 1.

Haie hat er dabei!") [345], sondern er erscheint auch wie dort das „Schiff"
bis zum Verlust seines Gesichts enthumanisiert:

> Wer alles verließ sie? Es ziemt nicht zu zählen
> Jedenfalls sind sie fort und ihr Kaufbrief verjährt
> Doch kommt es noch vor, daß einer sich findet
> Der nach nichts mehr fragt und auf ihnen fährt.
> Er hat keinen Hut, er kommt nackt geschwommen
> Er hat kein Gesicht mehr, er hat zuviel Haut!
> Selbst dies Schiff erschauert noch vor seinem Grinsen
> Wenn er von oben seiner Spur im Kielwasser nachschaut. [346]

Wie in der Ballade „Das Schiff" wird auch hier das zentrale Thema
des Untergangs in der fünften Strophe des Gedichts explizit ausgesprochen und wie dort bildet es nicht nur das Ziel, sondern bereits die
Voraussetzung der Ausfahrt. Aber während das „Schiff" sich seinem
Untergang passiv überließ („Seit ich wußte, ohne mich zu wehren,/ Daß
ich untergehen soll in diesen Meeren/ Ließ ich mich den Wassern ohne
Groll."), bejaht ihn der „nach nichts mehr fragende" Desparado aktiver
und zynischer, wenn er selbst sich seinen Untergang vorausbestimmt:

> Oh, während er kreuzt in den Ostpassatwinden
> Liegt er in den Tauen: verfaulend ein Aal
> Und die Haie hören ihn oft einen Song singen
> Und sie sagen: er singt einen Song am Marterpfahl.
> Doch an einem Abend im Monat Oktober
> Nach einem Tage ohne Gesang
> Erscheint er am Heck und sie hören ihn reden
> Und was sagt er? „Morgen ist Untergang." [347]

Darin kündigt sich bereits eine neue Varation des Untergangsthemas
gegenüber dem „Schiff" an, denn wie die die folgenden Strophen der
Ballade verdeutlichen, handelt es sich hier schon nicht mehr um einen
definitiven Untergang, sei es des Schiffs oder seiner Besatzung, sondern
um den Wechsel von einem sinkenden Schiff auf ein neues, das ebenfalls zum Untergang bestimmt ist:

[345] ebd. S. 77, Str. 3, V. 1/2.
[346] ebd. S. 76, Str. 2.
[347] Brecht, Hauspostille, S. 77 f., Str. 5.

Und in folgender Nacht, er liegt in den Tauen
Er liegt und er schläft; denn er ist es gewohnt
Da fühlt er: ein neues Schiff ist gekommen
Und er schaut hinab und da liegt es im Mond.
Und er nimmt sich ein Herz und steigt grinsend hinüber
Er schaut sich nicht um, er kämmt sich sein Haar
Daß er schön ist. Was macht es, daß diese Geliebte
Schlechter als jene Geliebte war?

Ach, er steht noch einige Zeit an der Bordwand
Und schaut, und es ist ihm vergönnt zu schaun
Wie das Schiff jetzt sinkt, das ihm Heimat und Bett war
Und er sieht ein paar Haie zwischen den Tauen ... [348]

Der Untergang wird damit zum permanenten Schiffbruch, der das definitive Scheitern nicht mehr zuläßt, sondern nur noch das „Weiterleben" „auf immer schlechteren Schiffen", eine Metapher für das zwischen Untergangsbewußtsein und Vitalität schwankende Lebensgefühl des jungen Brecht nach dem Verlust der transzendenten Orientierung und der Überantwortung an die materiellen Bedingungen seiner Existenz. Es versteht sich von selbst, daß dieses Lebensgefühl die Revolte nicht mehr zuläßt, sondern nur noch Zynismus und stoischen Gleichmut:

So lebt er weiter, den Wind in den Augen
Auf immer schlechteren Schiffen fort
Auf vielen Schiffen, schon halb im Wasser
Und mondweis wechselt er seinen Abort.
Ohne Hut und nackt und mit eigenen Haien.
Er kennt seine Welt. Er hat sie gesehn.
Er hat eine Lust in sich: zu versaufen
Und er hat eine Lust: nicht unterzugehn. [349]

Diese zynische Bejahung einer sinnlos gewordenen Existenzform, wie sie durch die Metapher des permanenten Schiffbruchs in der *„Ballade auf vielen Schiffen"* gegeben ist, erlaubt den Bezug zur stoischen Phase in der dargestellten Entwicklung Brechts zum Nihilismus. Denn auch in dem diese Entwicklungsstufe dokumentierenden Gedicht *„Die schwarzen*

[348] ebd S. 78, Str. 6, 7.
[349] Brecht, *Hauspostille*, S. 78 f, Str. 8.

Wälder", das im gleichen Jahre — 1920 — entstand wie die *„Ballade auf vielen Schiffen"*, wurde das Nichts einer totalen Sinnlosigkeit des Daseins von den gesellschaftlichen Außenseitern mit stoischem Gleichmut akzeptiert.

Von einer Strukturanalyse der Schiffsballaden Brechts ausgehend, wurde die Reduzierung der äußeren Balladenhandlung auf einen Handlungsrahmen von Ausfahrt und Untergang erkennbar, dem durchaus thematische Bedeutung zugesprochen werden muß. Danach erwiesen sich die das Schiffsmotiv zur Darstellung bringenden Balladen als durchgeführte Metaphern des Untergangs, wobei die historische Herkunft dieses Motivs von RIMBAUD evident wurde. — Aber während die *„Ballade von den Abenteurern"* (1917) und die *„Ballade von den Seeräubern"* (1918) die Struktur von Ausfahrt und Untergang des Rimbaudschen *„Bateau ivre"* noch durchaus erkennen ließen, verlagerte sich in den späteren Balladen *„Das Schiff"* (1919) und *„Ballade auf vielen Schiffen"* (1920) das Gewicht dieser beiden Handlungspole zunehmend auf die Seite des Untergangs, derart, daß der Schiffbruch jetzt zur Voraussetzung der Ausfahrt wurde, und diese kein anderes Ziel erkennen ließ als das Scheitern.

Der Sinn dieser zunehmenden Präponderanz des Untergangsthemas wird deutlich, wenn man sich die Handlungsstruktur von Ausfahrt und Untergang in ihrer überall bei Brecht durchscheinenden, metaphorischen Bedeutung als existentielle Standortbestimmung vergegenwärtigt: Im Idealfall wäre demnach die Ausfahrt bezogen auf ein transzendentes Ziel, zu dem die Schiffsballaden Brechts freilich nur noch im Verhältnis zunehmender Negation stehen. Immerhin war ein solches Ziel in der *„Ballade von den Abenteurern"* noch durchaus erkennbar, wenn auch nur als Utopie, und in der *„Ballade von den Seeräubern"* war das Ziel, analog zu RIMBAUD, in der alle Dimensionen sprengenden Ausfahrt selbst vorhanden. Dagegen stand die Ballade *„Das Schiff"* von Anbeginn im Zeichen einer transzendenten Orientierungslosigkeit, so daß hier Ziel und Untergang zusammenfielen, und in der *„Ballade auf vielen Schiffen"* wurde daraus die Konsequenz eines permanenten Schiffbruchs gezogen.

Brecht hat später versucht, diese existentielle Standortbestimmung der Schiffsballaden in eine soziologische umzudeuten, wenn wir seine 1940 aus dem Rückblick gegebene Analyse der Untergangsthematik in der ‚Hauspostille' hier abschließend mit heranziehen dürfen:

Der Großteil der Gedichte handelt vom Untergang und die Poesie folgt der zugrundegehenden Gesellschaft auf den Grund. Die Schönheit etabliert auf Wracks, die Fetzen werden delikat. Das Erhabene wälzt sich im Staub, die Sinnlosigkeit wird als Befreierin begrüßt. Der Dichter solidarisiert nicht einmal mehr mit sich selbst. Risus mortis. Aber kraftlos ist das nicht. [351]

So berechtigt diese Deutung aus der rückblickenden Perspektive des marxistisch orientierten Dichters scheinen mag; für den jungen Brecht bleibt die Untergangsthematik auf den Hintergrund des Nihilismus bezogen, wie die sehr enge Korrespondenz zwischen der Entfaltung des Untergangsthemas in den Schiffsballaden und der Entwicklung Brechts zum Nihilismus zu verdeutlichen suchte.

d) Auflösung des Menschenbildes. Brechts Ophelia-Gedicht *„Vom ertrunkenen Mädchen"*

Wenn am Schluß des Kapitels über die existentielle Standortbestimmung in den Schiffsballaden das 1920 entstandene Gedicht *„Vom ertrunkenen Mädchen"* in die Betrachtung einbezogen werden soll, so hat das seine Berechtigung in der engen Korrespondenz zwischen diesem lyrischen Gedicht und der Ballade *„Das Schiff"* hinsichtlich des Untergangsthemas. Darüberhinaus wird hier der Bezug zwischen dem Untergangsmotiv und der Auflösung des Menschenbildes evident, der dort durch die Schiffsmetapher noch verhüllt erschien:

Als sie ertrunken war und hinunterschwamm
Von den Bächen in die größeren Flüsse
Schien der Opal des Himmels sehr wundersam
Als ob er die Leiche begütigen müsse.

Tang und Algen hielten sich an ihr ein
So daß sie langsam viel schwerer ward
Kühl die Fische schwammen an ihrem Bein
Pflanzen und Tiere beschwerten noch ihre letzte Fahrt.

Und der Himmel ward abends dunkel wie Rauch
Und hielt nachts mit den Sternen das Licht in Schwebe
Aber früh war er hell, daß es auch
Noch für sie Morgen und Abend gebe.

[351] Brecht, *Über Lyrik*, S. 74.

Als ihr bleicher Leib im Wasser verfaulet war,
Geschah es (sehr langsam), daß Gott sie allmählich vergaß
Erst ihr Gesicht, dann die Hände und ganz zuletzt
    erst ihr Haar.
Dann ward sie Aas in Flüssen mit vielem Aas. [352]

So wie das „Schiff" ist auch die Leiche des „ertrunkenen Mädchens"
dem Wasser ausgesetzt und der Eigenbewegung der Elemente preisge-
geben, ohne daß die Himmelszeichen etwas an ihrem Untergang zu
ändern vermöchten. [353] In beiden Gedichten ist dieser Untergang verbunden mit einer allmählichen Dekomposition, die sich bis ins Detail des
Beschwerens mit „Tang und Algen", „Pflanzen und Tieren" vergleichen
läßt. Differenzierend ließe sich lediglich hinzufügen, daß die den Untergang bezeichnenden Bilder im *Ertrunkenen Mädchen"* konzentrierter
und in ihrer lyrischen Wirkung gesteigerter die Untergangsbewegung
des Gedichts zur Anschauung bringen: Das „Hinunterschwimmen" der
„Leiche" in der ersten Strophe wird intensiviert durch ihr Hinunterge-
zogenwerden in der zweiten, bis nach einem Retardando in der dritten
Strophe am Schluß des Gedichts die Dekomposition der „Leiche" zum
„Aas" erfolgt. [354] — Anders als in der Ballade *„Das Schiff"* wird diese
langsam fallende Bewegung auf den Untergang zu durch keine Geste
der Empörung unterbrochen.

Die Bewegung auf den Untergang zu ist zwar dominierend in dem
Gedicht „Vom ertrunkenen Mädchen", aber sie verläuft nicht gradlinig,
sondern wird kunstvoll retardiert durch das Motiv der kosmischen

---

[352] Brecht, *Hauspostille*, S. 128 .

[353] Diese Parallelität ist bereits von Blume hervorgehoben worden: „Beide Ge-
dichte sind geformt aus denselben drei konstituierenden Elementen: Fluß oder
Meer, es ist dieselbe tödliche Flut; ein verwesendes Mädchen oder verfaulendes
Schiff, es sind dieselben ‚Fahrzeuge' in dieser Flut, dasselbe vergängliche ‚Ich' des
Dichters, seiner Vergänglichkeit bewußt, und über allen, in beiden Gedichten Hori-
zont und Himmel, fern unberührt und unberührbar." — Blume, *Motive der frühen
Lyrik Brechts: I,* S. 104.

[354] Ähnlich sieht Blume die Abwärtsbewegung des Gedichts, obwohl die von ihm
aufgestellte Stufenfolge: Mädchen, Leiche, Aas — konstruiert erscheint: „Es ist eine
Bewegung, die wir als eine Abwärtsbewegung empfinden, ein fortschreitender Prozeß der Deformierung, der sich über drei Stufen abwärts vollzieht: Mädchen, Leiche,
Aas. ... Der Abwärtsbewegung im Reich der Formen entspricht im physischen Bereich
die abwärts fließende Bewegung des Wassers, die im ‚Hinunterschwimmen' angedeutet
ist ..." — Blume, *Motive der frühen Lyrik Brechts: I,* S. 99.

Himmelslichter in der dritten Strophe, die dem Verfall des Mädchens etwas scheinbar so Unvergängliches wie den Wechsel der Tageszeiten entgegensetzen. Tatsächlich aber ist diese Transzendenz des Himmels eine vorgespiegelte und keine reale, wenn bereits in der ersten Strophe des Gedichts der Bezug zwischen dem „Opal des Himmels" und der „Leiche" des Mädchens durch den Konjunktiv irrealis in Frage gestellt wird:

Schien der Opal des Himmels sehr wundersam
Als ob er die Leiche begütigen müsse.

Was in Frage steht, ist genauer die Annahme eines persönlichen Gottes, die hier als scheinhaft enthüllt wird: „Als ob er die Leiche begütigen müsse." — Analog dazu vermag auch das kosmische Lichtschauspiel in der dritten Strophe den Untergang und Verfall des Mädchens nicht *realiter* aufzuhalten oder zu „begütigen", sondern hat nur den Charakter einer Fiktion der Transzendenz, wie sich ähnlich bereits an den Himmelsbildern im „*Himmel der Enttäuschten*" beobachten ließ. [355]

Die Vorspiegelung einer Transzendenz und die Annahme eines persönlichen Gottes werden ihres fiktiven Charakters überführt durch die Zeitadverbien „sehr langsam" und „allmählich" in der Schlußstrophe des Gedichts. Denn die Verse:

Als ihr bleicher Leib im Wasser verfaulet war,
Geschah es (sehr langsam), daß Gott sie allmählich vergaß

bringen deutlich zum Ausdruck, daß das „Vergessen" Gottes der „sehr langsamen", natürlichen Auflösung der Leiche parallel läuft, so daß beide Vorgänge letztlich identisch sind. Die Fiktion eines persönlichen Gottes löst sich damit auf in die materielle Funktion des Verwesungsprozesses.

Von hier aus wird verständlicher, weshalb in Brechts Gedicht von der Person des „ertrunkenen Mädchens" kaum die Rede ist. Wir erfahren weder ihren Namen, die Todesursache noch ihr individuelles Aussehen und ihre Gestalt. Der Dichter spricht in der dritten Person von „ihr" und der „Leiche". Erst nachdem deren Verwesung in der Schlußstrophe bereits konstatiert ist („Als ihr bleicher Leib im Wasser verfaulet war"), werden im Vorgang des „Vergessens" Gottes einzelne Körperteile benannt, die ein menschliches Bild dieses Mädchens näherungsweise ahnen lassen:

---

[355] Vergl. S. 48 f dieser Arbeit.

Geschah es (sehr langsam), daß Gott sie allmählich vergaß
Erst ihr Gesicht, dann die Hände und ganz zuletzt erst ihr Haar.

Mit dem Hervortreten des Menschenbildes aus der Unpersönlichkeit der Wasserleiche im Prozess des „Vergessens" Gottes sind Höhepunkt und Peripetie des Gedichts erreicht; handelt es sich hier doch gleichsam um eine Umkehrung des Schöpfungsvorgangs, eine Zurücknahme der Gestalt schaffenden Kraft des alttestamentarischen Schöpfergottes bis zum „Vergessen" seiner Geschöpfe, eine Metapher, die der Schluß des Gedichts mit der Auflösung der menschlichen Gestalt zum amorphen „Aas" dissonantisch genau bezeichnet.

Die Zurückhaltung, die Brecht in bezug auf eine personenhafte Darstellung des „ertrunkenen Mädchens" übt, erscheint umso auffälliger, wenn man mit den Interpretationen Bernhard BLUMES [356] und Werner KRAFTS [357] annimmt, daß wir es hier mit einer Gestaltung des Ophelia-Motivs zu tun hätten, das in der expressionistischen Lyrik durch die Übersetzungen von RIMBAUDS „Ophélie" durch Alfred WOLFENSTEIN, Paul ZECH und Karl Ludwig AMMER wieder aktuell wurde, und durch Georg HEYMS „Ophelia"-Gedicht aus dem Jahre 1910 eine spezifisch moderne Deutung erfuhr. [358] Aber woher wissen wir überhaupt, daß Brechts zehn Jahre später entstandenes Gedicht „Vom ertrunkenen Mädchen" noch mit Ophelia identisch ist? — Zum Indiz werden die auffällig in Klammern geschlossenen Worte „(sehr langsam)" im zweiten Vers der letzten Strophe, die auf das „sehr langsame" Schwimmen Ophelias in der ersten Strophe von Rimbauds „Ophélie" bzw. deren Übertragung durch Karl Ludwig Ammer zurückweisen:

Sur l'onde calme et noire où dorment les étoiles,
La blanche Ophélie flotte comme un grand lys.
Flotte très lentement, couchée es ses longs voiles . . . [359]

[356] Bernhard Blume, *Das ertrunkene Mädchen: Rimbauds ‚Ophélie und die deutsche Literatur*, GRM, NF. 1954, S. 108—119.
[357] Werner Kraft, *Ophélie*, in: Kraft, *Augenblicke der Dichtung*, München 1964, S. 184—199.
[358] Georg Heym, *Dichtungen und Schriften*, hrsg. v. Karl Ludwig Schneider, Hamburg 1964, Bd. I, S. 160—162.
[359] Arthur Rimbaud, *Poésies complètes*, présenté par Paul Claudel, Editions Gallimard, Paris, 1963, S. 26, I, Str. 1, V. 1—3.

Auf stiller, dunkler Flut, im Widerschein der Sterne,
geschmiegt in ihre Schleier, schwimmt Ophelia bleich,
sehr langsam, einer großen weißen Lilie gleich. [360]

Es ist von Bernhard Blume hervorgehoben worden, daß Rimbauds *„Ophélie"* in der Vision des jugendlichen Dichters ihre körperliche und personale Identität wahrt: „Rimbauds Ophélie ... wahrt ihre Identität. Diese Ophélie geht nicht ein ins Reich der Elemente, sondern zieht, eingehüllt in ihre Schleier, Attribute ihrer Menschheit, unentstellt und unberührt, in ihrem Wesenhaften dauernd, **als Person erhalten.**" [361] — Demgegenüber erscheint Ophelia im I. Teil von Georg Heyms „Ophelia"-Gedicht eindeutig zur Wasserleiche verfremdet [362], „Wasserratten", „Fledermäuse" und einen „langen weißen Aal" als Zeichen der Verwesung in ihrem Gefolge:

Im Haar ein Nest von jungen Wasserratten,
Und die beringten Hände auf der Flut
Wie Flossen, also treibt sie durch den Schatten
Des großen Urwalds, der im Wasser ruht. [363]

Außer im Titel wird der Name „Ophelia" nicht genannt. Sie bleibt anonymer Leichnam wie bei Brecht. Die rhetorisch gestellten Fragen in der zweiten Strophe:

Warum sie starb? Warum sie so allein
Im Wasser treibt, das Farn und Kraut verwirrt?

werden nicht mehr wie noch bei RIMBAUD beantwortet. An SHAKESPEARES „Ophelia" und deren Attribut „mermaid-like" erinnert allenfalls das „wie Flossen", so wie die Schlußverse:

... Und eine Weide weint
Das Laub auf sie und ihre stumme Qual.

das Bild der „willow" und des „weeping brook" aus Shakespeares Bericht der Königin wieder aufnehmen. [364]

---

[360] *Arthur Rimbaud*, S. 148, Str. 1, V. 1—3.
[361] Blume, *Das ertrunkene Mädchen*, S. 115.
[362] Die Darstellung Blumes weist überzeugend die Entwicklung von Rimbauds „Ophélie" zur Wasserleiche in der modernen Lyrik nach.
[363] Heym, *Dichtungen und Schriften*, Bd. I, S. 160, Str. 1.
[364] Shakespeare, *Hamlet*, Act IV, Sc. VII.

Das Bild Ophelias bliebe indessen unvollständig, solange man mit BLUME und KRAFT übersieht, daß HEYM der anonymen, dem Verfall preisgegebenen Wasserleiche im II. Teil seines Gedichts eine ganz andersartige Vision Ophelias gegenüberstellt, die ihr Bild unverstellt aus der Zeittiefe zu holen scheint:

> Korn. Saaten. Und des Mittags roter Schweiß.
> Der Felder gelbe Winde schlafen still.
> Sie kommt, ein Vogel, der entschlafen will.
> Der Schwäne Fittich überdacht sie weiß.
>
> Die blauen Lider schatten sanft herab.
> Und bei der Sensen blanken Melodieen
> Träumt sie von eines Kusses Karmoisin
> Den ewigen Traum in ihrem ewigen Grab. [365]

Es ist unverkennbar, daß hier eine Vision der unzerstörten Schönheit Ophelias suggeriert wird, so wie die Liebe, von der sie träumt, ein „ewiger Traum" bleibt. Aber dieses Bild wird nun in den folgenden Strophen mit der Welt der modernen Großstädte konfrontiert, an denen sie „unsichtbar" im „Strom" „vorbei"-schwimmt und sich damit auch im Zeitsinne von ihnen entfernt:

> Vorbei, vorbei. Wo an das Ufer dröhnt
> Der Schall der Städte. Wo durch Dämme zwingt
> Der weiße Strom. Der Widerhall erklingt
> Mit weitem Echo. Wo herunter tönt
>
> Hall voller Straßen. Glocken und Geläut.
> Maschinenkreischen. Kampf. Wo westlich droht
> In blinde Scheiben dumpfes Abendrot,
> In dem ein Kran mit Riesenarmen dräut,
>
> Mit schwarzer Stirn, ein mächtiger Tyrann,
> Ein Moloch, drum die schwarzen Knechte knien.
> Last schwerer Brücken, die darüber ziehn
> Wie Ketten auf dem Strom, und harter Bann.
>
> Unsichtbar schwimmt sie in der Flut Geleit.
> Doch wo sie treibt, jagt weit den Menschenschwarm

---

[365] Heym, *Dichtungen und Schriften*, Bd. I, S. 160 f, Str. 1, 2.

Mit großem Fittich auf ein dunkler Harm,
Der schattet über beide Ufer breit. [366]

Das betonte „Vorbei"-Schwimmen Ophelias an der Welt der modernen Städte läßt sich dahingehend deuten, daß die Vision Ophelias sich zunehmend von dieser Zeit entfernt, so wie umgekehrt diese sich von ihr entfernt hat. Es ist der Untergang des poetisch schönen Menschenbildes, das in der modernen Welt seinen Ort verliert:

Der Strom trägt weit sie fort, die untertaucht,
Durch manchen Winters trauervollen Port.
Die Zeit hinab. Durch Ewigkeiten fort,
Davon der Horizont wie Feuer raucht. [367]

Erst von hier aus erschließt sich die innere Logik, mit der die so verschiedenen Darstellungen Ophelias im I. und II. Teil des HEYMSCHEN Gedichts zusammenhängen: Das Bild der Wasserleiche in seiner von Verwesung entstellten Häßlichkeit tritt an die Stelle des ästhetisch schönen Menschenbildes, nachdem dieses im Zeitstrom untergegangen ist.

Wenn man vor diesem Hintergrund Brechts zehn Jahre später entstandenes Gedicht „Vom ertrunkenen Mädchen" betrachtet, so fällt auf, welchen Schritt der Dichter in der Reduzierung des Ophelia-Motivs über Heym hinausgegangen ist. Der Gegensatz zwischen der Vision der Wasserleiche und der Vision der schönen Ophelie (Einst und Jetzt), verschiebt sich für ihn zum Gegensatz zwischen dem verfaulten Kadaver und dem, was einst menschliche Form an ihm war. Was in Frage steht, ist nicht mehr nur die Vision des ästhetisch schönen Menschenbildes, die Heym mit dem Beginn der Neuzeit, die er als Endzeit versteht, entgleiten sieht, sondern weitaus fundamentaler das religiös und idealistisch konzipierte Menschenbild, das sich mit der Unverbindlichkeit des transzendenten Bezugs in seine Elemente auflöst.

3) LEBENSLAUF-STRUKTUREN 1918—1922

In zeitlicher Parallelität zu den Schiffsballaden hat Brecht in den Jahren zwischen 1918 und 1922 noch einen anderen Balladentypus entwickelt, der wie diese durch das Fehlen einer kontinuierlichen Balladen-

---

[366] Heym, *Dichtungen und Schriften*, Bd. I, S. 161, Str. 4—6.
[367] ebd. S. 162, Str. 8.

handlung charakterisiert ist. Während die äußere Handlung dort auf ein Handlungsgerüst von Ausfahrt und Untergang reduziert wurde, läßt sich in Balladen wie ,Vom François Villon', ,Choral vom Manne Baal' und ,Vom armen B. B.' eine entsprechende Reduzierung auf die Handlungspole von Lebensbeginn und Lebensende beobachten, so daß diese Gedichte im Ganzen die Struktur eines Lebenslaufs aufweisen. Und wie in den Schiffsballaden Ausfahrt und Untergang nicht nur im formalen Sinne den Handlungsrahmen bestimmten, sondern darüberhinaus thematische Bedeutung besassen, so läßt sich auch in bezug auf die „Lebensläufe" Brechts die Ausprägung einer existentiellen Struktur beobachten, die nach der Bestimmung dieses Phänomens durch HEIDEGGER, „im Sein des Daseins ... schon das ,Zwischen' mit Bezug auf Geburt und Tod"[368] zur Darstellung zu bringen sucht.

a) Die existentielle Struktur des Lebenslaufs

Die Bedeutung dieser Struktur sei zunächst an dem lyrischen Gedicht ,Von der Freundlichkeit der Welt'[369] aus dem Jahre 1921 herausgestellt, das in prägnanter Kürze den Bogen eines Lebenslaufs aufweist, wie er auch für die genannten Balladen bestimmend ist:

> Auf die Erde voller kaltem Wind
> Kamt ihr alle als ein nacktes Kind
> Frierend lagt ihr ohne alle Hab
> Als ein Weib euch eine Windel gab.

> Keiner schrie euch, ihr wart nicht begehrt
> Und man holte euch nicht im Gefährt.
> Hier auf Erden wart ihr unbekannt
> Als ein Mann euch einst nahm an der Hand.

> Und die Welt, die ist euch gar nichts schuld:
> Keiner hält euch, wenn ihr gehen wollt.
> Vielen, Kinder, wart ihr vielleicht gleich.
> Viele aber weinten über euch.

---

[368] Heidegger, Sein und Zeit, S. 374.
[369] Brecht, Hauspostille, S. 57 f. Münsterer setzt das Entstehungsdatum des Gedichts auf das Jahr 1917 an. Dagegen wird die erste Fassung des Gedichts unter dem Titel ,Lied gegen die Ansprüche' im Bestandsverzeichnis des Bertolt-Brecht-Archivs (Bd. II, S. 178, Nr. 6554) erst für das Jahr 1921 nachgewiesen.

Von der Erde voller kaltem Wind
Geht ihr all bedeckt mit Schorf und Grind.
Fast ein jeder hat die Welt geliebt
Wenn man ihm zwei Hände Erde gibt.

Die Struktur des Lebenslaufs wird aus den Rahmenstrophen des Gedichts ohne weiteres ersichtlich, die in anaphorischer Bauweise den Bogen vom Lebensbeginn bis zum Lebensende schlagen:

Auf die Erde voller kaltem Wind
Kamt ihr alle als ein nacktes Kind

Von der Erde voller kaltem Wind
Geht ihr all bedeckt mit Schorf und Grind.

Indem derart durch die Anapher Lebensbeginn und Lebensende unter dem Aspekt der menschlichen Ausgesetztheit in die Weltkälte in eins zusammengezogen werden, verweist Brecht auf die existentielle Parallelität der Grenzsituationen von Geburt und Tod, wie sie vor ihm bereits Büchner in ,Dantons Tod' ausgesprochen hatte: „Der Tod äfft die Geburt; beim Sterben sind wir so hilflos und nackt wie neugeborene Kinder. Freilich, wir bekommen das Leichentuch zur Windel. Was wird es helfen? Wir können im Grab so gut wimmern wie in der Wiege." [370]
Auch die zeitlichen Angaben der Binnenstrophen („Als ein Mann euch einst nahm an der Hand"; „Keiner hält euch, wenn ihr gehen wollt") sind noch auf das parallele Schema von Lebensbeginn und Lebensende bezogen, so daß einerseits der Bogen des Lebenslaufs klar konturiert ist, zum andern aber die Zwischenzeit des menschlichen Daseins überhaupt nur in ihrer Bezüglichkeit auf Geburt und Tod sinnfällig wird.
Lebensbeginn und Lebensende, die beiden Pole des Lebenslaufs, erlangen offensichtlich deshalb so gravierende Bedeutung für das Gedicht, weil Brecht hier in den Grenzsituationen von Geburt und Tod die Ausgesetztheit des Menschen in die Weltkälte prägnant zur Darstellung bringen konnte. Bereits Brentano hatte für die Situation der menschlichen Geburt ähnlich schneidende Worte gefunden („O Mutter, halte dein Kindlein warm/ Die Welt ist kalt und helle") [371], aber während bei ihm die

---

[370] Georg Büchner, *Sämtliche Werke*, hrsg. Hans Jürgen Meinerts, Gütersloh 1963, S. 100.
[371] Clemens Brentano, *Werke, Bd. I Gedichte*, hrsg. v. Wolfgang Frühwald, Bernhard Hajek und Friedhelm Kemp, München 1968, S. 358, V. 141/42.

Welt nur der Hintergrund ist, vor dem sich die Apotheose des Mutterbilds abhebt, deuten bei Brecht die Attribute „kalt", „nackt", „frierend", die uns wiederholt im Zusammenhang der Nihilismusthematik begegnet waren, auf die Ausgesetztheit des Neugeborenen in eine umfassende Weltkälte des Nichts, der gegenüber selbst der menschliche Beistand der Mutter („Als ein Weib ihm eine Windel gab") seltsam kärglich bleibt.

Die Binnenstrophen wandeln diese Situation im Bereich des Mitmenschlichen ab. Die Weltkälte waltet hier als Fremdheit des Kindes zwischen den nächsten Menschen [372], die es „nicht begehrt", es aber dennoch in eine ihm „unbekannte" Welt hineingesetzt hatten. Die dichterische Darstellung scheint hier bereits den modernen philosophischen Gedanken vorwegzunehmen, daß der Mensch sich seinen Ort in der Welt nicht ausgesucht habe, sondern ihn jeweils schon vorfinde, wie er von HEIDEGGER [373] später in ‚Sein und Zeit' mit der Formel von der „Geworfenheit dieses Seienden in sein Da" umschrieben wurde.

Von ähnlicher Härte wie die Geburt wird in der Schlußstrophe die Grenzsituation des Todes gezeichnet, in die der Mensch, von allen verlassen („Keiner hält euch . . .") und vom Alter entstellt („ . . . bedeckt mit Schorf und Grind") hineingeht. Sie wird umso bitterer empfunden, weil der Mensch, wie die Schlußstrophe des Gedichts in überraschender Dialektik verrät, diese „Welt" und sein kärgliches Dasein darin trotz Kälte, Fremdheit und Gleichgültigkeit seiner Mitmenschen offenbar „geliebt" hat.

Es ist aufschlußreich, Brechts Gedicht ‚Von der Freundlichkeit der Welt' mit älteren, dichterischen Darstellungen des Lebenslaufs zu vergleichen, z. B. dem bekannten CLAUDIUS-Gedicht ‚Der Mensch' [374], um die ihm eigene, existentielle Sicht des Menschen vor diesem Hintergrund genauer zu erfassen:

> Empfangen und genähret
> Vom Weibe wunderbar
> Kömmt er und sieht und höret
> Und nimmt des Trugs nicht wahr;

---

[372] Vergl. Brechts Gedicht ‚Vom Mitmensch' (Ges. Werke, Bd. IV, S. 190—192) das, auch in der Form eines Lebenslaufs, die Fremdheit des heranwachsenden und sterbenden Menschen im Kreis seiner Mitmenschen radikal zur Darstellung bringt.
[373] Martin Heidegger, Sein und Zeit, 10. Aufl. Tübingen 1963, S. 135.
[374] Matthias Claudius, Werke, hrsg. v. Urban Roedl, Stuttgart 1965, S. 304.

Gelüstet und begehret,
Und bringt sein Tränlein dar;
Verachtet und verehret,
Hat Freude und Gefahr;
Glaubt, zweifelt, wähnt und lehret,
Hält nichts und alles wahr;
Erbauet und zerstöret;
Und quält sich immerdar;
Schläft, wachet, wächst und zehret;
Trägt braun und graues Haar etc.
Und alles dieses währet,
Wenn's hoch kommt, achtzig Jahr.
Denn legt er sich zu seinen Vätern nieder,
Und er kömmt nimmer wieder.

Auch das Gedicht von CLAUDIUS ist in der Form eines Lebenslaufs angelegt und steht demjenigen Brechts in der Antithetik seiner gedanklichen Durchführung und der illusionslosen Härte seiner Anschauung über den Menschen um nichts nach. Aber bei Claudius zielt diese Antithetik auf die Widersprüchlichkeit innerhalb des Wesen und Existenz umfassenden Menschenbildes. Dahinter steht zweifellos der alttestamentarische Gedanke von der Hinfälligkeit des Menschen und der Eitelkeit all seines Tuns, wie er in den Psalmen [375] und im Prediger Salomo [376] seinen Ausdruck findet. Demgegenüber verlagert Brecht den Akzent der Aussage vom menschlichen So-sein einseitig auf das bloße Da-sein menschlicher Existenz und setzt dieses in schneidenden Widerspruch zu der es umgebenden, feindlichen Welt, die im Titel euphemistisch als „freundliche" bezeichnet wird. Soweit sich innerhalb dieser Existenz von Widersprüchen reden läßt, sind sie auf das Gegenüber der Erfahrungen von Ausgesetztheit und Weltliebe reduziert, die in unterschiedlicher Akzentuierung jeden der Brechtschen „Lebensläufe" bestimmen.

---

[375] Vergl. den 90. Psalm, V. 10: „Unser Leben währet siebzig Jahre, und wenn's hoch kommt, so sind's achtzig Jahre, und wenn's köstlich gewesen ist, so ist es Mühe und Arbeit gewesen; denn es fähret schnell dahin, als flögen wir davon."
[376] Der Prediger, Salomo, 3. Kapitel. — Den Hinweis auf die alttestamentarischen Parallelen verdanke ich Herrn Reinhard Görisch.

b) Lyrische Biographie

Wo die Struktur des Lebenslaufs bezogen wird auf das Leben einer bestimmten dichterischen Gestalt, sei deren Name nun „François Villon", „Baal" oder „Bert Brecht", da nähern sich die Balladen Brechts dem alten Genre der „lyrischen Biographie", in deren Umkreis bereits RIHA [377] die Ballade ‚Vom armen B. B.‘ gestellt hat. So interessant die literarhistorischen Hinweise Rihas auf die Herkunft dieses Genres von Oswald VON WOLKENSTEIN und auf gleichzeitige Ausprägungen bei Alfred Lichtenstein und Erich KÄSTNER sein mögen; für Brecht ist die Ausbildung dieses Balladentypus aufs engste mit seiner Rezeption VILLONS verbunden, die nach MÜNSTERER [378] in das gleiche Jahr (1918) fällt, in dem auch die erste „lyrische Biographie" ‚Vom François Villon‘ entstand:

François Villon war armer Leute Kind
Ihm schaukelte die Wiege kühler Föhn.
Von seiner Jugend unter Schnee und Wind
War nur der freie Himmel drüber schön.
Francois Villon, den nie ein Bett bedeckte
Fand früh und leicht, daß kühler Wind ihm schmeckte.

Der Füße Bluten und des Steißes Beißen
Lehrt ihn, daß Steine spitzer sind als Felsen.
Er lernte früh den Stein auf andre schmeißen
Und sich auf andrer Leute Häuten wälzen.
Und wenn er sich nach seiner Decke streckte:
So fand er früh und leicht, daß ihm dies Strecken schmeckte.

[377] „Die ‚lyrische Biographie‘, die Brecht hier schreibt, nimmt ein altes Genre auf, das auch in der Dichtung des 19. Jahrhunderts gepflegt wurde: in der deutschen Literatur dürfte es letztlich auf Oswald von Wolkenstein zurückgehen. Für die Moderne vor dem zweiten Weltkrieg sind neben Brechts Ballade Alfred Wolfensteins ‚Der Volkston‘ ... und Erich Kästners ‚Kurzgefaßter Lebenslauf‘, der freilich erst mehrere Jahre nach dem ‚Armen B. B.‘ im Lyrikband ‚Ein Mann gibt Auskunft‘ erschienen ist, die markantesten Beispiele." Karl Riha, *Moritat, Song, Bänkelsang,* S. 110.
[378] „1918 wurde Villon entdeckt ... Brecht war entzückt, immer wieder lauschten wir seinem Vortrag der ‚Ballade de la grosse Margot‘ oder der ‚Abbitte an Jedermann‘ ... Die Folgen machen sich sofort bemerkbar und halten Jahre an. Noch im Sommer 1918 entsteht der ‚François Villon‘ der ‚Hauspostille‘. Die Bezeichnung ‚Ballade‘ erscheint von nun an durchaus im Villonschen Sinne als Gedichttitel." — Münsterer, *Bert Brecht,* S. 94. — Das von Münsterer mitgeteilte Entstehungsdatum (1918) wird verifiziert durch das *Bestandsverzeichnis des literarischen Nachlasses,* S. 175, Nr. 6522.

Er konnte nicht an Gottes Tischen zechen,
Und aus dem Himmel floß ihm niemals Segen.
Er mußte Menschen mit dem Messer stechen
Und seinen Hals in ihre Schlinge legen.
Drum lud er ein, daß man am Arsch ihm leckte
Wenn er beim Fressen war und es ihm schmeckte.

Ihm winkte nicht des Himmels süßer Lohn
Die Polizei brach früh der Seele Stolz
Und doch war dieser auch ein Gottessohn. —
Ist er durch Wind und Regen lang geflohn
Winkt ganz am End zum Lohn ein Marterholz.

François Villon starb auf der Flucht vorm Loch
Vor sie ihn fingen, schnell, im Strauch aus List —
Doch seine freche Seele lebt wohl noch
Lang wie dieses Liedlein, das unsterblich ist.
Als er die Viere streckte und verreckte
Da fand er spät und schwer, daß ihm dies Strecken schmeckte. [379]

Das Lebensbild des poète maudit, das Brecht in seiner Ballade ‚Vom
François Villon‘ entwirft, knüpft zunächst unmittelbar an die Darstellungen des Bösen in seinen frühen ‚lyrischen Porträts‘ an, die nachweislich bereits unter dem Einfluß der ‚Testamente‘ VILLONS entstanden
waren. [380] Insbesondere die Zeichnung des asozialen Dichters in den
Binnenstrophen mit ihrem aus biblischen Wendungen und Argot gemischtem Stil und der Rechtfertigungsgeste in der vierten Strophe („Und
doch war dieser auch ein Gottessohn“) nimmt deutlich Züge aus dem
‚Prototyp eines Bösen‘ wiederum auf. Dennoch geht der ‚François Villon‘
nicht mehr in der bloßen Darstellung des ‚Prototyp eines Bösen‘ auf,
und der rückblickende Vergleich mit diesem Gedicht macht deutlich, welchen Schritt Brecht über das ‚lyrische Porträt‘ hinaus in Richtung auf
die Balladenstruktur der „lyrischen Biographie“ getan hat.

In freier dichterischer Form zeichnet das Gedicht den Lebensweg des
französischen Dichters nach, wie er uns aus seinem Werk und seiner
Vita bekannt ist: Die Herkunft aus armseligen Verhältnissen, das Leben
des Vaganten und Asozialen mit seinem permanenten Wechsel zwischen
Haft, Begnadigung und Flucht vor der Polizei bis zum bitteren Ende in

[379] Brecht, *Hauspostille*, S. 35 f.
[380] Vergl. S. 65—67. dieser Arbeit.

der Verbannung aus Paris, nachdem er zuvor wegen einer Messerstecherei zum Tode am Galgen verurteilt worden war [381]. Die wichtigsten Fakten für die Darstellung dieses Lebenslaufs brauchte Brecht keiner Biographie zu entnehmen; er fand sie, dichterisch überhöht, bereits in den ,Testamenten' VILLONS enthalten, insbesondere solchen Partien, die wie das ,Rondeau für den armen Villon [382] und der ,Ballade um als Schluß zu dienen' [383] bereits Ansätze zur dichterischen Selbstdarstellung aufweisen, oder in denen die Vita so deutlich zur Sprache kommt wie in Villons Bekenntnis seiner armseligen Herkunft, an das Brechts Ballade unmittelbar anzuknüpfen scheint:

> Povre je suis de ma jeunesse,
> De povre et de petite extrace;
> Mon pere n'ot oncq grant richesse,
> Ne son ayeul, nommé Orace;
> Povreté tous nous suit et trace.
> Sur les tombeaulx de mes ancestres,
> Les ames desquelz Dieu embrasse,
> On n'y voit couronnes ne ceptres. [384]

Dennoch ist die Ballade Brechts weniger darauf angelegt, ein realistisches Lebensbild Villons zu entwerfen, als die reale Vita auf ein existentielles Modell des Lebenslaufs zu stilisieren, wie es uns ähnlich bereits in dem Gedicht ,Von der Freundlichkeit der Welt' begegnet war. Dem entspricht die Akzentuierung von Lebensbeginn und Lebensende in den Rahmenstrophen, in denen andere als nur biographische Aspekte relevant werden. Zwar beginnt das Gedicht mit der biographisch nachweisbaren Herkunft Villons von armen Eltern, aber diese ist im Kontext der ersten Strophe einem Aussagezusammenhang integriert, der mit Wendungen wie „kühler Föhn", „Schnee und Wind", „freier Himmel", „kühler Wind" auf die Ausgesetztheit des Dichters in die Weltkälte des Nichts abhebt, wie sich ähnlich bereits in ,Von der Freundlichkeit der Welt' beobachten

[381] Zum Lebenslauf Villons vergl. Gero von Wilpert, Lexikon der Weltliteratur, S. 1390 f.
[382] François Villon, S. 106.
[383] ebd. S. 111 f.
[384] François Villon, Das Große Testament, übertr. von Walter Widmer, München 1959, S. 30, Str. 35.

ließ. Der gradmäßige Unterschied besteht lediglich darin, daß Villon diese Ausgesetztheit als die ihm gemäße Lebensform akzeptiert und damit bereits auf die vitalistische Lebenseinstellung ‚Baals' vorausweist:

Francois Villon, den nie ein Bett bedeckte
Fand früh und leicht, daß kühler Wind ihm schmeckte.

Aus dieser antithetischen Spannung zwischen Ausgesetztheit und vitaler Lebensbejahung, die auch in ihrer formalen Verteilung auf Strophe und Refrain sehr deutlich zum Ausdruck kommt, ist das gesamte Gedicht konzipiert, gleich nun, ob die existentiell vorgegebene Ungeborgenheit in den Binnenstrophen umschlägt in die Ungebundenheit des Vaganten und die bewußt genossene Aktivität des asozialen Außenseiters oder ob in der Schlußstrophe, analog zum Eingang des Gedichts, auch noch dem animalischen Sterben ein vitaler Genuß abgewonnen wird:

Als er die Viere streckte und verreckte
Da fand er spät und schwer, daß ihm dies Strecken schmeckte.

Für den ‚*Choral vom großen Baal*' stellt sich die Frage nach dem in ihm angelegten Lebenslauf bzw. der lyrischen Biographie bereits von seinem dramatischen Kontext her. Zwar müssen alle Hinweise Brechts auf ein reales „Urbild Baals"[385] wegen ihrer Widersprüchlichkeit als Fiktion betrachtet werden. Baal ist weder identisch mit dem „Lyriker Joseph Baal aus Pfersee", wie in der *Anleitung*[386] zur ‚*Hauspostille*' ausgeführt wird, noch mit dem Monteur „Joseph K" aus Augsburg, von dem Brecht gehört haben will[387], sondern ist eine erfundene Gestalt. Dennoch beabsichtigte Brecht, das Leben dieses fiktiven, asozialen Dichters, in dem ein Gegenstück zu Hanns Johsts *Grabbe*-Drama ‚*Der Einsame*' gezeigt werden sollte, in der dramatischen Form eines Lebenslaufs bzw. einer dramatischen Biographie darzustellen. Bereits im Vorwort zur ersten Fassung des ‚*Baal*' von 1918, in der die Ballade erstmals erschien, hieß es: „Das Stück ist weder die Geschichte einer noch vieler Episoden, sondern die eines Lebens"[388], und der Titel der vierten Fas-

---

[385] Vergl. ‚Das Urbild Baals' (1926), in: Brecht, *Schriften zum Theater*, Bd. II, S. 47 f.

[386] Brecht, *Ges. Werke*, Bd. IV, S. 170.

[387] Brecht, *Schriften zum Theater*, Bd. II, S. 47 f.

[388] Bertolt Brecht, *Baal. Drei Fassungen*, krit. ediert und kommentiert von Dieter Schmidt, Frankf. M. 1966, S. 11.

sung von 1926 lautet noch bezeichnender: „*Lebenslauf des Mannes Baal. Dramatische Biografie von Bertolt Brecht*" [389].

Dennoch läßt sich die Analogie von dramatischer und lyrischer Biographie im Vergleich zwischen Drama und Ballade nicht ohne weiteres behaupten, denn sowenig die Ballade den äußeren Handlungsverlauf des Dramas nachzeichnet, sondern seine Idee mit lyrischen Mitteln abwandelt, sowenig kann den Lebensläufen in den verschiedenen Fassungen des Gedichts zwischen 1918 und 1927 einheitliche Bedeutung zugesprochen werden. Während der ,*Choral vom großen Baal*' [390] im Kontext der Dramenfassungen von 1918 und 1919 in vier Motivkomplexen den Kosmos Baals zur Darstellung bringt, innerhalb dessen der Lebenslauf nur rahmende Funktion hat, zeigen der ,*Choral vom großen Baal*' [391] in der Buchausgabe von 1922, der ,*Choral vom Manne Baal*' [392] in der „*Hauspostille*" *von* 1927 und insbesondere das Gedicht ,*Baal*' im ,*Lebenslauf des Mannes Baal*' von 1926 [393] eine zunehmende Tendenz zur strophischen und motivlichen Verkürzung (von 18 auf 9 Strophen), die offenbar ihren Grund in der thematischen Verlagerung vom Kosmos auf den Lebenslauf Baals hat. Die Entstehungsgeschichte der Ballade vom Baal läßt damit die Entwicklung zu zwei nach Struktur und Aussagewert durchaus selbständigen Gedichten erkennen, die eines gesonderten Interpretationsansatzes bedürfen. Zur Verdeutlichung seien im Folgenden der ,*Choral vom großen Baal*' in einer für die erste Gesamtausgabe der Gedichte nur leicht gebesserten Fassung [394] und das Gedicht ,*Baal*' aus dem ,*Lebenslauf des Mannes Baal*' von 1926 einander gegenübergestellt.

Choral vom großen Baal

Als im weißen Mutterschoße aufwuchs Baal
War der Himmel schon so groß und still und fahl
Jung und nackt und ungeheuer wundersam
Wie ihn Baal dann liebte, als Baal kam.

[389] ebd. S. 149.
[390] ebd. S. 58—60; S. 81—83.
[391] Bertolt Brecht, *Ges. Werke*, Bd. I, S. 3—4.
[392] Brecht, *Hauspostille*, S. 125—127.
[393] Bertolt Brecht, *Baal. Drei Fassungen*, S. 152.
[394] Bertolt Brecht, *Gedichte Bd. I*, S. 125—29.

Und der Himmel blieb in Lust und Kummer da
Auch wenn Baal schlief, selig war und ihn nicht sah:
Nachts er violett und trunken Baal
Baal früh fromm, er aprikosenfahl.

Und durch Schnapsbudike, Dom, Spital
Trottet Baal mit Gleichmut und gewöhnt sich's ab.
Mag Baal müd sein, Kinder, nie sinkt Baal:
Baal nimmt seinen Himmel mit hinab.

In der Sünder schamvollem Gewimmel
Lag Baal nackt und wälzte sich voll Ruh:
Nur der Himmel, aber i m m e r Himmel
Deckte mächtig seine Blöße zu.

Und das große Weib Welt, das sich lachend gibt
Dem, der sich zermalmen läßt von ihren Knien
Gab ihm einige Ekstase, die er liebt
Aber Baal starb nicht: er sah nur hin.

Und wenn Baal nur Leichen um sich sah
War die Wollust immer doppelt groß.
Man hat Platz, sagt Baal, es sind nicht viele da.
Man hat Platz, sagt Baal, in dieses Weibes Schoß.

Ob es Gott gibt oder keinen Gott
Kann, solang es Baal gibt, Baal gleich sein.
Aber das ist Baal zu ernst zum Spott:
Ob es Wein gibt oder keinen Wein.

Gibt ein Weib, sagt Baal, euch alles her
Laßt es fahren, denn sie hat nicht mehr!
Fürchtet Männer nicht beim Weib, die sind egal:
Aber Kinder fürchtet sogar Baal.

Alle Laster sind zu etwas gut
Nur der Mann nicht, sagt Baal, der sie tut.
Laster sind was, weiß man was man will.
Sucht euch zwei aus: eines ist zu viel!

Nicht so faul, sonst gibt es nicht Genuß!
Was man will, sagt Baal, ist, was man muß.
Wenn ihr Kot macht, ist's, sagt Baal, gebt acht
Besser noch, als wenn ihr gar nichts macht!

Seid nur nicht so faul und so verweicht
Denn Genießen ist bei Gott nicht leicht!
Starke Glieder braucht man und Erfahrung auch:
Und mitunter stört ein dicker Bauch.

Man muß stark sein, denn Genuß macht schwach.
Geht es schief, sich freuen noch am Krach!
Der bleibt ewig jung, wie er's auch treibt
Der sich jeden Abend selbst entleibt.

Und schlägt Baal einmal zusammen was
Um zu sehen, wie es innen sei —
Ist es schade, aber's ist ein Spaß
Und's ist Baals Stern, Baal war selbst so frei.

Und wär Schmutz dran, er gehört nun mal
Ganz und gar, mit allem drauf, dem Baal
Ja, sein Stern gefällt ihm, Baal ist drein verliebt —
Schon weil es 'nen andern Stern nicht gibt.

Zu den feisten Geiern blinzelt Baal hinauf
Die im Sternenhimmel warten auf den Leichnam Baal.
Manchmal stellt sich Baal tot. Stürzt ein Geier drauf
Speist Baal einen Geier, stumm, zum Abendmahl.

Unter düstern Sternen in dem Jammertal
Grast Baal weite Felder schmatzend ab.
Sind sie leer, dann trottet singend Baal
In den ewigen Wald zum Schlaf hinab.

Und wenn Baal der dunkle Schoß hinunterzieht:
Was ist Welt für Baal noch? Baal ist satt.
Soviel Himmel hat Baal unterm Lid
Daß er tot noch grad gnug Himmel hat.

Als im dunklen Erdenschoße faulte Baal
War der Himmel noch so groß und still und fahl
Jung und nackt und ungeheuer wunderbar
Wie ihn Baal einst liebte, als Baal war.

Der Titel des Gedichts weist zurück auf den Namen der semitisch-
phönizischen Gottheit, die im Alten Testament als Urprinzip des Bösen
erscheint. Daß sich für Brecht noch solche Assoziationen mit dem Namen

„Baal" verbinden, erhellt aus dem Titel eines von Dieter Schmidt erwähnten Fragments: ‚Der böse Baal der Asoziale' [395]. Rückt die Gestalt Baals damit in die Dimension des Mythischen, angesichts derer die Suche nach seinem realen Urbild müßig wäre, so bedarf diese Festlegung doch noch der genaueren Bestimmung als eines persönlichen Mythos, MÖRIKES ‚Märchen vom sicheren Mann' [396] vergleichbar, dessen letztliche Unverbindlichkeit durch seinen humoristisch-ironischen Ton angezeigt ist. Für Brecht ergab sich dieser Aspekt bereits bei der Darstellung des Bösen allgemein, und wenn er auch im ‚Choral vom großen Baal' weit über das Schema des Bösen hinaus zur Konzeption eines heidnisch-naturhaften Weltbildes gelangt, so bleibt dieses doch, dialektisch auf das christliche Weltbild bezogen, stets im Rahmen eines ironischen Mythos.

In vier Motivkomplexen zu je vier Strophen, die auf die sorgfältig abgewogene Komposition des Gedichts aufmerksam machen, entfaltet sich das Weltbild Baals. Die ersten vier Strophen sind zentriert um das Motiv des „Himmels", der in eigenartig beharrlicher Präsenz die Geburt Baals und seinen weiteren Lebensweg überdacht. Keineswegs aber läßt sich dieser „Himmel" noch im christlich-transzendenten Sinne interpretieren, wie es BLUME [397] in seiner Studie ‚Der Himmel der Enttäuschten' versucht. Vielmehr deuten die ihm beigegebenen Epitheta „jung und nackt und ungeheuer wundersam" auf eine gleichsam erweiterte, körperliche Qualität des „Himmels", von dem er auf ähnliche Weise umfangen ist, wie vom „weißen Mutterschoß", so daß mit der Zuordnung beider der Baalsche Kosmos bereits in der ersten Strophe suggeriert wird. Die folgenden Strophen bestätigen die Permanenz dieser Geborgenheit durch den Himmel, der auf humoristische Weise die Baalschen Zustände von Schlafen und Wachen, Trunkenheit und Nüchternheit mit seinem wechselnden Farbenspiel begleitet. Daß er in keiner Weise die moralische Verantwortung für seine Kreaturen übernimmt, wird dadurch deutlich, daß er Baal in den verschiedenen Zuständen der Schwäche („Schnapsbudike, Dom, Spital") nicht im „moralischen Sinne" sinken läßt, sondern ihm die körperlich empfundene Geborgenheit auch noch in der „Sünder schamvollem Gewimmel" zuteil werden läßt.

---

[395] Bertolt Brecht, Baal. Drei Fassungen, S. 188.
[396] Eduard Mörike, Sämtliche Werke, hrsg. von Herbert J. Göpfert, 3. Aufl. München 1964, S. 64 ff.
[397] Bernhard Blume, Motive der frühen Lyrik Bertolt Brechts: II, S. 280 f.

Es ist evident, daß diese Geborgenheit Baals innerhalb eines natur-haft-materiellen Kosmos in offenem Widerspruch zu der beobachteten, existentiellen Ausgesetztheit der Brechtschen Balladenhelden in die Welt-kälte des Nichts steht, wie insbesondere die Lebensläufe ‚Vom François Villon' bis zum ‚Armen B. B.' verdeutlichen. Von der Grundvoraussetzung des „Tod Gottes" ausgehend, die ja auch im ‚Choral vom großen Baal' anklingt („Ob es Gott gibt oder keinen Gott/ Kann, solang es Baal gibt, Baal gleich sein."), ließe sich das Baalsche Weltgefühl als Versuch einer vitalen Überwindung des in den Lebensläufen zutage tretenden Wider-spruchs zwischen Ich und Welt begreifen, mit der Einschränkung, daß es sich hier um einen ironischen Versuch handelt.

Keineswegs aber läßt sich das naturhafte Weltbild Baals auf die gesamte ‚Hauspostille' projizieren, wie es gelegentlich in der Forschung geschehen ist [398]; denn wo fänden sich Parallelen für diese Identität von Mensch und Kosmos in der frühen Lyrik Brechts? — Einzig die beiden „Naturgedichte": ‚Vom Klettern in Bäumen' [399] und ‚Vom Schwimmen in Seen und Flüssen' [400] aus dem Jahre 1919 wiederholen das Baalsche Weltgefühl des Getragenseins von einem naturhaften Kosmos auf dichte-risch schöne Weise:

Natürlich muß man auf dem Rücken liegen
So wie gewöhnlich. Und sich treiben lassen.
Man muß nicht schwimmen, nein, nur so tun, als
Gehöre man einfach zu Schottermassen.
Man soll den Himmel anschaun und so tun
Als ob einen ein Weib trägt, und es stimmt.
Ganz ohne großen Umtrieb, wie der liebe Gott tut
Wenn er am Abend noch in seinen Flüssen schwimmt. [401]

Aber so wie der ‚Choral vom großen Baal' durch ironische und humo-ristische Effekte vor dem Mißverständnis geschützt ist, ihn als verbind-lichen Naturmythos zu interpretieren, ist auch hier die pantheistische Erfahrung der Natureinheit nicht direkt gegeben [402], sondern erscheint

[398] Vergl. S. 105, Anmerkung 279 dieser Arbeit.   [399] Brecht, Hauspostille, S. 62.
[400] ebd. S. 63.   [401] Brecht, Hauspostille, S. 66, Strophe 4.
[402] Zu ähnlichen Einsichten kommt Killy in seiner Interpretation des Gedichts ‚Vom Klettern in Bäumen': „Und was in den Versen Empirie ist, tritt nicht als lyrischer Moment hervor, sondern in der Entfremdung der Lehre, die erst sekundär lyrisch wird, um ihre primären Wirkungen zurückzugewinnen. Überall sind Wider-stände eingebaut, Isolierungen vollzogen, Distanzen gesichert ..." — Killy, Wand-lungen des lyrischen Bildes, 5. Aufl. Göttingen 1967, S. 145 f.

distanziert durch die rhetorische Anweisung des Dichters an ein anonymes „man", so daß eher die Intention betont wird als das unmittelbare Naturerlebnis.

Daß der Baalsche Kosmos eminent femininen Charakter hat, ging bereits aus dem Motiv des „Mutterschoßes" und dem ihm zugeordneten des „Himmels" in der ersten Strophe des Gedichts hervor. Der zweite Strophenkomplex (Str. 5—8) knüpft an diese Vorstellung an und führt sie mit dem zentralen Motiv „Weib/Welt" weiter aus. Das *terium comparationis* dieser barock anmutenden Vergleichsfigur ist offenbar der dionysische Aspekt: die Welt als dionysisches Phänomen, die Baal „einige Ekstase" gibt und ihn auch noch den Tod als lustvolles Stimulans zu neuer Zeugung des Lebens begreifen lehrt. Deshalb wird die philosophische Frage: „Ob es Gott gibt oder keinen Gott" für Baal, der die Welt als dionysisches Phänomen erlebt, auf humoristische Weise durch die vitalere Frage: „Ob es Wein gibt oder keinen Wein" *ad absurdum* geführt.

Auf dem Hintergrund dieses dionysischen Weltverständnisses entwirft Baal im dritten Strophenzusammenhang (9—12) eine Anleitung zum Lebensgenuß. Sie beginnt mit einer Aufwertung der sinnlichen Lust im hedonistischen Sinne, die nach christlicher Moral als „Laster" verworfen wurde, und beweist in paradoxen Wendungen, daß „alle Laster zu etwas gut" seien, vorausgesetzt, man wisse etwas mit ihnen anzufangen und lasse sich nicht von ihnen beherrschen. Es sei sinnlos, sich dem Lebensgenuß entziehen zu wollen, denn der Baalsche Mensch ist nicht frei, sondern weiß sich determiniert durch seine Triebe: „Was man will, sagt Baal, ist, was man muß". Immer wieder wendet sich Baal mit seinen ironisch-humoristischen Aufforderungen zum Lebensgenuß gegen den konventionellen Moralbegriff, der Genuß mit Faulheit bzw. Schwäche zu identifizieren pflegt:

„Nicht so faul, sonst gibt es nicht Genuß!"

„Seid nur nicht so faul und so verweicht,
Denn Genießen ist bei Gott nicht leicht!"

„Man muß stark sein, denn Genuß macht schwach."

Auch der vierte Strophenkomplex (13—16) des ‚Chorals vom großen Baal' läßt sich unter einem zentralen Motiv zusammenfassen: Es handelt sich um das Motiv des „Sterns" bzw. der „Sterne" oder des „Sternhimmels", das inhaltlich auf die Diesseitigkeit des Baalschen Kosmos verweist. Es steht damit in enger Korrespondenz zum Himmelsmotiv des ersten Strophenkomplexes, so daß hier bereits die rückläufige Bewegung des Gedichts einsetzt, die sich dann mit der direkten Analogie von Anfangs- und Schlußstrophe zur Kreisform schließt. Dabei ist auf einen scheinbaren Bedeutungswandel des Sternmotivs zu achten: In Str. 13 und 14 meint „Stern" diesen Planeten, an dem Baal trotz Anarchie und Schmutz Gefallen findet und dessen Einzigkeit er in humoristisch-paradoxer Weise behauptet:

„Ja, sein Stern gefällt ihm, Baal ist drein verliebt —
Schon, weil es 'nen andern Stern nicht gibt."

Wenn im Gegensatz dazu in Str. 15 und 16 dennoch von dem diesen Stern umgreifenden „Sternenhimmel" bzw. „Sternen" die Rede ist, so wird damit für einen Augenblick die Polarität von Diesseits und Jenseits avisiert, um sie im weiteren Kontext der Strophen sogleich auf humoristische Weise *ad absurdum* zu führen, derart, daß Baal die im „Sternenhimmel" wartenden Totenvögel zum „Abendmahl" verspeist oder daß er trotz der „düstern Sterne in dem Jammertal" seinem vitalen Freßtrieb folgt, der sein Ende im irdischen Sinne mit seinem Sattsein findet.

Dieser Gedanke wird dann in der ursprünglichen Schlußstrophe (17) des Gedichts explizit ausgesprochen, wobei die das Gedicht einleitenden zentralen Motive von „Schoß" und „Himmel" an dieser Stelle noch einmal aufgenommen werden. Aus dem „weißen Mutterschoße", in dem Baal „aufwuchs", ist hier der „dunkle Schoß" geworden, der ihn „hinunterzieht", so daß Anfang und Ende des Baalschen Lebenslaufes in der Wiederholung dieses Bildes ihre Entsprechung im Sinne eines organischen Kreislaufs finden. Und wiederum ist hier das Bild des „Himmels" dem des „Schoßes" komplementär zugeordnet, so daß noch einmal die Vorstellung des Baalschen Kosmos entsteht, dessen körperlich nahe Immanenz sich als Reflex des „Himmels" im Auge des Toten spiegelt. Die in dieser Bearbeitung hinzugefügte Schlußstrophe (18), die in engster Analogie zur Eingangsstrophe gebildet ist, macht die kreisförmige Anlage des ‚Chorals vom großen Baal' vollends evident, indem die Pole „Schoß" und „Himmel" des Baalschen Kosmos sowie Anfang und Ende seines Lebenslaufs miteinander verschränkt sind.

Stellt man dem ‚Choral vom großen Baal' das Gedicht ‚Baal' aus dem ‚Lebenslauf des Mannes Baal' von 1926 gegenüber, so wird einsichtig, daß hier die Verschränkung von Anfang und Ende des Lebenslaufs allein dominierend ist, während der umfangreiche Mittelteil und damit auch die Anlage der früheren Fassung in vier Motivkomplexe entfallen. Bei einem Stand von sieben Strophen, in denen je drei bzw. vier Eingangs- und Schlußstrophen der ursprünglichen Fassung zusammengezogen sind, zeigt das Gedicht nunmehr die Reduzierung auf das zentrale Himmelsmotiv, dem zusätzlich zwei Strophen aus dem Komplex des Sternenmotivs integriert sind:

Baal

Als im weißen Mutterschoße aufwuchs Baal
war der Himmel schon so groß und still und fahl
jung und nackt und ungeheuer wundersam
wie ihn Baal dann liebte, als Baal kam.

Und der Himmel blieb in Lust und Kummer da
auch wenn Baal schlief, selig war und ihn nicht sah:
nachts er violett und trunken Baal
Baal früh fromm, er aprikosenfahl.

In der Sünder schamvollem Gewimmel
lag Baal nackt und wäzte sich voll Ruh:
nur der Himmel, aber i m m e r Himmel
deckte mächtig seine Blöße zu.

Zu den feisten Geiern blinzelt Baal hinauf
die im Sternenhimmel warten auf den Leichnam Baal.
Manchmal stellt sich Baal tot. Stürzt ein Geier drauf
speist Baal einen Geier, stumm, zum Abendmahl.

Unter düstern Sternen in dem Jammertal
grast Baal weite Felder schmatzend ab.
Sind sie leer, dann trottet singend Baal
in den ewigen Wald zum Schlaf hinab.

Und wenn Baal der dunkle Schoß hinunter zieht:
was ist Welt für Baal noch? Baal ist satt.
Soviel Himmel hat Baal unterm Lid
daß er tot noch grad gnug Himmel hat.

Als im dunklen Erdenschoße faulte Baal
war der Himmel noch so groß und still und fahl

jung und nackt und ungeheuer wunderbar
wie ihn Baal einst liebte, als Baal war. [403]

Dadurch ergibt sich zunächst eine auffällige, bildliche und klangliche
Geschlossenheit des Gedichts, das sich nun um ein zentrales Motiv be-
wegt und in dessen Strophen sich (mit Ausnahme der dritten) Reimbindungen und Assonanzen auf den a-Laut häufen, so daß seine lyrische
Wirksamkeit potenziert und die zyklische Anlage an jeder Stelle wahr-
nehmbar wird.

Darüberhinaus zeigt das Gedicht gegenüber der früheren Fassung
einen deutlich veränderten Aufbau, der auf die prägnantere Herausarbeitung des Lebenslaufs zielt: Im Zeichen des kontinuierlich präsenten,
aber in seiner Bildlichkeit wechselnden Himmelsmotivs vollzieht sich in
einem großen Bogen Lebensbeginn und Lebensende Baals, wobei der
Umschwung von der aufsteigenden zur fallenden Kurve des Lebenslaufs,
der an diesen Wechsel der Himmelsbilder gebunden ist, seine Peripetie
genau in der Mittelstrophe des Gedichts hat.

Das Gedicht ‚Baal‘ zeigt damit die prägnante Herausarbeitung der
Struktur des Lebenslaufs, die natürlich ursprünglich auch in dem ‚Choral
vom großen Baal‘ angelegt war, aber dort gegenüber der Entfaltung des
Baalschen Kosmos in den Hintergrund trat. Es dürfte schwer fallen, die
spätere Fassung noch im Sinne eines ironischen Mythos zu interpretieren,
nachdem die humoristische Explizierung des Baalschen Weltbildes und
seiner vitalistischen Lebenslehre fallengelassen sind, und nur noch die
rätselhafte Ambivalenz der Himmelsbilder und die nackte Gesetzlichkeit
des organischen Kreislaufs seinen Lebenslauf bestimmen. Trotz aller
naturhaften Geborgenheit Baals rücken diese Determinierungen das Gedicht in die Nähe der existentiellen Lebenslauf-Strukturen.

Auch Brechts wohl bekanntestes Gedicht ‚Vom armen B. B.‘ [405] aus
dem Jahre 1922, das die ‚Hauspostille‘ beschließt, ist eine „lyrische Biographie“, wie Riha [406] richtig gesehen hat, mit dem Unterschied, daß
es sich hier um die Vita des Dichters selbst und sein eigenes lyrisches
Porträt handelt:

---

[403] Brecht, Baal. Drei Fassungen, S. 152.
[405] Das Gedicht ist von Brecht datiert auf den 26. 4. 1922. Bertolt-Brecht-Archiv.
Bestandsverzeichnis des lit. Nachlaßes, S. 173, Nr. 6505.
[406] Karl Riha, Moritat. Song. Bänkelsang, S. 110.

Ich, Bertolt Brecht, bin aus den schwarzen Wäldern.
Meine Mutter trug mich in die Städte hinein
Als ich in ihrem Leibe lag. Und die Kälte der Wälder
Wird in mir bis zu meinem Absterben sein.

In der Asphaltstadt bin ich daheim. Von allem Anfang
Versehen mit jedem Sterbsakrament:
Mit Zeitungen. Und Tabak. Und Branntwein.
Mißtrauisch und faul und zufrieden am End.

Ich bin zu den Leuten freundlich. Ich setze
Einen steifen Hut auf nach ihrem Brauch.
Ich sage: es sind ganz besonders riechende Tiere
Und ich sage: es macht nichts, ich bin es auch.

In meine leeren Schaukelstühle vormittags
Setze ich mir mitunter ein paar Frauen
Und ich betrachte sie sorglos und sage ihnen:
In mir habt ihr einen, auf den könnt ihr nicht bauen.

Gegen abends versammle ich um mich Männer
Wir reden uns da mit „Gentleman" an
Sie haben ihre Füße auf meinen Tischen
Und sagen: es wird besser mit uns. Und ich
               frage nicht: wann.

Gegen Morgen in der grauen Frühe pissen die
               Tannen
Und ihr Ungeziefer, die Vögel, fängt an zu schrein.
Um die Stunde trink ich mein Glas in der Stadt aus
               und schmeiße
Den Tabakstummel weg und schlafe beunruhigt ein.

Wir sind gesessen ein leichtes Geschlechte
In Häusern, die für unzerstörbare galten
(So haben wir gebaut die langen Gehäuse des
               Eilands Manhattan
Und die dünnen Antennen, die das Altlantische Meer
               unterhalten).

Von diesen Städten wird bleiben: der durch sie
               hindurchging, der Wind!

Fröhlich machet das Haus den Esser: er leert es.
Wir wissen, daß wir Vorläufige sind
Und nach uns wird kommen: nichts Nennenswertes.

Bei den Erdbeben, die kommen werden, werde ich
              hoffentlich
Meine Virginia nicht ausgehen lassen durch Bitterkeit
Ich, Bertolt Brecht, in die Asphaltstädte verschlagen
Aus den schwarzen Wäldern in meiner Mutter in
              früher Zeit. [407]

Dennoch dürfen die biographisch ablesbaren Fakten des Lebenslaufs in
den Rahmenstrophen: die Namensnennung, Angabe der Herkunft aus den
„schwarzen Wäldern" (Brechts Eltern stammten aus dem Schwarzwald),
die Übersiedlung der Eltern „in die Städte" (Augsburg) und Brechts
eigener Aufenthalt „in der Asphaltstadt" (München und Berlin) nicht
im veristischen Sinne mißverstanden werden, da sie einem dichterischen
Zusammenhang integriert sind, der wie im ‚François Villon' auf die
existentielle Überhöhung der realen Vita zielt. So sind die „schwarzen
Wälder", die Brecht bereits 1920 in einem Gedicht des gleichen Ti-
tels [408] als Chiffre für die Weltkälte des Nichts beschworen hatte („Die
schwarzen Wälder aufwärts/ In das nackte, böse Gestein/ Es wachsen
schwarze Wälder bis/ In den kalten Himmel hinein."), auch hier noch
im gleichen daseinsproblematischen Sinne zu verstehen, wenn Brecht
von der „Kälte der Wälder" spricht, die ihn paradoxerweise bereits
im Mutterleibe durchdrungen habe und die ihn „bis zu meinem Absterben" nicht verlassen werde. Verändert hat sich lediglich die Bewegungs-
richtung des Gedichts: Sie führt aus den Wäldern in die Städte, aber
wir dürfen vermuten, daß der „Kälte der Wälder" eine entsprechende
Kälte der Städte korrespondieren wird.

Indessen ist dieser Lebensbeginn in der „Kälte der Wälder" zeitlich
als Präexistenz von der gegenwärtigen Existenz des Städtebewohners
abgehoben, dessen lyrisches Porträt Brecht im Mittelteil des Gedichts
(Str. 2—6) entwirft. Kälte dringt auch durch die Fugen seiner Welt,
aber sie wird hier nicht mehr existentiell, sondern gesellschaftlich moti-

[407] Brecht, *Hauspostille*, S. 148—151.
[408] *‚Die schwarzen Wälder'*, Brecht, *Ges. Werke*, Bd. IV, S. 72. Zur Interpretation vergl. S. 49—51 dieser Arbeit.

viert. So ist sein Leben „von allem Anfang ... mit jedem Sterbsakrament" versehen, das die Reizprodukte der modernen Zivilisation in Form von „Zeitungen, Tabak und Branntwein" für ihn bereithalten. Die naturhafte Welt bietet ihm keine Tröstungen mehr, sondern erscheint aus der Perspektive des Städtebewohners in einem pervertierten Zustand grauer Häßlichkeit, auf den die abwertenden Metaphern „graue Frühe", „pissen die Tannen" und „ihr Ungeziefer, die Vögel" verweisen. Kälte waltet als Fremdheit und Gleichgültigkeit auch im Verhältnis des Städtebewohners zu seinen Mitmenschen, deren Konventionen er mit „freundlicher" Höflichkeit akzeptiert, obwohl sie ihm so fremd sind wie „ganz besonders riechende Tiere". Ähnliches gilt für sein verantwortungsfreies Verhältnis Frauen gegenüber, sowie für die Partner seiner politischen Diskussionen, deren Optimismus („es wird besser mit uns") er mit Skepsis gegenübersteht.

So wird Nihilismus zur Grundhaltung des Städtebewohners, ablesbar vor allem an der sachlich-unterkühlten Diktion des Gedichts, dem nachlässigen, mit Anglizismen und Argot aufgelockerten Parlando der Umgangssprache, in dem der „arme B. B." seine Zynismen vorträgt. Doch ist diese Diktions keineswegs durchgängig, wie bereits HESELHAUS [409] beobachtet hat, sondern steht in eigenartigem Kontrast zu dem biblischen Pathos, mit dem Brecht in der siebten und achten Strophe seines Gedichts, aus der Rolle des Städtebewohners in die eines modernen Propheten [410] wechselnd, den Untergang der westlichen Zivilisation am prägnanten Beispiel der amerikanischen Riesenstädte verkündet. Diese Vorausschau schließt ein das Wissen um die „Vorläufigkeit" der Städtebewohner, die vom katastrophenhaften Untergang überschattete Nichtigkeit ihrer Gegenwart und Zukunft:

Wir wissen, daß wir Vorläufige sind
Und nach uns wird kommen: nichts Nennenswertes.

Erst mit dieser kulturpessimistischen Prognose vom Untergang der westlichen Zivilisation ist der historisch antizipierte Grund für den

[409] Clemens Heselhaus, *Deutsche Lyrik der Moderne. Von Nietzsche bis Yvan Goll*, 2. Aufl. Düsseldorf 1962, S. 334.
[410] Der Ansicht von Heselhaus, „daß der Dichter in der Maske eines durchschnittlichen Amerikaners eine Art Prognose über diese ganze amerikanische Zivilisation gibt", kann ich aus stilistischen Gründen nicht zustimmen. Heselhaus, *Deutsche Lyrik der Moderne*, S. 333.

Nihilismus des Städtebewohners genau bezeichnet, und erst von hier aus erklären sich Kälte, Fremdheit, Gleichgültigkeit und Zynismus in der Aussage und Diktion des Gedichts als die aus den ,Schwarzen Wäldern' bekannte, stoische Pose des Nihilismus, hinter der der „arme B. B." gleichwohl „Unruhe" und „Bitterkeit" vor dem Untergang verbirgt:

Bei den Erdbeben, die kommen, werde ich hoffentlich
Meine Virginia nicht ausgehen lassen durch Bitterkeit.
Ich, Bertolt Brecht, in die Asphaltstädte verschlagen
Aus den schwarzen Wäldern in meiner Mutter in früher Zeit.

Die lyrische Biographie ,Vom armen B. B.' aus dem Jahre 1922 steht zeitlich und inhaltlich an der Grenze zwischen der frühen Augsburger Lyrik Brechts und dem ,Lesebuch für Städtebewohner'. Sie verdeutlicht diese Grenzstellung durch ihren formalen Aufbau, der die Herkunft des Dichters „aus den schwarzen Wäldern" als zeitliche Präexistenz in der Lebenslaufstruktur der Rahmenstrophen vergegenwärtigt und im Mittelteil die Existenz des Städtebewohners zur Darstellung bringt. Diese erfährt in der sechsten und siebten Strophe darüberhinaus eine Vertiefung in die historische Dimension, derart, daß aus der Gründung der westlichen Zivilisation, an der der Städtebewohner partizipiert, auf ihren Untergang geschlossen wird. — Wenn sich nachweisen ließ, daß die zentrale Metapher der Weltkälte des Nichts, der in früheren Lebensläufen eindeutig existentielle Bedeutung zugesprochen werden mußte, im Gedicht ,Vom armen B. B.' zum erstenmal auch gesellschaftliche Implikationen erhält, so gilt ähnliches für das aus den Schiffsballaden bekannte Untergangsmotiv, das hier erstmals in einem historisch begründeten Zusammenhang erscheint. Aus der zeitgeschichtlichen Erfahrung des Ersten Weltkriegs:

Wir sind gesessen ein leichtes Geschlechte
In Häusern, die für unzerstörbare galten

schließt das Krisenbewußtsein des Städtebewohners Brecht auf die generelle Zerstörbarkeit der westlichen Zivilisation, aus dem ebenfalls zeitgeschichtlich bedingten Bewußtsein der eigenen „Vorläufigkeit"[411] auf

---

[411] Im 4. Gedicht ,Aus einem Lesebuch für Städebewohner' (Ges. Werke, Bd. IV, S. 278) hat Brecht dieses Bewußtsein der zeitgeschichtlich bedingten „Vorläufigkeit" noch eingehender definiert:

die „Erdbeben, die kommen werden". — Damit bestätigt sich an dieser Stelle noch einmal der eingangs ausgeführte, ursächliche Zusammenhang zwischen dem Zusammenbruch des Wilhelminischen Weltbildes in der frühen politischen Lyrik Brechts und der dadurch eingeleiteten Entwicklung zum Nihilismus, welche, die frühe Lyrik Brechts in ihrer ironischen und existentiellen Tendenz bestimmend, sich hier ihrer historischen Voraussetzungen bewußt wird.

III. Moralkritische Studien 1921 bis 1922

Eine Untersuchung über die Nihilismusthematik in der frühen Lyrik Brechts sollte nicht abgeschlossen werden ohne die Reflexion darauf, welche Teile des lyrischen Frühwerks möglicherweise über die nihilistische Situation hinausführen, und welche Tendenzen des dargestellten Werkzusammenhangs eine solche Entwicklung gegebenenfalls bereits andeuten. Selbstverständlich kann es sich hierbei nicht um eine allgemeinverbindliche, spekulative „Überwindung" des Nihilismus handeln, sondern, da diese Problematik das gesamte Zeitalter betrifft, lediglich um einen persönlichen Ausweg bzw. eine persönliche Entscheidung. Wenn also Brechts Entwicklung zum Nihilismus konkret durch weltanschauliche, religiöse und dichterische Standpunktlosigkeit charakterisiert wurde („Der Dichter solidarisiert nicht einmal mehr mit sich selbst"), so wäre genauer nach den Möglichkeiten und Ansätzen eines Standpunkts zu fragen, der über die nihilistische Situation hinausführt.

In diesem Zusammenhang muß erstens erwähnt werden, daß das kritische Bewußtsein des jungen Brecht zwar die nihilistische Situation konsequent durchdenkt und mit den Mitteln der Ironie und Parodie auf Desillusionierung und Aufhebung des christlichen Weltbildes zielt, daß es sich aber nirgends selber in Frage stellt, wie sich beim frühen Benn in ähnlicher Lage beobachten läßt. [412] Insofern eignet Brechts Ent-

---

„Früher dachte ich: ich stürbe gern auf eigenem Leinenzeug
Heute
Rücke ich kein Bild mehr gerad, das an der Wand hängt
Ich lasse die Stores verfallen, ich öffne dem Regen die Kammer
Wische mir den Mund ab, mit fremder Serviette.
Von einem Zimmer, das ich vier Monate hatte
Wußte ich nicht, daß das Zimmer nach hinten hinausging (was ich doch liebe)
Weil ich so sehr für das Vorläufige bin und an mich nicht recht glaube."
[412] Vergl. S. 193 f. dieser Arbeit.

wicklung zum Nihilismus das positive Element des Aufklärers. — Und es muß parallel dazu gesehen werden, daß der in den Balladen unternommene Versuch Brechts, den Menschen nunmehr im Nichts der gottverlassenen Welt auf sich selbst zu stellen, zwar überall an die Grenzen menschlicher Existenz stößt und insofern die nihilistische Situation verschärft, daß aber zugleich damit ein Bewußtsein für die Kreatürlichkeit des Menschen entwickelt wird, das fern von allem humanistischen Anspruch ein *humanum* bleibt. [413] — Von hier aus läßt sich hypothetisch bereits die Entwicklung absehen, daß in dem Augenblick, da Brechts Verständnis vom Menschen über dessen existentielle Basis hinaus seinen gesellschaftlichen Hintergrund mit umgreift, sich das kritische Bewußtsein des Dichters im Namen dieses *humanum* gegen die Gesellschaft wenden wird.

Die Möglichkeit einer sozialkritischen Richtung der Brechtschen Lyrik in der Folgezeit ist jedoch damit erst angedeutet. Sie vollzieht sich nicht sprunghaft, sondern wird, abgesehen von punktuellen Ansätzen wie der „*Legende vom toten Soldadten*", gegen Ende des von uns behandelten Zeitraums vorbereitet durch eine Reihe von moralkritischen Studien, die zwar Gesellschaftskritik noch vorwiegend auf den Aspekt der Moralkritik einengen, aber den neugewonnenen Standpunkt ihres Autors auf seiten des Menschen in seiner Kreatürlichkeit gegen die herrschende Moral der Gesellschaft gleichwohl klar erkennen lassen.

In den genannten Zusammenhang gehören zunächst die „*Ballade von der Hanna Cash*" [414] und das „*Lied der verderbten Unschuld beim Wäschefalten*" [415], beide im Jahre 1921 entstanden. Der mit diesen Balladen gegebene Neueinsatz dokumentiert sich formal darin, daß Brecht hier gegenüber den Schiffsballaden und den Lebenslauf-Strukturen zur durchgeführten Balladenhandlung zurückfindet. Das hat seinen Grund zweifellos darin, daß die Handlung hier nicht mehr als durchgeführte Metapher für existentielle Strukturen fungiert, sondern vergleichsweise realistisch, unter Einbeziehung des sozialen Milieus, das Leben bestimmter Balladen-

---

[413] Eine ähnliche Ansicht vertritt Killy in bezug auf die Dichtung von Heym und Benn. — *Die deutsche Literatur. Texte und Zeugnisse*, hrsg. v. Walther Killy, München 1967, Bd. VII, S. XV.

[414] Brecht, *Hauspostille*, S. 95—98.

[415] Brecht, *Ges. Werke*, Bd. IV, S. 196—198. Beide Gedichte sind nach dem *Bestandsverzeichnis des literarischen Nachlasses*, S. 27, Nr. 5152 und S. 117, Nr. 5984 im Jahr 1921 entstanden.

figuren beschreibt, die (auch das ist ein Novum) durchgehend positiv gesehen werden.

Die positive Charakterisierung der Hanna Cash und der „verderbten Unschuld" betrifft ihre Kreatürlichkeit und ihre damit gegebene, natürliche Moral — insofern ist die Daseinsproblematik hier noch keineswegs abgeklungen. Aber diese natürliche Moral erscheint jetzt im Gegensatz zur herrschenden Moralität der Gesellschaft, sei es als natürliche Reinheit der Liebe („*Lied der verderbten Unschuld* . . .") gegenüber dem gesellschaftlich-moralischen Anspruch auf Keuschheit, sei es als selbstverständliche Treue der liebenden Frau (*„Hanna Cash"*) gegenüber den gesellschaftlichen Anspruch auf Legimität der Ehe:

Lied der verderbten Unschuld beim Wäschefalten

Was meine Mutter mir sagte
Das kann wohl wahr nicht sein.
Sie sagte: Wenn du einmal befleckt bist
Wirst niemals du mehr rein.
  Das gilt nicht für das Linnen
  Das gilt auch nicht für mich.
  Den Fluß laß drüber rinnen
  Und schnell ist's säuberlich. [416]

. . .

Ballade von der Hanna Cash

Mit dem Rock von Kattun und dem gelben Tuch
Und den Augen der schwarzen Seen
Ohne Geld und Talent und doch mit genug
Vom Schwarzhaar, das sie offen trug
Bis zu den schwärzeren Zeh'n:
  Das war die Hanna Cash, mein Kind
  Die die „Gentlemen" eingeseift
  Die kam mit dem Wind und ging mit dem Wind
  Der in die Savannen läuft.

Die hatte keine Schuhe und die hatte auch kein Hemd
Und die konnte auch keine Choräle!
Und sie war wie eine Katze in die große Stadt
  geschwemmt

---

[416] Brecht, *Ges. Werke*, Bd. IV, S. 196, Str. 1.

Eine kleine graue Katze zwischen Hölzer eingeklemmt
Zwischen Leichen in die schwarzen Kanäle.
Sie wusch die Gläser vom Absinth
Doch nie sich selber rein
Und doch muß die Hanna Cash, mein Kind
Auch rein gewesen sein.

Und sie kam eines Nachts in die Seemannsbar
Mit den Augen der schwarzen Seen.
Und traf J. Kent mit dem Maulwurfshaar
Den Messerjack aus der Seemannsbar
Und der ließ sie mit sich gehn!
Und wenn der wüste Kent den Grind
Sich kratzte und blinzelte
Dann spürte die Hanna Cash, mein Kind
Den Blick bis in die Zeh.

Sie „kamen sich näher" zwischen Wild und Fisch
Und „gingen vereint durchs Leben"
Sie hatten kein Bett und sie hatten keinen Tisch
Und sie hatten selber nicht Wild noch Fisch
Und keinen Namen für die Kinder.
Doch ob Schneewind pfeift, ob Regen rinnt
Ersöff auch die Savann
Es bleibt die Hanna Cash, mein Kind
Bei ihrem lieben Mann.
. . . [417]

In beiden Balladen ist der Refrain direkt oder indirekt dem Standpunkt des Dichters vorbehalten, der das amoralische Verhalten seiner
Balladenfiguren wertend interpretiert. Brecht steht hier deutlich auf
dem Standpunkt des Moralisten, der den Menschen in seiner Kreatürlichkeit und natürlichen Moral gegen die konventionelle Moralität der Gesellschaft in Schutz nimmt. Insofern erscheint hier erstmals die für die
nihilistische Situation des jungen Brecht typische Standpunktlosigkeit
aufgegeben zugunsten eines moralkritischen Engagements für den Menschen in seiner Kreatürlichkeit, das in der ein Jahr später entstandenen
Ballade „*Von der Kindesmörderin Marie Farrar*" (1922) noch vertieft wird.

[417] Brecht, *Hauspostille*, S. 95—97, Str. 1—4.

Inwieweit Brecht diesen neuen Standpunkt dem literarischen Vorbild WEDEKINDS verdankt, läßt sich nicht mit Sicherheit angeben. Zwar scheint die Thematik der Keuschheit und freien Liebe mit ihrer moralkritischen Tendenz auf Wedekind zurückzuweisen, wie ein Vergleich von Brechts *„Lied der verderbten Unschuld ..."* mit Wedekinds *„Eine Abendunterhaltung"* nahelegt:

Brecht: Was meine Mutter mir sagte
Das kann wohl wahr nicht sein.
Sie sagte: Wenn du einmal befleckt bist
Wirst niemals du mehr rein.

Wedekind:
Mädel laß dich nicht betören
Von den Worten deiner Alten:
Ihr abgedroschnen Lehren
Darfst du nicht für Wahrheit halten. [418]

Aber selbst wenn hier eine analoge, moralkritische Parteinahme für den Menschen in seiner Kreatürlichkeit erkennbar wäre, so ist dieser Standpunkt in den Moritaten WEDEKINDS nicht gegeben, von denen die entsprechenden Stücke aus Brechts *„Hauspostille"*, die Moritat vom *„Apfelböck"* und *„Von der Kindesmörderin Marie Farrar"* angeregt wurden. [419] Denn WEDEKIND sympathisiert nicht mit den Helden seiner Moritaten, die als Täter wie als Opfer ein gleich ironisches bzw. groteskes Licht auf die Gesellschaft werfen, die sie hervorgebracht hat:

Ich hab meine Tante geschlachtet,
Meine Tante war alt und schwach;
Ihr aber, o Richter, ihr trachtet
Meiner blühenden Jugend-Jugend nach. [420]

Das mitleidlos-ironische Verhältnis des Täters zu seinem Opfer, wie es in der Moritat *„Die Keuschheit"* formuliert wird:

[418] Frank Wedekind, *Gesammelte Werke*, München 1920, Bd. VIII, S. 38, Str. 1.
[419] „Im Gegensatz zu Klabund und Ringelnatz, die zumeist in Imitationen steckenblieben, ist Brecht eine echte Weiterentwicklung des Wedekindschen Moritaten- und Bänkelliedtypus gelungen; vor allem „Apfelböck oder die Lilie auf dem Felde" und „Von der Kindsmörderin Marie Farrar" ... setzen die entsprechenden Stücke aus den „Vier Jahreszeiten" ... auf eigenwillige Weise fort." — Karl Riha, *Moritat. Song. Bänkelsang. Die moderne Ballade*, Göttingen 1965, S. 93.
[420] Wedekind, *Ges. Werke*, Bd. I, S. 108, Str. 5.

Aber dieser Fürchterliche
Hatte keinen Trost für sie
Als verdrehte Bibelsprüche
Voll gesalzner Ironie; [421]

charakterisiert *mutatis mutandis* auch das Verhältnis des Autors Wedekind zu den Figuren seiner Moritaten.

In Brechts Ballade vom *„Apfelböck oder die Lilie auf dem Felde"* aus
dem Jahre 1919 [422], die von Wedekind die Darbietungsform der Moritat und
das moritatenhafte Thema des Verwandtenmordes übernimmt, wendet
sich der gleiche ironische Vorbehalt gegen den Täter wie die Opfer
des Verbrechens, ohne daß hier bereits ein anderer Standpunkt des
Autors erkennbar würde, als die bürgerliche Welt, der beide ent-
stammen, ironisch *ad absurdum* zu führen:

Im milden Lichte, Jakob Apfelböck
Erschlug den Vater und die Mutter sein
Und schloß sie beide in den Wäscheschrank
Und blieb im Hause übrig, er allein.

Es schwammen Wolken unterm Himmel hin
Und um sein Haus ging mild der Sommerwind
Und in dem Hause saß er selber drin
Vor sieben Tagen war es noch ein Kind.

Die Tage gingen und Nacht ging auch
Und nichts war anders außer mancherlei
Bei seinen Eltern Jakob Apfelböck
Wartete einfach, komme was es sei.
. . .
Es bringt die Milchfrau noch die Milch ins Haus
Gerahmte Buttermilch, süß, fett und kühl.
Was er nicht trinkt, das schüttet Jakob aus
Denn Jakob Apfelböck trinkt nicht mehr viel.

Es bringt der Zeitungsmann die Zeitung noch
Mit schwerem Tritt ins Haus beim Abendlicht

---

[421] ebd. Bd. VIII, S. 67, Str. 10, V. 1—4.
[422] Entstehungsdatum des Gedichts ist nach dem *Bestandsverzeichnis des literarischen Nachlasses*, S. 11, Nr. 5011 des Jahres 1919.

Und wirft sie scheppernd in das Kastenloch
Doch Jakob Apfelböck, der liest sie nicht.

Und als die Leichen rochen durch das Haus
Da weinte Jakob und ward krank davon.
Und Jakob Apfelböck zog weinend aus
Und schlief von nun an nur auf dem Balkon.

. . .

Und als sie einstens in den Schrank ihm sahn
Stand Jakob Apfelböck in mildem Licht
Und als sie fragten, warum er's getan
Sprach Jakob Apfelböck: Ich weiß es nicht.

Die Milchfrau aber sprach am Tag danach
Ob wohl das Kind einmal, früh oder spät
Ob Jakob Apfelböck wohl einmal noch
Zum Grabe seiner armen Eltern geht? [423]

Ähnlich wie bei WEDEKIND ist auch in Brechts Moritat vom *„Apfelböck"*
die Ironie als Groteske angelegt. Sie entspringt dem grellen Kontrast
zwischen dem Verbrechen des Elternmordes und der banalen Atmos-
phäre einer bürgerlichen Umwelt, in der Apfelböck befangen bleibt, obwohl er sie durch seine Untat faktisch bereits aufgehoben hat. Seine bildliche Entsprechung hat dieser Kontrast in der Wedekind [424] entlehnten
Chiffre vom „milden Licht" des bürgerlichen Milieus, die dem Mörder
Apfelböck leitmotivisch zugeordnet wird. Denn gleichviel aus welchen
Motiven Apfelböck den Elternmord beging, er bleibt auf groteske Weise
gebunden noch an die Leichen der Eltern, vermag sich nicht aus dem Bann-
kreis des elterlichen Hauses und des bürgerlichen Milieus zu lösen,
das ironischerweise auch noch nach der Untat erhalten bleibt („Es bringt
die Milchfrau noch die Milch ins Haus" . . . „Es bringt der Zeitungsmann
die Zeitung noch"), aber das sich nun auf ihm unverständliche Weise ge-
gegen ihn wendet, weil der Mörder Jakob Apfelböck auch nach seiner Tat

---

[423] Brecht, *Hauspostille*, S. 17—19.
[424] Die Chiffre des „milden Lichts" findet sich bereits in Wedekinds Ballade
„*Das arme Mädchen"*: „Bei des Lichtes mildem Schimmer/ bald sich ein Gespräch
entspann" (Wedekind, *Ges. Werke*, Bd. I, S. 73, Str. 3, V. 7—8), steht dort aber
nicht im Kontrast zum Verbrechen. In anderen Moritaten Wedekinds ist das Leuchten
mit dem Licht zur Untat charakteristisch, vergl. *„Die Keuschheit"* (ebd. S. 69 f)
und „*Der Lehrer von Mezzodur"* (ebd. S. 101 f).

noch befangen bleibt im psychologischen Klischee des naiven Kindes, das ihm von seiner Umwelt suggeriert wird:

> Die Milchfrau aber sprach am Tag danach
> Ob wohl das Kind einmal, früh oder spät
> Ob Jakob Apfelböck wohl einmal noch
> Zum Grabe seiner armen Eltern geht?

RIHAS Behauptung, „daß der Dichter auf den gesellschaftlichen Hintergrund, aus dem das Verbrechen erwächst und auf den es deshalb zurückfällt, verzichtet und den Mord als ein groteskes Faktum stehen läßt" [425], trifft demnach nicht zu. Denn die ironische Groteske erwächst ja gerade aus der Paradoxie, daß das Verbrechen Apfelböcks ihn nicht von der bürgerlichen Umwelt zu befreien vermag, auf deren Aufhebung die Untat letztlich doch zielte. — Insofern handelt es sich hier um eine gesellschaftskritische Studie Brechts, die in enger Anlehnung an die Moritaten Wedekinds die Widersprüche des bürgerlichen Lebens ironisch gegeneinander ausspielt, aber sich der eigenen Stellungnahme enthält.

Die für WEDEKINDS Moritaten typische Unverbindlichkeit der Stellungnahme hat Brecht in der Ballade „Von der Kindesmörderin Marie Farrar" aus dem Jahre 1922 aufgegeben. Analog zu der eingangs behandelten „Ballade von der Hanna Cash" und dem „Lied der verderbten Unschuld . . ." stellt sich hier der Dichter eindeutig auf den Standpunkt der Kreatur Mensch gegen die Moral der Gesellschaft. Gegenüber dem „Apfelböck" fällt sie durch ihre zweifache Motivierung im existentiellen und gesellschaftlichen Sinne auf und vermag so exemplarisch den Übergang von der daseinsproblematischen zur sozialkritischen Richtung zu verdeutlichen, in dem sich Brechts Balladenschaffen zu diesem Zeitpunkt befindet:

> Marie Farrar, geboren im April
> Unmündig, merkmallos, rachitisch, Waise
> Bislang angeblich unbescholten, will
> Ein Kind ermordet haben in der Weise:
> Sie sagt, sie habe schon im zweiten Monat
> Bei einer Frau in einem Kellerhaus

---

[425] Riha, *Moritat. Song. Bänkelsang*, S. 100. Entstehungsdatum des Gedichts ist nach dem *Bestandsverzeichnis des literarischen Nachlasses*, S. 179, Nr. 6561 das Jahr 1922.

Versucht, es abzutreiben mit zwei Spritzen
Angeblich schmerzhaft, doch ging's nicht heraus.
   Doch ihr, ich bitte euch, wollt nicht in Zorn verfallen
   Denn alle Kreatur braucht Hilf von allen.

Sie habe dennoch, sagt sie, gleich bezahlt
Was ausgemacht war, sich fortan geschnürt
Auch Sprit getrunken, Pfeffer drin vermahlt
Doch habe sie das nur stark abgeführt.
Ihr Leib sei zusehends geschwollen, habe
Auch stark geschmerzt, beim Tellerwaschen oft.
Sie selbst sei, sagt sie, damals noch gewachsen.
Sie habe zu Marie gebetet, viel erhofft.
   Auch ihr, ich bitte euch, wollt nicht in Zorn verfallen
   Denn alle Kreatur braucht Hilf von allen.

Doch die Gebete hätten, scheinbar, nichts genützt.
Es war auch viel verlangt. Als sie dann dicker war
Hab ihr in Frühmetten geschwindelt. Oft hab sie geschwitzt
Auch Angstschweiß, häufig unter dem Altar.
Doch hab den Zustand sie geheimgehalten
Bis die Geburt sie nachher überfiel.
Es sei gegangen, da wohl niemand glaubte
Daß sie, sehr reizlos, in Versuchung fiel.
   Und ihr, ich bitte euch, wollt nicht in Zorn verfallen
   Denn alle Kreatur braucht Hilf von allen.

An diesem Tag, sagt sie, in aller Früh
Ist ihr beim Stiegenwaschen so, als krallten
Ihr Nägel in den Bauch. Es schüttelt sie.
Jedoch gelingt es ihr, den Schmerz geheimzuhalten.
Den ganzen Tag, es ist beim Wäschehängen
Zerbricht sie sich den Kopf; dann kommt sie drauf
Daß sie gebären sollte, und es wird ihr
Gleich schwer ums Herz. Erst spät geht sie hinauf.
   Doch ihr, ich bitte euch, wollte nicht in Zorn verfallen
   Denn alle Kreatur braucht Hilf von allen.

Man holte sie noch einmal als sie lag:
Schnee war gefallen, und sie mußte kehren.

Das ging bis elf. Es war ein langer Tag.
Erst in der Nacht konnt sie in Ruhe gebären.
Und sie gebar, so sagt sie, einen Sohn.
Der Sohn war ebenso wie andere Söhne.
Doch sie war nicht, wie andre Mütter sind, obschon —
Es liegt kein Grund vor, daß ich sie verhöhne.
    Auch ihr, ich bitte euch, wollte nicht in Zorn verfallen
    Denn alle Kreatur braucht Hilf von allen.

So laßt sie also weiter denn erzählen
Wie es mit diesem Sohn geworden ist
(Sie wolle davon, sagt sie, nichts verhehlen)
Damit man sieht, wie ich bin und du bist.
Sie sagt, sie sei, nur kurz im Bett, von Übel-
keit stark befallen worden, und allein
Hab sie, nicht wissend, was geschehen sollte
Mit Mühe sich bezwungen, nicht zu schrein.
    Und ihr, ich bitte euch, wollt nicht in Zorn verfallen
    Denn alle Kreatur braucht Hilf von allen.

Mit letzter Kraft hab sie, so sagt sie, dann
Da ihre Kammer auch eiskalt gewesen
Sich zum Abort geschleppt und dort auch (wann
Weiß sie nicht mehr) geborn ohn Federlesen
So gegen Morgen zu. Sie sei, sagt sie
Jetzt ganz verwirrt gewesen, habe dann
Halb schon erstarrt, das Kind kaum halten können
Weil es in den Gesindabort hereinschnein kann.
    Und ihr, ich bitte euch, wollt nicht in Zorn verfallen
    Denn alle Kreatur braucht Hilf von allen.

Dann zwischen Kammer und Abort — vorher, sagt sie
Sei noch gar nichts gewesen — fing das Kind
Zu schreien an, das hab sie so verdrossen, sagt sie
Daß sie's mit beiden Fäusten, ohne Aufhörn, blind
So lang geschlagen habe, bis es still war, sagt sie.
Hierauf hab sie das Tote noch durchaus
Zu sich ins Bett genommen für den Rest der Nacht
Und es versteckt am Morgen in dem Wäschehaus.

Doch ihr, ich bitte euch, wollt nicht in Zorn verfallen
Denn alle Kreatur braucht Hilf vor allem.

Marie Farrar, geboren im April
Gestorben im Gefängnishaus zu Meißen
Ledige Kindesmutter, abgeurteilt, will
Euch die Gebrechen aller Kreatur erweisen.
Ihr, die ihr gut gebärt in saubern Wochenbetten
Und nennt „gesegnet" euren schwangren Schoß
Wollt nicht verdammen die verworfnen Schwachen
Denn ihre Sünd war schwer, doch ihr Leid groß.
   Darum, ich bitte euch, wollt nicht in Zorn verfallen
   Denn alle Kreatur braucht Hilf von allen. [426]

Das Moritatenthema des Kindsmordes, das im 18. Jahrhundert durch
GOETHES Gretchentragödie im „Faust" und SCHILLERS Ballade „Die Kindsmörderin" [427] (1782) in die gehobene Literatur eindrang [428] und das
sich auf der Ebene des literarischen Bänkelsangs bis zu WEDEKINDS Moritat „Der Lehrer von Mezzodur" [429] erhalten hat, verdankt Brecht nach
seinen eigenen Angaben dem Eindruck einer Gerichtsverhandlung:

Die in Kapitel 3 gezeichnete Marie Farrar, ... zu Augsburg am Lech
geboren, kam vor Gericht wegen Kindesmord im zarten Alter von
16 Jahren. Diese Farrar erregte das Gemüt des Gerichtshofes durch ihre
Unschuld und menschliche Unempfindlichkeit. [430]

Der letzte Satz: „Diese Farrar erregte das Gemüt des Gerichtshofes durch
ihre Unschuld und menschliche Unempfindlichkeit" — läßt in ironischer
Verkehrung bereits darauf schließen, welche Intentionen Brecht mit der
Behandlung dieses Themas verband: Die Leiden der Marie Farrar vor dem
Hintergrund der „menschlichen Unempfindlichkeit" des Gerichts, im wei-
teren Sinne der Gesellschaft, zur Darstellung zu bringen.
   Der Eindruck der Gerichtsverhandlung bestimmt auch die Darbietungs-
form des Gedichts, das in den Rahmenstrophen als Gerichtsprotokoll

---

[426] Brecht, *Hauspostille*, S. 20—24; zitiert nach der leicht gebesserten Fassung
in: Brecht, *Ges. Werke*, Bd. IV, S. 176—179.
[427] Friedrich Schiller, *Sämtliche Werke*, hrsg. v. Gerhard Fricke und Herbert G.
Göpfert, ³München 1962, Bd. I, S. 52—56.
[428] Vergl. *Riha, Moritat. Song. Bänkelsang*, S. 32.
[429] Wedekind, *Ges. Werke*, Bd. I, S. 101 f.
[430] Brecht, *Hauspostille, Anleitung*, S. 9 f.

angelegt ist, von dem die Aussagen der Marie Farrar abhängig sind. Diese Anlage ermöglicht es Brecht, die beiden Hauptformen des volkstümlichen Bänkelsangs, das Zeitungslied und den Rollenmonolog, auf höchst kunstvolle Weise zu verbinden. Denn übernimmt das Gerichtsprotokoll die Vermittlung der „Zeitung" (Neuigkeit), so erinnert die davon abhängige, indirekte Rede der Marie Farrar über den Hergang ihrer Tat an die bänkelsängerische Form des Rollenmonologs, in dem der Täter auf dem Schafott oder unter dem Galgen von seiner Untat zeugte. [431] Direkter noch deuten die Wendung des Erzählers an seine Zuhörer im Refrain und die angehängte Schlußmoral auf die moritatenhafte Anlage der Brechtschen Ballade.

Indessen ist die Erzählsituation des Gedichts weitaus komplizierter als in den Moritaten alten Stils und verweist damit auf den Kunstcharakter dieses literarischen Bänkelsangs. Der Erzähler übernimmt nicht nur die Funktion eines Gerichtsprotokollanten, der durch die unbeteiligt-objektive Form seiner Aussagen die Institution dieses Gerichts negativ charakterisiert, sondern wird im weiteren Verlauf des Gedichts zum innerlich beteiligten Berichterstatter, der sich mit gesellschaftskritischen und daseinsproblematischen Reflexionen in den Handlungsablauf einschaltet und so die doppelsinnige Motivation seiner Ballade erkennen läßt:

Und sie gebar, so sagt sie, einen Sohn.
Der Sohn war ebenso wie andere Söhne.
Doch sie war nicht, wie andre Mütter sind, obschon —
Es liegt kein Grund vor, daß ich sie verhöhne.
So laßt sie also weiter denn erzählen
Wie es mit diesem Sohn geworden ist
(Sie wolle davon, sagt sie, nichts verhehlen)
Damit man sieht, wie ich bin und du bist.

Mit der fiktiven Übergabe der Erzählerrolle an die Marie Farrar macht Brecht selbst auf das bedeutendste Stilmerkmal des Gedichts, die indirekte Rede, aufmerksam, die seine Ballade als Kunstform vom niederen Bänkelsang absetzt. [432] Die indirekte Rede dient vor allem der lebendi-

---

[431] „Bei den bänkelsängerischen Rollenmonologen handelt es sich um fiktive, in der Ich-Form abgefaßte Abschiedslieder abgeurteilter Verbrecher, die sich nun unterm Galgen der Menschheit als warnendes Exempel hinstellen und die Summe ihres verwirkten Lebens ziehen, nachdem sie den schauerlich-spannenden Hergang ihrer Untat berichtet haben." — Riha, *Moritat. Song. Bänkelsang*, S. 32.

[432] Das Stilmerkmal der indirekten Rede findet sich bereits in Wedekinds Moritaten. Vergl. „*Brigitte B.*" in: Wedekind, *Ges. Werke*, Bd. I, S. 56—58.

gen Vergegenwärtigung der Marie Farrar, ihrer glaubwürdigen Erzählung vom Hergang der Tat, die in ihrem Munde Motivationen erkennen läßt, die dem Gerichtshof verschlossen bleiben. Der Erzähler versucht mit Hilfe dieses Stilmittels nicht nur, die Aussagen der Verhörten vor dem Gericht sinngemäß wiederzugeben, sondern übernimmt viel von der mündlichen Diktion der Marie Farrar bis hin zu idiomatischen Redewendungen wie „Pfeffer drin vermahlt", „als krallten ihr Nägel in den Bauch", „geborn ohn Federlesen" etc. Die Syntax vor allem wird zum Spiegel dieser mündlichen Diktion, da sie die Satzglieder nicht durchgehend nach ihrer logischen Ordnung reiht, sondern nach dem Grad ihrer Bedeutsamkeit für die Sprechende:

Ihr Leib sei zusehends geschwollen, habe
Auch stark geschmerzt, beim Tellerwaschen oft

Oft hab sie / geschwitzt
Auch Angstschweiß, häufig unter dem Altar.
Sie sagt, sie sei, nur kurz im Bett, von Übel-
keit stark befallen worden, und allein
Hab sie, nicht wissend, was geschehen sollte
Mit Mühe sich bezwungen, nicht zu schrein.

Mit letzter Kraft hab sie, so sagt sie, dann
Da ihre Kammer auch eiskalt gewesen
Sich zum Abort geschleppt und dort auch (wann
Weiß sie nicht mehr) geborn ohn Federlesen
So gegen Morgen zu. Sie sei, sagt sie
Jetzt ganz verwirrt gewesen . . .

. . . das hab sie so verdrossen, sagt sie
Daß sie's mit beiden Fäusten, ohne Aufhörn, blind
So lang geschlagen habe, bis es still war, sagt sie.
Hierauf hab sie das Tote noch durchaus
Zu sich ins Bett genommen für den Rest der Nacht.

Eindringlicher als entschuldigende Beweisgründe es vermöchten, verweist die verwirrte, emotional bestimmte Logik dieser Aussagen auf Schmerzen, Angst, Einsamkeit und Erschöpfung als Ursachen für die totale Verwirrung, in der die jugendliche Marie Farrar zur Kindsmörderin wurde. Doch werden diese Aspekte vom Erzähler nicht eigentlich als „mildernde Umstände" der Tat angeführt, sondern dienen dem existentiellen Nachweis, wieweit Angst und Schmerz den Menschen seiner Kreatürlichkeit

auszuliefern vermögen: „Damit man sieht, wie ich bin und du bist."
Neben diesem daseinsproblematischen Anliegen erscheint die Frage
nach Tat und Schuld von sekundärer Bedeutung; die Forderung nach mit-
menschlicher Hilfe dagegen, wie sie der Refrain litaneiartig wiederholt,
als einzig angemessen:

> Doch ihr, ich bitte euch, wollte nicht in Zorn verfallen
> Denn alle Kreatur braucht Hilf von allen.

Wo diese Hilfe ausbleibt, steht der Erzähler nicht an, soziale Kritik
zu üben an einer Justiz, die nur nach dem objektiven Tatbestand verurteilt, an einer Gesellschaft, die an dem moralischen Unterschied zwischen
ehelicher und unehelicher Geburt beharrlich festhält („Der Sohn war
ebenso wie andere Söhne./ Doch sie war nicht wie andre Mütter sind . . .")
und deren Unterschiede im sozialen Bereich (Herrschaft und Dienstboten-
milieu) derart gravierend sind, daß die Verantwortung für die Tat, die
sie moralisch verdammt, auf sie selber zurückfällt:

> Mit letzter Kraft hab sie, so sagt sie, dann
> Da ihre Kammer auch eiskalt gewesen
> Sich zum Abort geschleppt und dort auch (wann
> Weiß sie nicht mehr) geborn ohn Federlesen
> So gegen Morgen zu. Sie sei, sagt sie
> Jetzt ganz verwirrt gewesen, habe dann
> Halb schon erstarrt, das Kind kaum halten können,
> Weil es in den Gesindabort hereinschnein kann.

Werden existentielle Problematik der menschlichen Kreatur und soziale
Kritik als komplementäre Motivationen für die Tat der Marie Farrar zu-
meist nur indirekt durch die Balladenhandlung vermittelt, so tritt der
Erzähler in der Schlußstrophe in der Art eines Moritatensängers aus dem
Handlungsablauf heraus und begründet im Zeichen dieser beiden An-
liegen die Moral seiner Geschichte:

> Marie Farrar, geboren im April
> Gestorben im Gefängnishaus zu Meißen
> Ledige Kindesmutter, abgeurteilt, will
> Euch die Gebrechen aller Kreatur erweisen.
> Ihr, die ihr gut gebärt in saubern Wochenbetten
> Und nennt „gesegnet" euren schwangeren Schoß
> Wollt nicht verdammen die verworfnen Schwachen
> Denn ihre Sünd war schwer, doch ihr Leid groß.

Darum, ich bitte euch, wollte nicht in Zorn verfallen
Denn alle Kreatur braucht Hilf von allen.

Diese Moral ist doppelsinnig: Soll die Marie Farrar einerseits als Exemplum für die „Gebrechen aller Kreatur" stehen, für die existentielle Ausgesetztheit des Menschen an Geburt, Tod, Kälte, Angst und Schmerz, wie sie in den frühen Balladen Brechts fast durchgängig begegnet, so wendet sich der Dichter andererseits im Namen dieser gebrechlichen Kreatur Mensch mit der Fürbitte an die Gesellschaft, ihre falsche, auf ungleichen sozialen Voraussetzungen beruhende Moral fallen zu lassen und statt des Verdammungsurteils die notwendige Hilfe an den „verworfnen Schwachen" zu leisten. — Mit der dafür gegebenen Begründung: „Denn ihre Sünd war schwer, doch ihr Leid groß" — scheint sich der Erzähler zwar wieder bedenklich der volkstümlichen Moritatenmoral anzunähern; doch dürfte es sich hier wohl eher um eine zitatenhafte Anspielung handeln, wofür auch der bänkelsängerische Tonfall dieses Verses spricht. Denn Brecht verkehrt ja gerade die den volkstümlichen Moritaten angehängte Schlußmoral, die vom Standpunkt einer allgemeinverbindlichen, gesellschaftlichen Moral den Täter verurteilte, in eine neue, gesellschaftskritische Moral, die vom Standpunkt der Kreatur Mensch die unangemessene Moralität der Gesellschaft in Frage stellt.

In dieser ebenso eindeutigen wie eindringlichen Stellungnahme des Dichters für den Menschen in seiner Kreatürlichkeit scheint uns der Ansatz für eine fundamental humane Positon gegeben, die über die nihilistische Situation des jungen Brecht hinausführt. Und sofern sich ihr sozialkritische Aspekte verbinden, die über die bloße Moralkritik hinausweisen, läßt sich hier bereits die gesellschaftskritische Wendung erkennen, die Brechts Lyrik in der Folgezeit nehmen wird. Daß diese Wendung bereits mit dem Beginn des Brechtschen Balladenschaffens gegeben sei — „Nicht als Brecht anfing, sich mit dem Marxismus zu beschäftigen, sondern als er begann, die Balladenform zu benutzen ...', — da hat er als Dichter die Partei der Unterdrückten ergriffen" [433] —, dieser Ansicht Hannah ARENDTS wird man zwar nur bedingt zustimmen können, aber für die Ballade „Von der Kindesmörderin Marie Farrar" ist sie bereits voll gerechtfertigt.

[433] Hannah Arendt, *Der Dichter Bertolt Brecht*, Die Neue Rundschau (Amsterdam) LXI, 1, 1950, S. 67.

ZUSAMMENFASSUNG. LITERARHISTORISCHE ABGRENZUNG DER FRÜHEN LYRIK BRECHTS GEGEN DEN EXPRESSIONISMUS

Ausgangspunkt dieser Analyse war die Frage nach dem Werkzusammenhang der frühen Lyrik Brechts. Sie wurde nahegelegt durch die Heterogenität der „*Hauspostillen*"-Gedichte sowie der entsprechenden Texte aus dem Nachlaß, die einer einheitlichen, thematischen oder stilistischen Konzeption zu widersprechen schienen. Dennoch ließ sich die These Hans MAYERS von der „Gelegenheitsdichtung des jungen Brecht" [434] nicht halten, sondern wurde widerlegt durch die Beobachtung thematischer und struktureller Zusammenhänge, die das lyrische Frühwerk Brechts im Zeitraum von 1914 bis 1922 bestimmen. Dabei erwies sich Brechts Entwicklung zum Nihilismus insofern von übergeordneter Bedeutung, als sich sämtliche thematische oder strukturelle Zusammenhänge vorbereitend, begleitend oder distanzierend auf diese Entwicklung beziehen ließen, so daß in der Thematik des Nihilismus der zentrale Werkzusammenhang der frühen Lyrik Brechts gegeben scheint.

Zwar lassen die Anfänge des Lyrikers Brecht zunächst nur eine ausgeprägte Zuordnung von Lyrik und Zeitgeschichte erkennen, deren thematische Einheit von der „*Modernen Legende*" (1914) bis zur „*Legende vom toten Soldadten*" (1918) in der Reaktion des jungen Brecht auf den Tod des Soldadten im Ersten Weltkrieg zu sehen ist. Es ist insbesondere die Auseinandersetzung mit der Problematik des Heldentodes, in deren Entwicklung nationale Befangenheit, Krise und Neuorientierung des politischen Bewußtseins Brechts evident werden. Aber, ihrer politischen Bestimmung ungeachtet, läßt bereits diese Gedichtfolge einen ursächlichen Zusammenhang zwischen Nihilismus und Zeitgeschichte erkennen. Denn da politisches und religiöses Bewußtsein des jungen Brecht zunächst noch im Sinne der Wilhelminischen Ideologie eine weltanschauliche Einheit bilden, betrifft die 1915 eintretende Krise des nationalen Weltbildes die religiöse Weltanschauung des Dichters notwendig mit. Die zweideutige Verbindung von nationaler und religiöser Apothesose des Heldentodes schlägt zu diesem Zeitpunkt um in die existentielle Erfahrung der

---

[434] Vergl. S. 2, Anm. 5 dieser Arbeit.

Todesfurcht, welche mit dem konventionellen Klischee vom Heldentod zugleich die entsprechende Gottesvorstellung in Frage stellt.

Die Bedeutung dieser Krise für die Ermöglichung von neuen Ansätzen der Brechtschen Lyrik in der Folgezeit kann nicht hoch genug eingeschätzt werden. Sie wird nicht nur zur Grenzscheide zwischen einer naiven und einer kritisch-ironischen Phase der politischen Lyrik Brechts, sondern führt zu einem Neueinsatz vielfältiger, thematischer und struktureller Zusammenhänge, die zwischen 1916 und 1922 die frühe Lyrik Brechts bestimmen und die im ganzen durch eine spürbare Distanz zur Zeitgeschichte gekennzeichnet sind.

Das gilt vor allem für die ab 1917 einsetzende Entwicklung Brechts zum Nihilismus, zu welcher der Zusammenbruch des nationalen und religiösen Weltbildes Wilhelminischer Provenienz gleichwohl den historischen Anlaß gegeben haben dürfte. Daß das religiöse Weltbild des jungen Brecht indessen tiefere Dimensionen gehabt haben muß als die Wilhelminischen Ideale von „Gott und Vaterland", erhellt aus der Tatsache, daß deren Zerfall nicht bereits mit dem weltanschaulichen Nihilismus identisch ist, sondern lediglich den Anstoß zu einer langwierigen Lösung Brechts von der christlichen Transzendenz gegeben hat, an deren Endpunkt das Nichts steht.

Diese Entwicklung zeigt in ihrer Folge die frühe Übernahme der Formel NIETZSCHES vom „Tod Gottes", ein Zwischenstadium der paradoxen Auflehnung gegen die transzendente Fiktion bis hin zur stoischen Bejahung des Nichts und zum aufgeklärten Nihilismus. Sie läßt sich damit dem von Nietzsche postulierten Zusammenhang des „Europäischen Nihilismus" einordnen, denn sie durchläuft in ihrer individuellen Ausprägung durchaus die typischen „psychologischen Zustände", die Nietzsche mit dem „Hinfall der kosmologischen Werte" [435] vorausgesagt hatte. Von der enttäuschten Fixierung an die transzendente Fiktion, die Nietzsche als „Nihilismus der Schwäche" [436] bezeichnet hätte, gelangt auch Brecht zu jener „letzten Form des [aufgeklärten] Nihilismus, welcher den Unglauben an eine metaphysische Welt in sich schließt, — welcher sich den Glauben an eine wahre Welt verbietet." [437]

Der von Hannah ARENDT und anderen herausgestellte „Vitalismus" Brechts steht nicht gegenläufig zu dieser Entwicklung, sondern ist ihr

---

[435] Nietzsche, Ges. Werke, Bd. III, S. 676—679.
[436] ebd. S. 550.
[437] Nietzsche, Ges. Werke, Bd. III, S. 678.

immanent als gelegentlicher Versuch des Dichters, die nihilistische Situation zu bejahen. Allerdings darf Brechts späte Selbstinterpretation seiner Augsburger Lyrik in dem Gedicht „Einst" (1945) nicht dazu verleiten, den langwierigen, widerspruchsvollen Prozeß der Loslösung von der christlichen Transzendenz auf die Phase der stoischen Bejahung des Nichts zu verkürzen. Die Versuche einer vitalen Bejahung des Nichts bleiben punktuell und werden überholt von der aufklärerischen Richtung, in die Brechts Entwicklung zum Nihilismus einmündet.

Gewissermaßen gegenläufig zu dieser Entwicklung ist zwischen 1917 und 1921 eine Folge von Gedichten aus dem Nachlaß zu sehen, in denen Brecht die Problematik des Nihilismus auf ironische Weise zu überspielen versucht, indem er sich und seinen Augsburger Freundeskreis zu „Sündern in der Hölle" stilisiert. Dabei sind Rolle und Porträt des Bösen offensichtlich durch das literarische Vorbild VILLONS angeregt, der mit dem von ihm verkörperten Typus des poète maudit und den von ihm kreierten Formen der Selbstdarstellung entscheidenden Einfluß auf die Gestaltung des Bösen in den frühen Porträtgedichten Brechts hat. Obwohl biographische Züge diese Gedichtfolge als „Gelegenheitsdichtung" ausweisen, handelt es sich hier bereits um einen nach Form und Inhalt geschlossenen Strukturtypus, da der ironisch gebrochenen Thematik des Bösen die Form des lyrischen Porträts korrespondiert. Der ironische Stil setzt diese Gedichtfolge auffällig von den Gedichten mit religiöser Thematik ab und ist vorausweisend auf den ironischen Stilzusammenhang der „Hauspostille".

Zugleich vermittelt diese Gedichtsfolge einen ersten Einblick in den Zusammenhang von Nihilismus und Ironie. Es scheint, daß mit dem Zusammenbruch des religiösen Weltbildes eine Relativierung des weltanschaulichen Standpunktes eintritt, die sich in der Dichtung als Freiwerden von Ironie, Parodie, Provokation und Satire äußert. Denn wie das „Lied der müden Empörer" und das „Lied der Galgenvögel" verdeutlichen, steht die ironische Abwertung der christlichen Wertewelt und Moralität in kausalem Zusammenhang mit der Erfahrung einer „leeren Transzendenz", von der aus sie sich als enttäuschter Rückschlag auf die Realität erklären läßt. Mit dieser ironischen Reaktion auf eine als leer erkannte Transzendenz steht Brecht im Zusammenhang der von Hugo FRIEDRICH an BAUDELAIRE, RIMBAUD und MALLARMÉ aufgezeigten „Dialektik der Modernität" [438], die bereits von NIETZSCHE philosophisch vorformu-

---

[438] Vergl. S. 64 dieser Arbeit.

liert worden war: „Endlich: man entdeckt, aus welchem Material man die „wahre" Welt gebaut hat: und nun hat man nur noch die verworfene übrig und rechnet jene höchste Enttäuschung mit ein auf das Konto ihrer Verwerflichkeit." [439]

Der ironische Stil der Gedichtfolge „Von den Sündern in der Hölle" ist vorausweisend auf den ironischen Stilzusammenhang der „Hauspostille", der als einziger nicht chronologisch, sondern systematisch aufgeschlüsselt wurde, um der Komposition dieser Gedichtsammlung gerecht zu werden. Als Gegenstand der Ironie erscheint hier nicht in erster Linie die bürgerliche Gesellschaft, wie Benjamin annahm, sondern im engeren Sinne die geistliche Erbauungsliteratur im weiteren die religiösen Glaubensformen des christlichen Weltbildes. Christliche Motive, Wertvorstellungen, Glaubenssätze und sakrale Formen werden zum Gegenstand von Ironie und Parodie, indem der Dichter sie gegenläufig umfunktioniert oder ihnen widersprüchliche Inhalte substituiert. Dabei bleibt die ironische Diskrepanz der Strukturschichten von Form und Inhalt nicht nur ästhetisch unverbindliches Spiel, wie sich gelegentlich der materialistischen Umfunktionierung christlicher Inhalte beobachten ließ, sondern enthält eine dezidiert antichristliche Tendenz, wie am Beispiel der ironischen Brechung der christlichen Fürbitte deutlich wurde. In Texten schließlich, die wie der „Große Dankchoral" und der „Erste Psalm" die christliche Weltanschauung *in toto* parodieren, zielt diese Tendenz mittels Substitution eines nihilistischen Gegenentwurfs durchaus auf die Aufhebung des in der Vorlage implizierten Weltbildes, so daß hier der aufklärerisch-kritische Impetus der Brechtschen Ironie evident wird.

Die eingangs aufgeworfene Frage ALLEMANNS, „ob nicht die Ironie in einem umfassenden Sinne mit in den Zusammenhang des Europäischen Nihilismus gehöre" [440], ist damit für die frühe Lyrik Brechts in einem zweifachen Sinne zu bejahen: Ließ sich die Voraussetzung von Ironie und Parodie in der Folge „Von den Sündern in der Hölle" aus der enttäuschten Reaktion auf die Erfahrung einer „leeren Transzendenz" ableiten, so enthält die Ironie im weiteren Zusammenhang der „Hauspostille" die aufklärerisch-kritische Funktion einer „Umwertung aller Werte", mit der Einschränkung, daß es bei Brecht zu keiner anderen Neusetzung von Werten kommt als der Konstatierung des Nichts.

[439] Nietzsche, Ges. Werke, Bd. III, S. 533.
[440] Vergl. S. 80 dieser Arbeit.

Indessen ist der hier herausgestellte, ironische Stilzusammenhang nicht für die Gesamtheit der frühen Lyrik Brechts verbindlich. Bereits im Verhältnis der um die Nihilismusthematik zentrierten Gedichte zur Folge *„Von den Sündern in der Hölle"* ließ das Gegeneinander von ironisch-unverbindlichen zu existentiell-verbindlichen Aussagen auf zwei verschiedene Darstellungsebenen der frühen Lyrik Brechts schließen. In der *„Hauspostille"* ist es insbesondere die in den *„Chroniken"* zusammengefaßte Balladendichtung Brechts, die sich dem ironischen Stilzusammenhang weitgehend entzieht und mit ihrer fast durchgängig zu beobachtenden, existentiellen Thematik einen zweiten, übergreifenden Aussage- und Stilzusammenhang bildet. Damit stellt sich notwendig die Frage, wie dieses Nebeneinander der beiden Darstellungsebenen zu denken sei. Von einer „Entwicklung" von der ironischen zur daseinsproblematischen Darstellungsebene wird man nicht sprechen können, da sich beide Richtungen für den Zeitraum von 1917 bis 1921 kontinuierlich mit Beispielen belegen lassen. Aber auch ein „Bruch" zwischen den formal heterogenen Stilzusammenhängen läßt sich nicht behaupten, da der Nachweis erbracht werden konnte, daß sich beide inhaltlich auf die Nihilismusthematik zurückführen lassen und erst von hier aus in ihrem eigentümlich komplementären Verhältnis verständlich werden: Während sich der ironisch-parodistische Stilzusammenhang der *„Hauspostille"* in der Negation des christlichen Weltbildes entfaltet, bewegen sich die Balladen Brechts im Nichts der gottverlassenen Welt.

So sind schon die frühesten Balladen, die Brecht ab 1916 in den *„Augsburger Neuesten Nachrichten"* zu veröffentlichen begann, bei unterschiedlicher Formgebung um eine thematische Mitte zentriert, von der aus sie als Metaphern für die Ausgesetztheit des Menschen in eine Welt ohne Gott erscheinen. Während die *„Legende der Dirne Evlyn Roe"* diese existentielle Grundsituation paradigmatisch in Form einer Anti-Legende zur Darstellung bringt, zeigen andere Balladen aus diesem Zeitraum den Menschen vornehmlich in der Grenzsituation des Sterbens. Weitab von jeder idealistischen Sicht des Menschen betont Brecht dabei die kreatürlichen Aspekte der Todesfurcht und Lebensgier mit einer Nachdrücklichkeit, neben der Szenerie und äußere Balladenhandlung als eher vordergründig erscheinen.

Unter der spezifisch existentiellen Perspektive des Dichters verändert sich im weiteren Verlauf des Brechtschen Balladenschaffens auch die Form der Ballade in bezeichnender Weise. Das Eigengewicht der äußeren

Handlung nimmt in dem Grade ab, in dem diese nur noch als durchgeführte Metapher für die Ausgesetztheit menschlicher Existenz in eine Welt ohne Gott bzw. die Weltkälte des Nichts steht. Und derart ausgeprägt ist diese Tendenz, daß sie in der Entwicklung des Brechtschen Balladenwerks zeitweilig zur Aufhebung der konventionellen, auf Handlung basierenden Balladenform führt, um durch die Ausprägung neuer Balladenstrukturen wie Ausfahrt und Untergang, Geburt und Tod das daseinsproblematische Anliegen ihres Dichters auch formal adäquat zum Ausdruck zu bringen.

So wird in den zwischen 1917 und 1920 unter dem Einfluß RIMBAUDS entstandenen Schiffsballaden Brechts eine Reduzierung der äußeren Balladenhandlung auf einen Handlungsrahmen von Ausfahrt und Untergang erkennbar, dem thematische Bedeutung zugesprochen werden muß. Danach erweisen sich die das Schiffsmotiv zur Darstellung bringenden Balladen als durchgeführte Metaphern des Untergangs. Aber während die frühesten Schiffsballaden die Struktur von Ausfahrt und Untergang analog zu Rimbauds „Le Bateau ivre" noch durchaus erkennen lassen, verlagert sich in den späteren Balladen „Das Schiff" (1919), „Ballade auf vielen Schiffen" (1920) das Gewicht dieser beiden Handlungspole zunehmend auf die Seite des Untergangs, so daß der Schiffbruch hier bereits zur Voraussetzung der Ausfahrt wird. Der Sinn dieser Akzentverlagerung in der Entwicklung der Untergangsthematik wird einsichtig, wenn man sich die Handlungsstruktur von Ausfahrt und Untergang in ihrer metaphorischen Bedeutung als existentielle Standortbestimmung vergegenwärtigt. Danach wäre die Ausfahrt bezogen auf ein transzendentes Ziel, zu dem die Schiffsballaden Brechts freilich nur noch im Verhältnis zunehmender Entfernung stehen, so daß schon bald transzendente Orientierungslosigkeit den Zusammenfall von Ziel und Untergang veranlaßt und dieser in der Wiederholung zum permanenten Schiffbruch wird. — Von hier aus wird einsichtig, daß die Folge dieser Standortbestimmungen Brechts Entwicklung zum Nihilismus weitgehend parallel läuft, wie sich durch die Korrespondenz der beiderseitigen Entwicklungsphasen im einzelnen darlegen ließ.

In zeitlicher Parallelität zu den Schiffsballaden hat Brecht in den Jahren zwischen 1918 und 1922 noch einen anderen Balladentypus entwickelt, der wie diese durch das Fehlen einer kontinuierlichen Balladenhandlung gekennzeichnet ist. Während die Balladenhandlung dort auf ein Handlungsgerüst von Ausfahrt und Untergang reduziert wurde, läßt sich in

Balladen wie „*Vom François Villon*", „*Choral vom großen Baal*" und „*Vom armen B. B.*" eine entsprechende Reduzierung auf die Handlungspole von Lebensbeginn und Lebensende beobachten, so daß diese Gedichte im ganzen die Struktur eines Lebenslaufs aufweisen. Und wie in den Schiffsballaden Ausfahrt und Untergang nicht nur im formalen Sinne den Handlungsrahmen bestimmten, sondern darüberhinaus thematische Bedeutung besaßen, so läßt sich auch in bezug auf die „Lebensläufe" Brechts die Ausprägung einer existentiellen Struktur beobachten, die das menschliche Dasein durch seine Bezogenheit auf Geburt und Tod determiniert sieht. Lebensbeginn und Lebensende erlangen nicht zuletzt deshalb so gravierende Bedeutung, weil Brecht hier in den Grenzsituationen von Geburt und Tod den Widerspruch zwischen Ich und Welt prägnant herausstellen und die Ausgesetztheit des Menschen in die Weltkälte exemplarisch zur Darstellung bringen konnte. Dabei verweist die auffallend wiederholte Metapher der „Kälte", die bereits im Zusammenhang der Nihilismusthematik als Chiffre für das Nichts begegnet war, auch hier auf die menschliche Ausgesetztheit in eine umfassende Weltkälte des Nichts.

Die Struktur des Lebenslaufs erscheint bei Brecht zumeist auf das Leben einer bestimmten Gestalt bezogen, so daß die Balladen „*Vom Francois Villon*", „*Choral vom großen Baal*" und „*Vom armen B. B.*" sich dem alten Genre der „lyrischen Biographie" nähern, deren Ausprägung bei Brecht mit seiner Rezeption VILLONS parallel läuft. Dennoch sind die „lyrischen Biographien" Brechts weniger darauf angelegt, realistische Lebensbilder seiner Balladenhelden zu entwerfen als die reale Vita auf ein existentielles Modell des Lebenslaufs zu stilisieren. Dabei werden insbesondere Lebensbeginn und Lebensende der „lyrischen Biographien" akzentuiert mit der bereits erwähnten Tendenz, die Ausgesetztheit der Balladenhelden in die Weltkälte des Nichts prägnant herauszustellen. Ihr Lebensgefühl schwankt zwischen resignativem Bewußtsein dieser Ausgesetztheit und vitaler Bejahung des Nichts, wie es sich ähnlich an den Helden der Schiffsballaden beobachten ließ.

Eine Ausnahmestellung nimmt hierin jedoch der „*Choral vom großen Baal*" ein, da die Geborgenheit Baals innerhalb eines naturhaft-materiellen Kosmos in offenem Widerspruch zu der beobachteten Ausgesetztheit der Brechtschen Balladenhelden in die Weltkälte des Nichts steht. Wir haben deshalb das Baalsche Weltgefühl als Versuch einer vitalen Überwindung des in den Lebensläufen zutage tretenden Widerspruchs zwischen Ich und Welt zu deuten gesucht, mit der Einschränkung, daß es sich hier um einen ironischen Versuch handelt. Keineswegs läßt sich deshalb das naturhafte Weltbild Baals auf die gesamte „Hauspostille" projizieren, und keinesfalls ist das lyrische Frühwerk Brechts vom „Vitalismus" Baals her zureichend zu verstehen, wie es von einem Teil der Forschung bis heute versucht wird. [441]

Auch Brechts lyrische Biographie „Vom armen B. B." nimmt eine Sonderstellung innerhalb der Lebenslauf-Strukturen ein. Zeitlich an der Grenze zwischen der frühen Augsburger Lyrik und dem „Lesebuch für Städtebewohner" stehend, verdeutlicht sie diese Grenzstellung nicht nur durch die Zweiteiligkeit ihres formalen Aufbaus, sondern vor allem dadurch, daß die zentralen Motive des Untergangs und der Weltkälte des Nichts, denen in früheren Balladen eindeutig existentielle Bedeutung zukam, hier erstmals in einem historisch-gesellschaftlich begründeten Zusammenhang erscheinen, so daß der Nihilismus Brechts sich an dieser Stelle seiner historischen Voraussetzungen bewußt wird.

Den Übergang zu einer gesellschaftskritischen Wendung der Brechtschen Lyrik lassen indessen erst die moralkritischen Studien erkennen, die der Dichter um das Jahr 1921/22 zu schreiben begann. In der Einbeziehung der gesellschaftlichen Problematik und im formalen Bereich macht sich hier der Einfluß der Moritaten WEDEKINDS bemerkbar, nach deren Vorbild Brecht die moritatenhafte Anlage seiner Balladen vom „Apfelböck" und „Von der Kindsmörderin Marie Farrar" konzipierte. Weitaus wichtiger ist aber der über Wedekind hinausgehende Aspekt, daß Brecht gegenüber der nihilistischen Standpunktlosigkeit seiner bisher behandelten Lyrik in den um das Jahr 1921/22 entstandenen Balladen zum erstenmal eine kritisch-engagierte Stellungnahme für den Menschen in seiner Kreatürlichkeit und gegen die herrschende Moralität der Gesellschaft erkennen läßt. Diese Stellungnahme scheint über die nihilistische Situation des jungen Brecht hinauszuführen und ist vorausweisend auf die gesellschaftskritische Wendung, die seine Lyrik in der Folgezeit nehmen wird.

Eine literarhistorische Abrenzung des hier dargestellten Werkzusammenhangs der frühen Lyrik Brechts von der Lyrik des sogenannten Expressionismus ist abschließend geboten, da die zeitliche Nähe des jungen Brecht zur expressionistischen Literaturbewegung zwischen 1910 und 1920

[441] Vergl. S. 5—9 dieser Arbeit.

und die gelegentliche Gemeinsamkeit im Stofflichen und Thematischen einen Teil der Forschung immer wieder dazu bewogen hat, die frühe Lyrik Brechts dem Expressionismus zuzuordnen. [442] Indessen lassen so umfassende Problemstellungen wie die Auseinandersetzung mit dem Ersten Weltkrieg, Nihilismus- und Untergangsthematik eher auf eine Gemeinsamkeit innerhalb des Zeitalters als innerhalb der expressionistischen Bewegung schließen, zu welcher der junge Brecht vielmehr im Verhältnis kritischer Distanz zu stehen scheint.

So sind zwar die politischen Gedichte, die Brecht zwischen 1914 und 1918 schrieb, ebenso wie die Kriegslyrik der Expressionisten zwischen 1910 und 1920 auf den Hintergrund des Ersten Weltkrieges bezogen, weisen aber entscheidende Unterschiede auf, die sich nur aus der generationsmäßigen Differenz erklären lassen. Denn wenn der Krieg bei Brecht nicht wie bei einigen frühen Expressionisten wunschhaft antizipiert [443] oder als faszinierender Dämon der Zerstörung beschworen wird [444], so hat das, ungeachtet aller persönlicher Verschiedenheiten, seinen objektiven Grund in der historischen Konstellation, daß die Anfänge der politischen Dichtung Brechts mit dem Beginn des Ersten Weltkrieges zusammenfallen. Folglich treffen die Kriegsgedichte Brechts von Anbeginn auf ein reales historisches Thema, das zur Stellungnahme herausfordert, aber die Zweideutigkeit subjektiver Erwartung nicht zuläßt, wie sie beispielsweise aus HEYMS dichterischen und theoretischen Aussagen zu diesem Thema spricht, der sich den Krieg zur Befriedigung seines „brachliegenden Enthousiasmus" [445] herbeisehnte. — Vergleicht man dagegen Brechts politische Gedichte mit denen der Expressionisten in ihrer zweiten Phase während des Ersten Weltkrieges, so fällt gegenüber Texten wie Wilhelm KLEMMS „Schlacht an der Marne", Walter HASENCLEVERS „Die Lagerfeuer an der Küste", Alfred LICHTENSTEINS „Die Schlacht bei Saarburg" und

---

[442] Vergl. S. 5 f. dieser Arbeit.

[443] Vergl. Ernst Stadler, „Der Aufbruch", in: Stadler, Dichtungen, hrsg. v. Karl Ludwig Schneider, Hamburg, S. 128 und Georg Heym, Dichtungen und Schriften, hrsg. v. Karl Ludwig Schneider, Hamburg 1964, Bd. I, S. 354—56.

[444] Georg Heym, „Der Krieg" und Alfred Lichtenstein, „Der Kriegsgott", in: Menschheitsdämmerung. Ein Dokument des Expressionismus, neu hersg. v. Kurt Pinthus, Hamburg 1959, S. 79 f., 84 f.

[445] „Mein Gott — ich ersticke noch mit meinem brachliegenden Enthousiasmus in dieser banalen Zeit. . . . Ich sehe mich in meinen wachen Phantasien, immer als einen Danton, oder einen Mann auf der Barrikade, ohne meine Jakobinermütze kann ich mich eigentlich gar nicht denken. Ich hoffe jetzt wenigstens auf einen Krieg. Aber auch das ist nichts." — Heym, Dichtungen und Schriften, Bd. III, S. 164.

August Stramms „Patrouille" [446] auf, wie sehr Brecht die direkte Anschauung der Kriegsereignisse fehlte, über die jene älteren Dichter verfügten. Dennoch gelingt dem jungen Brecht — vielleicht gerade wegen dieser spezifischen Distanz des Daheimgebliebenen zum aktuellen Kriegsgeschehen — eine kritischere Auseinandersetzung mit der Problematik des Heldentodes als sie manchem Beteiligten möglich war. In ihrer Konsequenz von der „Modernen Legende" bis zur „Legende vom toten Soldaten", von nationaler Befangenheit bis zu pazifistischer Neuorientierung hat diese Auseinandersetzung in der expressionistischen Lyrik nichts Vergleichbares. Zwar berühren sich Brechts politische Gedichte nach 1915 mit dem breiten Strom der gegen Ende des Ersten Weltkrieges einsetzenden, pazifistischen Lyrik der Expressionisten, aber der Pazifismus Brechts bleibt nirgends abstrakt-tendenziöse Forderung wie dort, da er nicht selten aus privaten Anläßen hervorgeht und sich mit satirischer Zeitkritik verbindet.

Der Erste Weltkrieg bedeutete das Ende so bekannter expressionistischer Lyriker wie Georg Trakl, Ernst Stadler, Alfred Lichtenstein, Ernst Wilhelm Lotz und August Stramm. [447] Für Brecht bezeichnet er dagegen den Beginn der Hauptphase seines lyrischen Frühwerks, die ab 1916/17 in spürbarer Distanz zur Zeitgeschichte um seine Entwicklung zum Nihilismus zentriert ist. Zwar ist die Nihilismusproblematik partiell bereits im Expressionismus gegeben, aber erstens handelt es sich hier um kein spezifisch expressionistisches Phänomen, da sich seine Anfänge bis in die Frühromantik [448] zurückverfolgen lassen, und der Nihilismus seit Nietzsches Definition in den Achtziger Jahren zu einem allgemeinverbindlichen Problem der Moderne geworden ist [449], und zweitens läßt sich die nihilistische Situation der expressionistischen Bewegung Brecht gegenüber nur in ihrer Latenz nachweisen.

[446] *Menschheitsdämmerung. Ein Dokument des Expressionismus*, neu hrsg. v. Kurt Pinthus, Hamburg 1959, S. 80 f., 86, 87, 88.
[447] Vergl. Kurt Pinthus, *Nach 40 Jahren*, in: *Menschheitsdämmerung*, S. 20, sowie vom selben Verf. den bio-bibliographischen Anhang, *Menschheitsdämmerung*, S. 331 ff.
[448] Vergl. den Forschungsbericht von Dieter Arendt, *Der Nihilismus — Ursprung und Geschichte im Spiegel der Forschungs-Literatur seit 1945*, Dvjschr. 43, 1969, Heft 2, S. 346—369; Heft 3, S. 544—566. — Vom selben Verfasser die noch unveröffentlichte Habilitationsschrift über den „Poetischen Nihilismus" in der Frühromantik. Marburg 1970.
[449] Vergl. Walter Hof, *Stufen des Nihilismus. Nihilistische Strömungen in der deutschen Literatur vom Sturm und Drang bis zur Gegenwart*, GRM, N. F. XIII, 1963, S. 397—423.

Zu dem Ergebnis eines latenten Nihilismus für die expressionistische Lyrik kommt auch VAN BRUGGEN in seiner wissenschaftlich fragwürdigen Studie „Im Schatten des Nihilismus" [450]: „Es herrscht der halbe Nihilismus, eine geistige Situation, die häufig in der von uns behandelten Literatur auftritt". [451] Diesen latenten Nihilismus erklärt Bruggen zurecht aus den Phänomenen der „Gottesferne" und „Auflehnung gegen Gott" [452] in der expressionstischen Lyrik; er wird aber dort fragwürdig, wo Kategorien wie „Melancholie", „Düstere Stimmung", „Pessimismus", „Zynismus", „Grauenvolles Phantasieren" das Phänomen rechtfertigen sollen.

Evident wird die nihilistische Situation lediglich bei HEYM und BENN. [453] Aber gerade dem frühen Benn gegenüber, für dessen Werk Hans-Dieter BALSER [454] das „Problem des Nihilismus" differenziert herausgearbeitet hat, zeigt sich bei Brecht eine Radikalisierung dieses Problems, welche die anlagemäßige Differenz der beiden Dichter schon in bezug auf ihr lyrisches Frühwerk deutlich erkennen läßt. Der Nihilismus tritt beim frühen Benn als Bewußtseinskrise [455] auf, deren Voraussetzungen im Zusammenstoß seiner protestantischen Herkunft mit dem positivistischen Weltbild der Naturwissenschaften seiner Zeit zu sehen sein dürften. Dagegen sind die Voraussetzungen für die Nihilismusproblematik des jungen Brecht in erster Linie historisch bedingt, da dem Zusammenbruch des Wilhelminischen Weltbildes Brechts Entwicklung zum Nihilismus auf dem Fuße folgt. — Die zum Nihilismus führende Bewußtseinskrise ist beim frühen Benn universal: „Nicht nur Religion, Philosophie und Wissenschaft haben versagt, sogar das Ich droht sich in seinem traditionellen Wertcharakter als ‚Person' aufzulösen." [456] Demgegenüber manifestiert sich der Nihilismus Brechts partiell als Glaubenskrise. Sie tendiert zur

[450] M. F. E. Van Bruggen. Im Schatten des Nihilismus. Die expressionistische Lyrik im Rahmen und als Ausdruck der geistigen Situation Deutschlands, Paris/Amsterdam 1946. — Van Bruggen vertritt die These, der dem Expressionismus immanente Nihilismus habe in seiner Reaktion zum Vitalismus und anderen weltanschaulichen Surrogaten geführt, welche die faschistische Ideologie widerspiegelten. Dieser anspruchsvollen These entspricht die Durchführung der Arbeit in keiner Weise, die auf weite Strecken unbelegte Materialsammlung bleibt, aus der sich kein verbindlicher Nachweis für eine allgemeine nihilistische Situation der expressionistischen Lyriker ergibt.

[451] ebd. S. 69.

[452] ebd. S. 66 ff.

[453] ebd. S. 76 ff.

[454] Hans-Dieter Balser, Das Problem des Nihilismus im Werke Gottfried Benns, Bonn 1965.

[455] ebd. S. 74.

[456] Balser, Das Problem des Nihilismus, S. 74.

Auflösung des christlichen Weltbildes, welche die Auflösung der „Person" mit umgreift. Hierin liegt der vielleicht engste Bezugspunkt zwischen den beiden Dichtern. Dagegen bleiben bei Brecht Philosophie und Wissenschaft unberührt von der Nihilismusproblematik, wie überhaupt das Bewußtsein den einzig zuverlässigen Halt in der nihilistischen Situation des jungen Brecht zu bieten scheint. Entsprechend gibt es bei ihm das „nihilistische Grundgefühl" des frühen Benn als „affektgeführten Ausbruch eines die gesamte Bewußtseinswelt der Vernichtung überantwortenden ... Nihilismus" [457] ebensowenig wie die dahinter stehende Haltung einer „metaphysischen Revolte" (Camus) gegen den immer noch vorhandenen „deus absconditus". [458] Ist bei BENN demnach „Nihilismus ohne die Voraussetzung des konsequenten Atheismus möglich geworden" [459], so führt bei Brecht der Weg vom paradoxen Atheismus einer Empörung gegen das Nichtsein Gottes konsequent zum stoischen bzw. programmatisch aufgeklärten Nihilismus. Es entspricht dieser gedanklich-weltanschaulichen Konsequenz beim jungen Brecht, daß die Entwicklung zum aufgeklärten Nihilismus den „deus absconditus" ebensowenig zuläßt wie die Bennschen Fluchtversuche in die „Regression" [460] zum Unbewußten oder in die spätere Behauptung einer „formfordernden Gewalt des Nichts". [461]

Eine weitere thematische Gemeinsamkeit zwischen der expressionistischen Lyrik und der frühen Lyrik Brechts scheint sich auf den ersten Blick hin aus der zentralen Stellung zu ergeben, die der Mensch in ihren jeweiligen Werken einnimmt. Aber das Menschenbild der expresionistischen Lyriker hat noch weitgehend idealistischen Charakter, während uns bei Brecht gerade die Auflösung des religiös und idealistisch bestimmten Menschenbildes begegnet war, für die es bei HEYM und in den „Morgue"-Gedichten BENNS allerdings bereits Parallelen gibt. Diese Auflösung bedeutet bei Brecht ein Zurückgeworfensein des Menschen auf die materielle und kreatürliche Basis seiner Existenz, die jedoch nicht als Sicherheit, sondern als Ausgesetztheit empfunden wird.

Die anthropozentrische Ausrichtung der Brechtschen und der expresionistischen Lyrik darf demnach nicht dazu verleiten, hier wie dort auf

[457] ebd.
[458] ebd.
[459] ebd.
[460] Vergl. Gottfried Benn, *Der Aufbau der Persönlichkeit*, in: Benn, *Ges. Werke*, hrsg. v. Dieter Wellershoff, Wiesbaden 1959, Bd. I, S. 91—106.
[461] Vergl. Benn, *Akademie-Rede*, ebd. S. 431—439.

die Identität des Begriffs vom Menschen zu schließen. Der Mensch steht zwar im Mittelpunkt der expressionistischen Lyrik, aber „der Mensch schlechthin", wie PINTHUS ausführt; „nicht seine privaten Angelegenheiten und Gefühle, sondern die Menschheit ist das eigentliche, unendliche Thema". [462] Gegenüber dieser universalistischen Konzeption des expressionistischen Menschenbildes fällt bei Brecht nicht nur der „Rückzug auf die Augsburger Provinz" [463] und die bevorzugte Darstellung gesellschaftlicher Außenseiter auf, sondern vor allem die Reduzierung des idealistischen Menschheitsbegriffs auf das existentielle Verständnis vom Menschen. [464]

Vor allem aber fehlt bei Brecht die idealistisch-utopische Konzeption des „neuen Menschen" und der „neuen Menschengemeinschaft", die in der expressionistischen Lyrik auf den messianischen Zustand einer Menschheitsverbrüderung und eines Menschheitsparadieses zielte: „Die neue Gemeinschaft wurde gefordert. Und so gemeinsam und wild aus diesen Dichtern Klage, Verzweiflung, Aufruhr aufgedonnert war, so einig und eindringlich posaunten sie in ihren Gesängen Menschlichkeit, Güte, Gerechtigkeit, Kameradschaft, Menschenliebe aller zu allen." [465] Es versteht sich, daß dieser „Humanitäts-Melodie", in der PINTHUS das „messianische Hauptmotiv" [466] des Expressionismus sah, mit dem Ende des Ersten Weltkrieges und dem Scheitern der Revolution der historische Boden entzogen war. Bei Brecht, in dessen politischer Lyrik sie nie eine Rolle gespielt hat, wird das sozialistische Menschheitsparadies im „Gesang des Soldadten der Roten Armee" [467] von 1919 explizit in Abrede gestellt, und seine Balladen zwischen 1918 und 1920 sind gerade durch

---

[462] Pinthus, *Menschheitsdämmerung*, S. 25.

[463] Hans Mayer versteht den „Rückzug [des jungen Brecht] auf die Augsburger Provinz als Gegenposition zur expressionistischen Menschheitsdämmerung." — Hans Mayer, *Bertolt Brecht und die Tradition*, Pfullingen 1961, S. 27.

[464] Wilhelmina Stuyver sieht Ansätze zur existentiellen Grundhaltung schon im Expressionismus: „die existenzphilosophische Geisteshaltung ist dem Expressionismus immanent, sie wird aber von dem Lebensjubel übertönt und hat sich erst später zu selbstständiger Gestaltung durchgerungen in der Philosophie Heideggers und in den Dichtungen Barlachs und Kafkas ..." — Wilhelmina Stuyver, *Deutsche expressionistische Dichtung im Lichte der Philosophie der Gegenwart*, Amsterdam/Paris, 1939, S. 198.

[465] Pinthus, *Menschheitsdämmerung*, S. 28.

[466] ebd. S. 14.

[467] Brecht, *Ges. Werke*, Bd. IV, S. 41—43. Vergl. insbesondere die letzte Strophe: „Und mit dem Leib, von Regen hart/ Und mit dem Herz, versehrt von Eis/ Und mit den blutbefleckten leeren Händen/ So kommen wir grinsend in euer Paradeis."

das Fehlen des utopischen Ziels und ihre Richtung auf den Untergang hin charakterisiert.

Zwar ist auch der expressionistischen Lyrik die Untergangsthematik nicht fremd, aber gegenüber den frühexpressionistischen Untergangsvisionen vor 1914, die bei *Heym* [468] und *Hoddis* [469] im Zeichen des „Weltendes" auf den Zusammenbruch der bürgerlichen Welt zielen oder wie bei *Trakl* [470] im „Untergang" das Ende der abendländischen Kulturentwicklung antizipieren, hat die Ausprägung des Untergangsthemas bei Brecht bereits etwas eminent Faktisches, das ohne die vollendete politische Katastrophe von 1918 schwer zu denken ist.

Aus der veränderten zeitgeschichtlichen Situation und aus der verschärften Problematik des Nihilismus, aus einer unterschiedlichen Konzeption des Menschenbildes und aus anderen literarischen Vorbildern erklärt sich bei Brecht schließlich eine dem expressionistischen Pathos gegenläufige Diktion. Sie ist partiell bestimmt durch seine ironische Stilhaltung, die sich kritisch gegen das christliche Weltbild und dessen ethische Wertewelt richtet, aber in der politischen Lyrik und den von Wedekind beeinflußten Balladen auch bereits sozialkritisch orientiert ist. In der affektbetonten, expressionistischen Lyrik, die ihre religiösen und sozialen Anklagen direkt vorzutragen pflegte, gibt es nichts hiermit Vergleichbares. [471] Dagegen verbindet sich die Brecht eigene, ironische Stilhaltung schon sehr früh mit der polemischen Tendenz Villons, wie überhaupt der Einfluß der französischen poetès maudits VILLON und RIMBAUD auf den jungen Brecht höher eingeschätzt werden muß als die Abhängigkeit von zeitgenössischen deutschen Dichtern, WEDEKIND ausgenommen.

Die dem expressionistischen Pathos gegenläufige Diktion des jungen Brecht dokumentiert sich zweitens durch eine spezifisch epische Stilhal-

---

[468] Georg Heym, „*Der Krieg II*", in: Heym, *Dichtungen und Schriften*, Bd. I, S. 360.

[469] Jakob von Hoddis, „*Weltende*", in: *Menschheitsdämmerung*, S. 39.

[470] Georg Trakl, „*Abendland*", „*Abendländisches Lied*", in: Trakl, *Dichtungen*, Salzburg 1938, S. 137, 169 f.

[471] Parallel dazu konstatiert Markwardt das Fehlen des Humors in der expressionistischen Lyrik: „Wenn nach Siegmund Freud Humor auf einen „ersparten Affektaufwand" zurückgeht ..., so war der Expressionismus gewiß humorlos. Denn er verausgabte sich geradezu an Affektaufwand ... Aber Humor forderte eine Distanz, die ihm fremd war und als menschenfeindlich galt." — Bruno Markwardt, *Geschichte der deutschen Poetik*, Berlin 1967, Bd. V, S. 457 f.

tung, die sich vorwiegend der Balladenform bedient, den Psalm dem Prosarhythmus angleicht und noch die Liedform durch berichtende, mitteilend-darstellende Züge dem epischen Stil annähert. [472] Brecht war sich bewußt, mit dieser Formgebung gegenüber der expressionistischen Lyrik, die von der Balladenform fast keinen Gebrauch machte [473], eine vergleichsweise konventionelle Stellung einzunehmen:

Beinahe auf jedem Felde habe ich konventionell begonnen. In der Lyrik habe ich mit Liedern zur Guitarre angefangen und die Verse zugleich mit der Musik entworfen. Die Ballade war eine uralte Form und zu meiner Zeit schrieb niemand mehr Balladen, der etwas auf sich hielt. [474]

Allerdings darf über dem konventionellen Einsatz nicht vergessen werden, daß Brecht die Balladenform über *Villon*, *Rimbaud* und *Wedekind* hinaus höchst eigenständig und artifiziell weiterentwickelte, daß er dem seinerzeit völlig abgegriffenen Lied durch distanzierende Stilmittel [475] neue Möglichkeiten zurückgewann und daß er dem Psalm eine sehr moderne Prägung gab, die in ihrer kühnen Metaphorik expressionistischem Bildgebrauch vielleicht am nächsten kommt. — Zur expressionistischen Sprachzertrümmerung gelangte Brecht indessen nicht. Dem widerstand wohl nicht nur die „sprachliche Überlieferung" [476], sondern auch eine schon dem jungen Brecht eigene Neigung zur distanzierenden Darstellung, Mitteilung und Reflexion, die von dem logischen System der Sprache souveränen Gebrauch zu machen weiß, aber es nirgends in Frage stellt.

So ist es letztlich das Moment der kritischen Distanz in der Lyrik des jungen Brecht, das seine ironische und epische Stilhaltung in gleicher Weise auszeichnet und das dem auf Unmittelbarkeit bedachten expressionistischen Pathos gegenüber den eigentlichen stilistischen Gegensatz darstellt. Bereits KILLY hat von den „nachdenkliche Distanz feststellen-

---

[472] „In der Gedichtstruktur schon des frühen Brecht überwiegen ... die episch angelegten Gebilde, die Berichte und Chroniken. Auch dort, wo ein Gedicht nicht ausdrücklich chronikhaft angelegt wurde, finden sich mit Vorliebe distanzierende Wendungen wie „wir hören", oder „dachte ich", oder „fragte ich mich" und dergleichen." — Hans Mayer, *Anmerkungen zu Brecht*, S. 28.

[473] Vergl. Walther Hinck, *Die deutsche Ballade von Bürger bis Brecht*, S. 105.

[474] Brecht, *Über Lyrik*, S. 14.

[475] Vergl. Killy, *Wandlungen des lyrischen Bildes*, S. 136—153.

[476] ebd. S. 142 f.

den, enthüllenden Mitteln der Umkehrung, des Zitats und der Kontrafaktur" [477] in der frühen Lyrik Brechts gesprochen, die sich unseren Ausführungen nach dem ironischen Stilzusammenhang der „Hauspostille" einordnen lassen. — Und „für die Mehrzahl der Balladen Brechts ist die distanzierende und schauend-beschreibende Grundhaltung charakteristisch" [478], die sich freilich in solcher epischen Distanz nicht erschöpft, sondern gleichzeitig als verfremdende Distanzierung von der Realität erkennbar wird, die sie durchgängig ins Metaphorische übersetzt, um in der Darstellung existentieller Strukturen die Daseinsbedingungen innerhalb einer vom Nichts bedrohten Wirklichkeit zu orten. — Schließlich ist es wohl als ein Zeichen der Wahrhaftigkeit des jungen Brecht zu werten, daß Distanz bei ihm nicht nur den ironischen Vorbehalt gegenüber dem christlichen Weltbild und den kritischen Vorbehalt gegenüber der Realität impliziert, sondern daß sie, nachdem deren Grundlagen sich als fragwürdig erwiesen haben, den Vorbehalt gegenüber der eigenen Person und dem eigenen dichterischen Standort mit einschließt:

Wer immer es ist, den ihr sucht: ich bin es nicht. [479]

[477] Ebd. S. 146.
[478] Schuhmann, *Der Lyriker Bertolt Brecht*, S. 113.
[479] Brecht, *Ges. Werke*, Bd. IV, S. 101, Str. 1, V. 12.

LITERATURVERZEICHNIS

I. *Primärliteratur*

BERTOLT BRECHT, Ges. Werke, 8 Bd., Frankf. M. 1967.

BERTOLT BRECHT, Gedichte, 9 Bd., Frankf. M: Suhrkamp-Verlag 1960–1965; Berlin: Aufbau-Verlag 1961–1965.

BERTOLT BRECHT, Schriften zum Theater, 8 Bd., Frankf. M. 1963/64.

BERTOLT BRECHTS Hauspostille. Mit Anleitungen, Gesangnoten und einem Anhange, Berlin: Propyläen-Verlag 1927; neu hrsg. vom Suhrkamp-Verlag, Berlin/Frankf. M. 1963.

BRECHT, Über Lyrik, hrsg. v. E. Hauptmann, Frankf. M. 1964 (edition suhrkamp 70).

BERTOLT BRECHT, Baal. Drei Fassungen, krit. ediert von Dieter SCHMIDT, Frankf. M. 1966 (edition suhrkamp 170).

WALTER BENJAMIN, Schriften, 2 Bd., Frankf. M. 1955.

GOTTFRIED BENN, Ges. Werke, hrsg. v. Dieter Wellershoff, 4 Bd., Wiesbaden 1959.

CLEMENS BRENTANO, Werke, hrsg. v. Friedhelm Kemp, 4 Bd., München 1963–1968.

GEORG BÜCHNER, Sämtliche Werke, hrsg. v. Hans Jürgen Meinerts, Gütersloh 1963.

MATTHIAS CLAUDIUS, Werke, hrsg. v. Urban Roedl, Stuttgart 1965. ·

GOETHES WERKE, Hamburger Ausgabe, hrsg. v. Erich Trunz, 14 Bd., 9. Aufl. Hamburg 1969.

MARTIN HEIDEGGER, Sein und Zeit, 10. Aufl. Tübingen 1963.

GEORG HEYM, Dichtungen und Schriften, hrsg. v. K. L. Schneider, 3 Bde., Hamburg 1964.

KARL JASPERS, Philosophie, Bd. II, Berlin 1932.

DIE DEUTSCHE LITERATUR. Texte und Zeugnisse, hrsg. v. Walther Killy, München 1967, Bd. VII.

WALTER MEHRING, Das Ketzerbrevier. Ein Kabarettprogramm, München 1921; Das neue Ketzerbrevier, Köln/Berlin 1962.

MENSCHHEITSDÄMMERUNG. Ein Dokument des Expressionismus, neu hrsg. v. Kurt Pinthus, Hamburg 1959.

EDUARD MÖRIKE, Sämtliche Werke, hrsg. v. Herbert G. Göpfert, 3. Aufl. München 1964.

FRIEDRICH NIETZSCHE, Werke, hrsg. v. Karl Schlechta, 3 Bd., München 1966.

ARTHUR RIMBAUD. Leben und Dichtung, übertr. v. K. L. Ammer, 2. Aufl. Leipzig 1921.

ARTHUR RIMBAUD, Poésies complètes, présenté par Paul Claudel, Editions Gallimard, Paris 1963.

FRIEDRICH SCHILLER, Sämtliche Werke, hrsg. v. Gerhard Fricke und Herbert G. Göpfert, 5 Bd., 2. Aufl. München 1962.

GEORG TRAKL, Die Dichtungen, Salzburg 1938.

FRANK WEDEKIND, Ges. Werke, 8 Bd., München 1920.

FRANCOIS VILLON. Des Meisters Werke, übertr. v. K. L. Ammer, Berlin o. D.

FRANCOIS VILLON, Das große Testament, übertr. v. Walter Widmer, München 1959.

DES KNABEN WUNDERHORN. Alte deutsche Lieder, gesammelt von L. Achim von Arnim und Clemens Brentano, Darmstadt 1965.

II. Bibliographien

WALTER NUBEL, Bertolt Brecht-Bibliographie, Sinn und Form, (Sonderheft) 1949.

BERTOLT BRECHT, Leben und Werk, Einführung, Zeittafel und Bibliographie (1957—1964) von KLAUS-DIETRICH PETERSEN, Dortmund 1966.

BESTANDSVERZEICHNIS DES LITERARISCHEN NACHLASSES, hrsg. v. Bertolt-Brecht-Archiv, Bd. 2 Gedichte, bearb. v. Herta Ramthun, Berlin/Weimar 1970.

III. Sekundärliteratur

BEDA ALLEMANN, Ironie und Dichtung, Pfullingen 1956.

HANNAH ARENDT, Der Dichter Bertolt Brecht, Die neue Rundschau (Amsterdam) LXI, 1, 1950, S. 53—67.

HANNAH ARENDT, Quod licet Jovi .. Reflexionen über den Dichter Brecht und sein Verhältnis zur Politik, Merkur 23, Nr. 254/255, 1969, S. 527—542; 625—642.

Dieter Arendt, Der Nihilismus — Ursprung und Geschichte im Spiegel der Forschungsliteratur seit 1945, Dvjschr. 43, 1969, Heft 2, S. 346—369; Heft 3, S. 544—566.

Hans-Dieter Balser, Das Problem des Nihilismus im Werke Gottfried Benns, Bonn 1965.

Walter Benjamin, Kommentare zu Gedichten von Brecht, in: Benjamin, Schriften, Bd. II, Frankf. M. 1955, S. 351—372.

Bernhard Blume, Motive der frühen Lyrik Brechts: I Der Tod im Wasser, Monatshefte für den deutschen Unterricht, deutsche Sprache und Literatur, Vol. LVII, March 1965, No. 3, S. 97—112.

Bernhard Blume, Motive der frühen Lyrik Brechts: II Der Himmel der Enttäuschten, ebd. No. 6, S. 273—281.

Bernhard Blume, Das ertrunkene Mädchen: Rimbauds „Ophélie" und die deutsche Literatur, GRM, N. F. 1954, S. 108—119.

M. F. E. Van Bruggen, Im Schatten des Nihilismus. Die expressionistische Lyrik im Rahmen und als Ausdruck der geistigen Situation in Deutschland, Paris/Amsterdam 1946.

Martin Esslin, Brecht. Das Paradox des politischen Dichters, Frankf. M./ Bonn 1962.

Hugo Friedrich, Die Struktur der modernen Lyrik, Hamburg 1956.

Rolf Geissler, Zur Struktur der Lyrik Bertolt Brechts, Wirkendes Wort 8, 1957/58, S. 347—352.

Reinhold Grimm, Bertolt Brecht, Stuttgart 1963.

Reinhold Grimm, Brechts Anfänge, in: Aspekte des Expressionismus. Periodisierung. Stil. Gedankenwelt, hrsg. v. Wolfgang Paulsen, Heidelberg 1968, S. 133—152.

Reinhold Grimm, Werk und Wirkung des Übersetzers Karl Klammer, Neophilologus 44, 1966, S. 20—36.

Clemens Heselhaus, Die Masken des Bertolt Brecht, in: Heselhaus, Deutsche Lyrik der Moderne, 2. Aufl. 1962, S. 321—338.

Walter Hinck, Die deutsche Ballade von Bürger bis Brecht, Göttingen 1968.

Walter Hof, Stufen des Nihilismus. Nihilistische Strömungen der deutschen Literatur vom Sturm und Drang bis zur Goethezeit, GRM, N. F. XIII, 1963, S. 397—423.

Max Högel, Brechts religiöses Jugendgedicht. Ein Beitrag zu seinen dichterischen Anfängen in Augsburg, Blätter der Gesellschaft f. christl. Kultur 3, 1960, Nr. 3—4, S. 18—21.

Helge Hultberg, Die ästhetischen Anschauungen Bertolt Brechts, Kopenhagen 1962.

WALTER JENS, Der Lyriker Brecht, in: Jens, Zueignungen, München 1962, S. 18—30.

WALTER JENS, Poesie und Doktrin. Bertolt Brecht, in: Jens, Statt einer Literaturgeschichte, 5. Aufl. Pfullingen 1962.

WOLFGANG KAYSER, Das sprachliche Kunstwerk. Eine Einführung in die Literaturwissenschaft, Bern/München 1965.

WOLFGANG KAYSER, Kleine deutsche Versschule, Bern 1960.

WALTHER KILLY, Über Gedichte des jungen Brecht, Göttingen 1967 (Göttinger Universitätsreden 51).

WALTHER KILLY, Das Nichts gegenüber. Der junge Brecht, in: Killy, Wandlungen des lyrischen Bildes, 5. Aufl. Göttingen 1967, S. 136—153.

WERNER KRAFT, Krisen Brechts im Gedicht, in: Kraft, Augenblicke der Dichtung, München 1964, S. 176—183.

WERNER KRAFT, Ophélie, in: Kraft, Augenblicke der Dichtung, München 1964, S. 184—199.

HANS MAYER, Über Brechts Gedichte, Etudes Germaniques, 20, 1965, S. 269—274.

HANS MAYER, Gelegenheitsdichtung des jungen Brecht, in: Mayer, Anmerkungen zu Brecht, Frankf. M. 1965, S. 24—25.

HANS MAYER, Bertolt Brecht und die Tradition, Pfullingen 1961.

BRUNO MARKWARDT, Geschichte der deutschen Poetik, Bd. V, Berlin 1967.

JOACHIM MUELLER, Bertolt Brecht und sein lyrisches Lebenswerk, Universitas 19, 1964, S. 479—492.

OTTO MÜLLER-EISERT, „Horaz Entlarvt", in: Schwäbische Landeszeitung, Nr. 11, 26. 1. 1949.

HANS OTTO MÜNSTERER, Bert Brecht. Erinnerungen aus den Jahren 1917—1922, Zürich 1963.

WALTER MUSCHG, Der Lyriker Bertolt Brecht, in: Muschg, Von Trakl zu Brecht. Dichter des Expressionismus, München 1961, S. 335—365.

HANS RICHTER, Bertolt Brechts Bemerkungen zur Lyrik, Weimarer Beiträge 12, 1966, S. 765—785.

KARL RIHA, Moritat. Song. Bänkelsang, Zur Geschichte der modernen Ballade (Schriften zur Literatur 7), Göttingen 1965.

MARTIN ROCKENBACH, Zur Naturdichtung der jungen Generation, Orplid 5, 1928, S. 37—44.

ERWIN ROTERMUND, Die Parodie in der modernen deutschen Lyrik, München 1963.

DIETER SCHMIDT, „Baal" und der junge Brecht. Eine textkritische Untersuchung zur Entwicklung des Frühwerks, Stuttgart 1966.

ALBRECHT SCHÖNE „Erinnerung an die Marie A.", in: Die deutsche Lyrik, Bd. II, hrsg. v. Benno v. Wiese, Düsseldorf 1956, S. 485—494.

ERNST SCHUHMACHER, Die dramatischen Versuche Bertolt Brechts 1918—1933, Berlin 1955.

KLAUS SCHUHMANN, Der Lyriker Bertolt Brecht 1913—1933 (Neue Beiträge zur Literaturwissenschaft, Bd. 20), Berlin (Ost) 1964.

STEFFEN STEFFENSEN, Brecht und Rimbaud, Zeitschrift f. dt. Philologie 84, 1965, S. 82—89.

WILHELMINA STUYVER, Deutsche expressionistische Dichtung im Lichte der Philosophie der Gegenwart, Amsterdam/Paris 1939.

KARL THIEME, „Des Teufels Gebetsbuch"? Eine Auseinandersetzung mit dem Werke Bertolt Brechts, Holland 29, 1931/32, S. 397—414.

NAMENREGISTER

Allemann, Beda 78, 80, 85, 103, 186
Arendt, Hannah 8, 182, 184

Balser, Hans-Dieter '193
Baudelaire 63, 185
Becher, Johannes R. 7
Benn, Gottfried 5, 193, 194
Benjamin, Walter 53, 78, 79, 80, 81, 85, 186
Blume, Bernhard 7—10, 48, 57, 114 f, 143 f, 158
Brentano, Clemens 148
Bruggen, M. E. F. van 193
Büchner, Georg 106, 148
Bürger, Gottfried August 36

Claudius, Mathias 149, 150

Döblin, Alfred 5

Erdmann, Karl Dietrich 36
Eugen, Bertolt (Pseud. f. Bertolt Brecht) 13

Friedrich, Hugo 63 f, 125, 129, 130, 185

Geißler, Rolf 9, 10, 57
Goethe 2 f, 42 f, 45 f
Grimm, Reinhold 17, 19, 121 f

Hasenclever, Walter 5, 191
Hauptmann, Elisabeth 96
Heidegger, Martin 106, 147, 149
Heselhaus, Clemens 166
Heym, Georg 5, 7, 143, 144 ff, 191, 193

Hinck, Walter 115
Hoddis, Jakob von 196
Horaz 31
Hultberg, Helge 5, 6

Jahnn, Hans Henny 5
Jens, Walter 1, 5
Johst, Hanns 154

Kafka, Franz 106
Kästner, Erich 151
Kayser, Wolfgang 4
Killy, Walther 9 ff, 57, 197
Kipling, Rudyard 7, 113
Klammer, Karl (Pseud. K. L. Ammer) 81, 122, 124, 143
Klemm, Wilhelm 191
Kraft, Werner 9 f, 57, 143, 145

Lichtenstein, Alfred 5, 151, 191 f
Loerke, Oskar 5
Lotz, Ernst Wilhelm 5, 192
Loyola, Ignatius von 89, 91
Ludendorff 36

Mallarmé 64, 185
Mayer, Hans 2, 77, 183
Mehring, Walter 80 f, 134
Mörike, Eduard 158
Müllereisert 60, 61
Münsterer, Hans Otto 9, 41 f, 48, 66 f, 89, 105, 151
Muschg, Walter 5 f

Neander, Joachim 91, 93 ff
Neher, Caspar 31, 33, 38, 60 f
Nietzsche, Friedrich 10 f, 42 ff, 56, 64, 71 ff, 101 ff, 184 f

SACHREGISTER